La Chronique exotique

Une enquête
à quatre
~~~~~~~ines

Projet dirigé par Marie-Noëlle Gagnon, éditrice

Conception graphique : Sara Tétreault
Mise en pages : Pige communication
Révision linguistique : Sylvie Martin et Isabelle Rolland
En couverture : © Jeannette Lambert / shutterstock.com,
   © Nikolay Litov / shutterstock.com, © TonTonic / shutterstock.com
Photographies intérieures : © Georges Khayat

Québec Amérique
329, rue de la Commune Ouest, 3ᵉ étage
Montréal (Québec) Canada H2Y 2E1
Téléphone : 514 499-3000, télécopieur : 514 499-3010

Nous reconnaissons l'aide financière du gouvernement du Canada par
l'entremise du Fonds du livre du Canada pour nos activités d'édition.

Nous remercions le Conseil des arts du Canada de son soutien. L'an dernier, le Conseil a investi 157 millions de dollars pour mettre de l'art dans
la vie des Canadiennes et des Canadiens de tout le pays.

Nous tenons également à remercier la SODEC pour son appui financier.
Gouvernement du Québec – Programme de crédit d'impôt pour l'édition
de livres – Gestion SODEC.

Canadä | Conseil des arts Canada Council du Canada for the Arts | SODEC Québec

**Catalogage avant publication de Bibliothèque et Archives nationales
du Québec et Bibliothèque et Archives Canada**

Corbec, Laurent
La chronique exotique
(Tous continents)
ISBN 978-2-7644-3206-8 (Version imprimée)
ISBN 978-2-7644-3207-5 (PDF)
ISBN 978-2-7644-3208-2 (ePub)
I. Titre. II. Collection : Tous continents.
PS8605.O713C57 2016   C843'.6   C2016-940729-2
PS9605.O713C57 2016

Dépôt légal, Bibliothèque et Archives nationales du Québec, 2016
Dépôt légal, Bibliothèque et Archives du Canada, 2016

Imprimé au Québec

LAURENT CORBEC

La Chronique exotique

Une enquête à quatre mitaines

Québec Amérique

*Toute ressemblance avec des personnes
ou des situations existantes ne peut être due
qu'à l'imagination excessive du lecteur.*

À ma bonne-maman,
malvoyante bien-aimée.

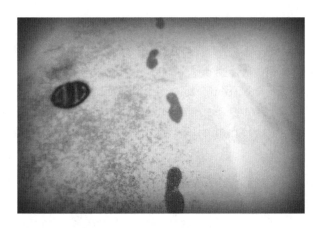

Samedi 21 décembre

Quinze pour cent. Il l'avait lu, on le lui avait dit et répété, bref, il le savait. Mais maintenant qu'il se trouvait devant son assiette vide et son addition pleine de chiffres superposés, il mesurait tout le caractère élastique de ces fameux quinze pour cent. Donner quinze pour cent, c'était la norme. Ça signifiait donc que tout était normal. Or, justement, tout n'avait pas été normal. Loin de là. Les œufs avaient été trop cuits, les fruits, trop fades, et il avait dû réclamer trois fois sa crêpe avant d'avoir droit à une espèce de chiffon blafard qui se décomposait dans la bouche avec un arrière-goût de liquide à vaisselle. Dans de telles conditions, donner quinze pour cent de pourboire, est-ce que ce n'était pas une manière de cautionner tous ces désagréments ? Est-ce qu'on ne risquait pas d'interpréter ce geste comme une façon de dire «ne changez rien, c'était parfait»? Au contraire, est-ce qu'on ne pouvait pas susciter une saine remise en cause en donnant moins? Qui sait? On pourrait même contribuer ainsi à l'amélioration des repas, donc à une plus grande satisfaction des clients à venir, donc à une bienveillance accrue dans leurs rapports avec autrui et, en fin de compte, à une augmentation de la joie de vivre sur terre?...

Antoine Eyrolles tripota machinalement sa tasse. Quinze pour cent de 12,96 $, ça devait tourner autour de 2 $. Au total, ça faisait donc 15 $ pour deux œufs avec du bacon, des patates et un chiffon blafard ! Ça avait l'air bon marché dans le menu, mais une fois qu'on ajoutait le café, les extra, les taxes et le pourboire, ça revenait au prix d'un plat du jour dans une bonne brasserie. Alors quoi? Dix pour cent? Cinq pour cent?... Il se dit qu'il pouvait même ne rien donner du tout s'il le voulait. Il pouvait partir l'air de rien et prétendre après coup qu'il ne savait pas. Il fut saisi d'un léger vertige devant l'ampleur des choix possibles. Un brusque coup de tête le sortit d'affaire. Il disposa sans appel une poignée de monnaie devant lui, finit d'un trait son café froid et partit.

Des pièces de toutes tailles étaient éparpillées sur le journal. Elles cachaient la photo de la une, mais on pouvait encore lire le titre principal dont les grosses lettres rouges perçaient à travers la grisaille métallique : « Meurtre sanglant à Montréal, une patronne de restaurant sauvagement poignardée ».

✳ ✳ ✳

Les téléphones carillonnaient, les téléviseurs psalmodiaient, les bouches s'exclamaient, les yeux s'écarquillaient, les doigts pianotaient, les pieds piétinaient… La salle de rédaction du *Journal de Montréal* avait comme d'habitude l'effervescence bourdonnante d'une ruche. Sauf qu'en l'occurrence, la ruche venait en plus de recevoir un gros coup de pied. Et ce coup de pied, c'était l'assassinat de *L'Eggzotique*.

La couverture de l'événement avait échu à l'abeille Bilodeau, une abeille novice qui, chance du débutant, se trouvait être la seule de service lorsque l'information était tombée. Tao Bilodeau venait ainsi de faire sa première une. Et il était à lui seul un résumé de toute la rédaction : psalmodiant, carillonnant, piétinant, le téléphone coincé à l'oreille, il s'exclamait, les yeux écarquillés, en pianotant sur son ordinateur.

On ne pouvait pas vraiment dire qu'il était « heureux ». Non, il aurait fallu être mauvaise langue pour prétendre que quiconque au *Journal* se réjouissait de la mort de Carmen Medeiros. Mais il aurait fallu être hypocrite pour affirmer que la nouvelle ne suscitait pas un brin d'exaltation. Pour un journal local, en ce début de vacances hivernales dépourvu d'actualité politique ou sportive, période de floraison des marronniers et haute saison de la glose météorologique, on pouvait difficilement rêver mieux qu'une mort livrée à domicile.

Annoncer une mort, c'est un peu comme chatouiller le nerf cardiaque du lecteur avec un scalpel: ça provoque immanquablement une réaction. Malgré lui, l'être le plus insensible dresse un sourcil intrigué vers le titre. L'être le plus hautain vérifie que personne ne le voit, puis se jette sur le compte rendu détaillé du drame. Aucun humain digne de ce nom ne peut rester indifférent.

Or, en plus d'être un humain digne de ce nom, Tao était un journaliste. Et la mort de Carmen Medeiros lui chatouillait par conséquent un paquet de nerfs. Car, au-delà du choc, elle laissait un certain nombre de questions en suspens. Et Tao était dressé à fournir des réponses.

Il se demandait donc pourquoi.

Oui, d'abord. Pourquoi avait-elle été assassinée?

Tao pianota nerveusement.

Et avant tout…

Tao piétina.

Assassinée… Par qui?!

∗ ∗ ∗

Ce n'était pas seulement à cause du froid qu'Eyrolles marchait vite. C'était aussi pour fuir le plus rapidement possible les lieux du crime. Hélas, son corps avait beau s'éloigner, son esprit restait, lui, empêtré dans la culpabilité. «Quatorze dollars vingt-cinq», laissa-t-il échapper d'une voix fébrile. Il n'arrivait pas à y croire. Il recompta mentalement en espérant une erreur. Mais non, c'était bien ça: 14,25 $, ni plus ni moins! Il tressaillit de honte et accéléra encore. Ça voulait dire qu'il n'avait laissé que… 1,29 $ de pourboire? Un dollar et vingt-neuf sous?! Moins de dix pour cent?!… C'était ridicule! Ridicule et insultant. Ah, bravo! Maintenant, la pauvre serveuse devait être en train de le maudire, lui et tous ses semblables. Maudire tous les Français, maudire tous les malvoyants, maudire tous les mâles!… Il décida de réparer cet affront au plus vite. Oui, il allait retourner au restaurant, dire qu'il était désolé, qu'il avait mal vu, mal compris, mal compté, peu importe, mais il allait donner un pourboire décent. Un beau gros deux dollars, voilà. Il fouilla dans sa poche de pantalon à la recherche de la pièce convoitée et amorça son demi-tour. Mais au moment précis où son cerveau envoyait à ses membres le signal de la volte-face, son pied glissa et il se retrouva aussitôt allongé, la main toujours dans la poche, sur le sol glacé.

✳ ✳ ✳

Comment se sent-on au lendemain d'un meurtre dont on est coupable? Heureux? Triste? Épanoui? Épouvanté? Insatiable? Contrit?…

L'assassin de Carmen Medeiros, en tout cas, se sentait tout sauf coupable. Son cerveau était un peu confus, son cœur, un peu irrégulier et sa main droite – celle qui avait tenu le couteau – tremblait parfois imperceptiblement au souvenir de l'effort. Mais ce même cerveau ne concevait absolument aucun regret. Ce même cœur envoyait généreusement un beau sang vermeil à tous ses muscles. Et cette même main poignarderait à nouveau sans hésiter si c'était à refaire.

✳ ✳ ✳

Il sentait une vive douleur au coude et au nez, mais, à part ses lunettes, Antoine Eyrolles n'avait rien de cassé. Par contre, la chute avait été aussi rapide qu'humiliante et elle avait supprimé toutes ses velléités rédemptrices. Tant pis pour la serveuse, tant pis pour les Français, pour les malvoyants et pour le reste de l'humanité: il était rentré directement chez Marie-Ève et JB. On n'allait pas non plus risquer sa vie pour deux dollars.

JB lui parlait désormais comme à un enfant. Il n'arrivait pas à concevoir qu'un quasi-aveugle puisse marcher tout seul, sans canne ni chien, sur les trottoirs verglacés d'une ville qu'il ne connaissait pas.

Antoine cachait mal sa vexation grandissante. Pourquoi pas utiliser un déambulateur tant qu'on y était?! Ce n'était pas à cause de sa mauvaise vue qu'il était tombé, c'était à cause de ce sale verglas. Et ça aurait pu arriver à n'importe qui. Avec les pluies abondantes de la veille et le coup de froid nocturne, même pour un patineur artistique, la ville était devenue périlleuse!

Marie-Ève, elle, n'arrivait toujours pas à se représenter la scène. Comment Antoine avait-il pu se blesser au nez en glissant sur un trottoir? Il n'avait pas eu le réflexe de se protéger avec son bras?... Elle était avide de détails. Mais Antoine lâchait ses explications de mauvais gré, au compte-gouttes. Il sentait qu'elle était moins inquiète qu'amusée. Il avait failli se fracasser le crâne, mais, bizarrement, avoir une plaie sur le nez plutôt que sur le front annulait tout le tragique de l'histoire. Il avait plus l'impression d'arborer un nez de clown qu'une blessure de guerre. Il finit néanmoins par avouer qu'il avait eu froid aux mains. Parce qu'il n'avait pas de gants. Donc, il avait mis ses mains dans ses poches. Bien au chaud. Et après, voilà: il avait glissé. Et ses mains... Ben... Ses mains étaient restées bloquées dans les poches et... Comme il l'avait redouté, Marie-Ève accueillit cet aveu sans une once de pitié.

— Excellent! Ça ferait une bonne scène pour ton roman, ça! Le gars qui glisse avec les mains dans les poches et qui tombe la tête en avant. Un vrai cartoon!

Elle avait un rire fort et franc, qui sortait sans entrave. Antoine se le prit en pleine face, comme le trottoir.

— Oui, mais justement, c'est un roman, pas un dessin animé, nuança-t-il en se caressant le nez.

— C'est pas grave, c'est drôle pareil!

— Je ne cherche pas spécialement à faire un roman drôle.

— Ça va être un roman triste?

— Non, pas forcément.

— Alors, un roman d'amour?

— Euh… non, ça m'étonnerait.

— Un roman policier?

— Encore moins.

— Ah bon? Pourquoi pas?

— Je sais pas… Je…

— Allez! Un bon roman policier, les soirs d'hiver, au chaud sous les couvertes!

— Oui, mais… non.

— Mais pourquoi?!

— Je sais pas… Ça tourne toujours autour d'une histoire d'amour ou d'argent…

— Qu'est-ce que t'as contre l'amour et l'argent?

— J'ai rien contre. Mais je trouve ça plus intéressant à vivre qu'à lire.

— Et les histoires de psychopathes sanguinaires, tu trouves ça aussi plus intéressant à vivre qu'à lire?

— J'aime pas les histoires de psychopathes. J'aime pas les histoires qui ne tiennent pas debout. Et les polars, c'est toujours tiré par les cheveux.

— On s'en fout que ce soit tiré par les cheveux. Ce qui compte, c'est le suspense.

— Moi, je m'en fous pas, s'enflamma soudain Antoine. Ça m'amuse pas de haleter toute la nuit pour découvrir finalement que ça fait trois cents pages qu'on me prend pour un con! Et puis, le suspense, le suspense… C'est pas compliqué, le suspense: tu mets ton héros tout seul dans la forêt et t'arrêtes ton chapitre au moment où le psychopathe sort sa tronçonneuse. Et voilà, tout le monde a peur, c'est gagné!

JB se demandait si la fougue d'Antoine était due à ses convictions littéraires ou à l'humiliation de sa chute. Marie-Ève parut vexée.

— Donc, tu vas écrire un roman dans lequel y a pas d'amour, pas d'argent et pas de suspense ?

— Ben…

— C'est alléchant ! conclut-elle avec un bref et foudroyant éclat de rire.

— J'avoue, approuva JB.

L'idée du roman était sortie un peu par hasard, deux mois plus tôt, alors qu'Eyrolles était encore en France et parlait de son projet de voyage à Montréal avec une amie. Il n'y avait jamais réfléchi sérieusement auparavant. Mais le simple fait de formuler cette idée encore embryonnaire lui avait donné l'apparence d'une vieille conviction. Petit à petit, il s'était mis à le claironner sur tous les toits : il allait profiter de ses vacances au Québec pour « écrire son roman ». C'était même devenu une des raisons officielles de sa venue. Et par la suite, il s'était si souvent imaginé en train d'écrire dans un chalet enneigé ou bien dans un petit café douillet qu'il avait fini par en être le premier convaincu.

La première désillusion était tombée sous forme liquide dès sa sortie de l'avion le vendredi après-midi. Tandis qu'une pluie torrentielle s'abattait sur lui, il réalisa qu'il aurait peut-être plus de mal à dégotter son chalet enneigé à Montréal que s'il était resté sagement à Chambéry. Et, étrangement, l'idée d'un chalet sous la pluie ne lui paraissait plus du tout en accord avec celle de production littéraire. La deuxième désillusion avait eu lieu le matin même au restaurant. Cette fois-ci, ça n'avait pas été la neige, mais l'inspiration qui avait fait défaut… Il s'était pourtant installé comme prévu avec une page blanche et un café noir, prêt pour laisser libre cours à son imagination fertile et au déluge romanesque. Mais il avait eu le temps de vider trois fois sa tasse sans que la page perde sa virginité. Il avait fini par écrire une liste de choses à faire au verso (parmi lesquelles « roman »). Puis par abandonner tout simplement son carnet au profit du journal local. Bref, contre toute attente, le «petit café douillet» ne suffisait pas; les muses n'avaient pas sorti le bout de leur nez. Était-ce à cause des chansons de Noël qui passaient à la radio? De la légère migraine due aux bières de la veille? Du décalage horaire? Des petits vieux qui baragouinaient à gorge déployée de l'autre côté de la salle?… Il ne savait pas trop. Mais il avait pris conscience que ses intentions artistiques n'étaient pas claires. Il voulait écrire un roman, c'était tout ce qu'il savait. Et s'il disait fièrement à tout le monde que le sujet était top secret, ça l'était avant tout pour lui.

* * *

Le samedi avait toujours été une grosse journée à *L'Eggzotique*. Mais, paradoxalement, le fait que le restaurant soit fermé semblait attirer encore plus de monde qu'à l'accoutumée. Peut-être parce qu'il était fermé par un cordon indiquant «scène de crime – défense de passer». Et que ce cordon autoritaire qui jurait singulièrement au milieu des guirlandes ne donnait qu'une envie: faire le contraire de ce qu'il ordonnait.

Pour la plupart, les badauds se contentaient de s'approcher de l'entrée, de pointer un doigt vers l'intérieur en chuchotant un commentaire, puis de repartir en hochant la tête. Mais certains d'entre eux – des gens du quartier, des habitués du restaurant ou de simples curieux – s'arrêtaient plus longuement pour discuter. Et un petit groupe avait fini par se former au coin des rues Boyer et Saint-Zotique.

Au centre de ce groupe rayonnait Réal. Car Réal cumulait les titres honorifiques de voisin, employé officieux et, surtout, découvreur du crime. Il avait d'ailleurs été longuement interrogé par la police à ce sujet. Et il en retirait une excitation proche de la frénésie. Il n'était pas du genre à se mettre en valeur. Mais pas du genre non plus à masquer sa fierté derrière un voile de bienséance. Non, il était surexcité et il ne le cachait pas. D'autant moins qu'il était à moitié sourd et qu'il beuglait donc sans se lasser les mêmes informations à qui voulait les entendre. Malgré ses soixante-dix ans bien sonnés, son appareil auditif qui sifflait jusqu'au bout de la rue et sa cigarette perpétuellement plantée entre ses lèvres, il ressemblait à un gamin de village porteur d'une grande nouvelle. Et sa physionomie simple et franche exprimait avec éloquence une vérité que toutes les personnes autour de lui tâchaient de taire : la mort des uns rehausse la vie des autres.

Un peu plus loin, Réjeanne « Reggie » Gagnon sortit du dépanneur en tenant fermement un sac plastique. D'ordinaire, elle n'était pas la dernière pour décortiquer les brèves locales. Au contraire, elle était tout le temps en train de jaser, que ce soit en compagnie de Réal, d'un voisin quelconque ou bien des coiffeurs. Toujours prête à échanger un coup de main contre quelques potins. Et elle aurait pu apporter une contribution non négligeable aux discussions en cours. En tant que plongeuse du restaurant et proche de la victime, elle aurait même pu voler la vedette à Réal le temps de quelques déclarations.

Mais Reggie ignora le petit groupe. Elle enfonça sa tuque sur ses cheveux ras, remonta le col de son manteau et avança d'un pas résolu. Ses yeux brillants et cernés étaient rivés sur le trottoir. Réal l'observa d'un air avenant. Elle rentra chez elle sans un mot ni un regard.

✳ ✳ ✳

Après le tragique dénouement de son excursion matinale, Antoine Eyrolles ne prit plus de risque. Il resta confiné tout le reste de la journée loin du froid, loin des cascades, loin du danger et des mauvaises surprises, dans le doux cocon amical. Tout y semblait ouaté. Le temps glissait en douceur sur le plancher en bois franc, venait ronronner dans le canapé bedonnant et Eyrolles le regarda passer, lentement, comme une vieille locomotive.

Ses lunettes habituelles étant cassées, il était obligé de porter l'unique recours ophtalmologique qu'il avait emporté dans ses bagages : de grosses lunettes de soleil à la monture virile et aux verres noirs. Et c'est peut-être aussi à cause de ça que l'après-midi lui sembla si sombre. Si mou. Comme un long prélude à la nuit qui s'en venait, pendant lequel il fallait faire semblant de ne pas avoir envie de dormir. Peut-être. À moins que ce soit encore autre chose…

En plus de ses problèmes de vue, Eyrolles souffrait d'une pathologie atypique dont il n'avait jamais fait part à personne. Chaque fois qu'il partait en voyage, il était victime d'une nostalgie mélancolique aiguë le lendemain de son arrivée. C'était étrange. Il savait qu'il aurait dû se sentir heureux, avide, excité. Mais non : chaque fois, il redevenait timoré, nostalgique, tristounet… c'était inévitable. En fait, les symptômes étaient identiques à ceux qu'il avait ressentis le jour de sa rentrée au primaire, alors qu'il venait de déménager dans une nouvelle ville, que sa mère l'avait déposé à l'école et qu'il attendait dans la cour de récréation, tout seul dans une marée d'enfants hilares et turbulents.

Trente ans plus tard, après une journée tranquille passée en bonne compagnie, Antoine Eyrolles avait donc à nouveau la gorge serrée et les yeux embués derrière ses lunettes de rocker. Comme dans la cour de récré, quelque chose en lui se demandait ce qu'il faisait là. Et il aurait bien pleurniché un petit « maman » désemparé s'il n'avait pas été en présence de témoins. À la place, il sortit une raillerie gratuite à l'adresse de JB qui, bon joueur, s'offrait en victime sacrificielle. Car ce bon Djibi avait la peau dure et il acceptait de bon gré les moqueries de toutes qualités et de toute provenance, conscient que c'était le meilleur moyen de lier autour de lui les railleurs entre eux. Et cela avait en effet réussi à créer un brin de connivence entre Antoine et Marie-Ève, et même avec les enfants.

Mais la connivence resta précaire et la soirée ne s'éternisa pas. Antoine prétexta le contrecoup du décalage horaire pour aller cuver sa nostalgie mélancolique aiguë tout seul, dans sa chambre. Une fois enserré dans son petit lit aux draps propres, il ravala un sanglot silencieux. Il se sentait bizarre. Bizarrement triste. Mais il y avait quelque chose de sucré dans le pleur, quelque chose de doux dans la douleur. Il savait que dès le lendemain, il serait lui aussi hilare et turbulent dans la cour de l'école.

Dimanche 22 décembre

Antoine et JB marchaient côte à côte comme ils l'avaient fait, vingt fois plus vite, vingt ans plus tôt. Ils remontaient la pente douce du mont Royal et celle, plus accidentée, des souvenirs. Toulouse, la faculté de droit, la bande, les fêtes, les conneries… JB jetait de temps à autre des coups d'œil curieux à son vieux camarade. Malgré l'apparition de gerbes blanches dans sa sombre tignasse et dans sa barbe, Antoine n'avait pas vraiment changé. Il avait toujours son esprit vif, tranchant, parfois légèrement impatient, voire cruel. Il avait aussi toujours cette coquetterie un peu ridicule qui le poussait, par exemple, à porter sa veste mince et déchirée plutôt que le gros manteau d'hiver que JB avait proposé de lui prêter. Toujours, enfin, ce côté mystérieux et imprévisible qui charmait tout autant qu'il agaçait. Cette idée de roman, notamment, semblait sortir de nulle part. Et, vraisemblablement, elle y retournerait bientôt. Entre son travail de procureur et ses inépuisables histoires de cœur, on se demandait bien où Antoine allait trouver le temps d'écrire. Malgré la volonté sincère de voir son ami se réaliser, JB avait du mal à croire qu'il repartirait de ses deux semaines de vacances avec un manuscrit sous le bras.

Il lui avait concocté un programme touristique sur mesure, éclectique et malléable. Mais il s'attendait à se faire rabrouer à tout instant par une de ces remarques pleines de tact et de délicatesse dont Antoine Eyrolles avait le secret. Comme si ce n'était pas déjà suffisamment compliqué de trouver des activités adaptées à un malvoyant, il fallait en plus que ça le soit à un anticonformiste.

Ils avaient dépassé le lac aux Castors et il y avait de plus en plus de monde sur le chemin. En matière de conformisme, on pouvait difficilement faire pire que l'inévitable pèlerinage au mont Royal. Joggers, cyclistes, familles, solitaires, petits amoureux… Personne n'y échappait. Pas une catégorie sociale ni une langue de l'univers. Tout ce qui passait à Montréal passait, tôt ou tard, au mont Royal. Toutefois, malgré le froid et le caractère éminemment touristique du lieu, Antoine avait l'air content. Il racontait avec une passion palpable des histoires de cour d'assises. Ses mains ne cessaient de se déplier et de se replier comme des marionnettes au milieu desquelles son regard conservait au contraire une troublante fixité.

Depuis vingt ans, JB n'avait jamais réussi à savoir ce qui se tramait vraiment derrière ces lunettes. Depuis vingt ans, il n'avait jamais réussi à comprendre la nature exacte de son handicap visuel. Antoine expliquait laconiquement qu'il avait une vision « fonctionnelle », comme on peut le dire d'une langue étrangère dont la maîtrise précaire permet néanmoins de commander une bière et de demander son chemin. Mais qu'est-ce que ça voulait dire exactement ? Que sa vue lui permettait de boire des bières et de retrouver son chemin ?… JB savait qu'Antoine ne distinguait pas les couleurs, qu'il était myope comme une taupe et qu'il était hypersensible à la lumière. Mais ce qu'il voyait vraiment, ça, il n'avait jamais réussi à le savoir. Ils arrivèrent au belvédère et Antoine gonfla le torse de manière théâtrale.

— Ah ! Enfin un panorama !

Était-ce ironique ? JB tâta prudemment le terrain.

— Sympa, hein ? !

— Oui, très.

Encouragé par cet enthousiasme inattendu, JB tendit un index didactique.

— Alors, tu vois, là, c'est…

— Non, je vois rien. J'entends juste que la vue est dégagée. Surtout au fond, là, avec l'horizon et le fleuve. C'est très chouette.

— Ah?... OK.

— Par contre, ça manque de montagnes.

Non, il était décidément impossible de comprendre la perception qu'Antoine Eyrolles avait de la réalité.

JB le regarda glisser sa main gantée dans le trou de sa veste.

— Putain, on se gèle les coudes dans ce pays! On y va?

* * *

D'innombrables trompe-l'œil ornementaient la vaste église. Sur les murs, sur la chaire, sur les colonnes… partout. Où que l'on regarde, pour peu que l'on observe avec un tant soit peu d'insistance, on s'apercevait que ce que l'on avait cru vrai au premier coup d'œil n'était en fait qu'un leurre.

Au cœur de l'édifice, devant l'autel, trônait le cercueil de Carmen Medeiros. Et à l'intérieur de ce cercueil, le cadavre avait lui aussi quelque chose d'irréel. La défunte était trop lisse, trop belle, trop parfaite. Trop paisible pour être en vie. Mais trop charnelle pour être vraiment morte.

Morte, elle l'était pourtant bel et bien. Et une foule massive était venue assister à la cérémonie funéraire. Carmen Medeiros avait été une femme sociable et appréciée. Son décès prématuré et les circonstances tragiques qui l'accompagnaient avaient suscité un large mouvement de compassion. Évidemment, la communauté portugaise, sous le choc, s'était déplacée en masse. Mais toutes sortes de personnes étaient venues honorer sa mémoire: famille, amis, employés et clients du restaurant… Il y avait même quelques quidams qui, même s'ils ne connaissaient pas la défunte, se sentaient visiblement touchés par son histoire.

Tous les membres importants de *L'Eggzotique* étaient présents, à l'exception de Reggie, la plongeuse, qui n'avait pas pu venir. Alex, Raul et Kiko, assis côte à côte, droits comme des piquets, avaient troqué leurs tabliers sales pour des costumes proprets. Odile et Claire, les deux serveuses, paraissaient toutes deux frigorifiées et se mouchaient abondamment. Enfin, Gabriel et Jonathan, les deux jeunes busboys, assistaient, un peu intimidés, à leurs premières funérailles.

Le banc de devant était réservé à la famille proche. En tête de rangée, Mario, le fils aîné, semblait faire de grands efforts pour contenir son émotion. Mais les larmes arrivaient sans prévenir, déferlant par vagues qu'il ne parvenait pas à endiguer derrière ses longs cils. À côté de lui, son père avait l'attitude digne et patriarcale qu'on attendait de lui. Mais on voyait clairement que Mike Medeiros mobilisait toute sa puissance corporelle et son expérience morale pour conserver son sang-froid. Son visage était sévère et ses yeux y brillaient d'autant plus intensément. À sa droite, les mêmes yeux tout aussi pleins d'intensité, tout aussi dépourvus de larmes : Sandra avait exactement la même expression que son père. Mais, comme Mario, elle avait hérité des longs cils de sa mère, qui ajoutaient à son visage une touche de douceur. Elle tenait Nino, son plus jeune frère, contre son ventre et entourait son cou d'un geste maternel.

Dans toute l'église, Nino était le seul à avoir l'air content. Il regardait le chapelet du prêtre avec un sourire béat. Parfois, il tournait la tête en émettant des sons étouffés. Sandra renforçait alors l'étreinte de ses bras et lui chuchotait quelque chose à l'oreille. Après quoi, il regardait à nouveau le prêtre et retrouvait sa félicité.

Nino était le seul à avoir l'air content, mais était-il le seul à l'être ? Quelles émotions mijotaient vraiment derrière toutes ces faces grises ? Quelles pensées s'agitaient derrière les pleurs ? Quelles mécaniques articulaient tous ces airs tristes, solennels, émus, fébriles, engoncés ?…

Sous la haute voûte sacrée, les interrogations planaient sans trouver de réponse. Il est plus facile de discerner un trompe-l'œil sur un mur que sur un visage.

* * *

Eyrolles reposa sa bière sur la table et s'avachit dans la banquette. Après les pérégrinations de la journée, il pouvait enfin se détendre un peu. Il étira ses jambes en soupirant et il constata qu'une saine fatigue s'était installée en lui. Le bruit ambiant du bar, nivelé par une musique douce et ponctué de rires épars, semblait être un prolongement de la banquette en velours dans laquelle il s'enfonçait, corps et âme, de plus en plus profondément.

Il avait laissé JB chez lui vaquer à ses occupations. En attendant, il savourait un peu de calme et de solitude dans un bar du quartier. La journée avait été intense. De toute évidence, JB se donnait beaucoup de mal pour lui montrer les plus belles facettes de la ville. C'était à se demander s'il ne cherchait pas à se convaincre lui-même qu'il avait eu raison de quitter la France et de passer son quinzième hiver à Montréal. D'ailleurs, sa façon de répéter sans arrêt que c'était «vraiment une ville agréable à vivre» semblait une manière de s'excuser que ce ne soit pas également une ville agréable à visiter. Eyrolles, lui, s'en foutait. De toute façon, il n'avait jamais vraiment aimé le tourisme. Et ses problèmes de vue lui donnaient un merveilleux prétexte pour éviter les musées, les monuments, les visites guidées et autres must-see-incontournables-à-voir-absolument-avant-de-mourir. Ce qu'il aimait, par contre, c'était être ailleurs. Hors de chez lui. Entendre des accents différents, des langues étrangères, des sons inouïs, des odeurs bonnes ou mauvaises, mais nouvelles. Ça, c'était son musée préféré, gratuit et sans file d'attente. Et pour le coup, il était servi.

Le dépaysement avait comme effet collatéral de lui donner un intérêt soudain pour des choses qu'il aurait habituellement dédaignées. En l'occurrence, ce n'était même plus un intérêt, mais une véritable passion. Depuis quarante-huit heures, il s'était pris d'adoration pour les burgers, le café filtre, les chips et la presse à sensation. Tous ces délices étaient pourtant loin d'être introuvables en France. Mais là-bas, ils le laissaient indifférent. Alors qu'ici… C'était la magie du déplacement géographique: vu d'une autre perspective, l'objet répugnant devenait attrayant, le fast-food se changeait en festin et le jus de chaussette en nectar. D'ailleurs, il ne fallait pas le dire à JB, qui allait encore se vexer, mais jusqu'à présent, le meilleur moment de son voyage avait été la lecture du *Journal de Montréal* le dimanche matin devant des œufs au bacon et un café sans goût. C'était inexplicable, mais c'était comme ça. Il s'était retrouvé littéralement irradié de bonheur. Et quand on est dans un tel état, on ne va pas s'amuser à le remettre en cause pour de basses raisons raisonnables. Non. On savoure. Puis on s'en va en laissant un pourboire ridiculement élevé.

La serveuse lui apporta un bol de nachos. Il la remercia et sirota une gorgée de bière. Là encore, l'extase n'était pas loin. À l'exception de ses gros orteils imperturbablement glaciaux, son corps avait fini par se réchauffer. Il était, ici et maintenant, légèrement flottant, parfaitement heureux. En revanche, il fallait se rendre à l'évidence : il s'était caillé toute la journée. Et il allait devoir impérativement opérer un petit réajustement vestimentaire. D'abord, il faudrait faire ses adieux à la veste en feutre qui s'était déchirée lors de sa chute stupide. JB lui avait proposé un gros manteau d'hiver. Extrêmement chaud. Mais extrêmement jaune… Certes, Eyrolles ne faisait pas la différence entre le jaune et le bleu ou le noir ou même le rose fluo. Mais le simple fait de savoir qu'il portait un manteau jaune lui était déplaisant. Il entendait déjà le rire fracassant de Marie-Ève quand elle le verrait là-dedans. Hélas, il n'avait pas bien le choix : tant pis pour l'honneur, il préférait encore les piques de Marie-Ève à celles du froid québécois. Et tant qu'à avoir l'air con, autant l'être jusqu'au bout des pieds : ses orteils pétrifiés lui indiquaient qu'il n'allait pas pouvoir échapper longtemps aux bottes d'hiver.

D'ailleurs, plus que le ridicule de l'accoutrement et les moqueries qui l'accompagnaient, ce qui lui posait le plus de problèmes là-dedans, c'était de montrer à JB qu'il avait raison. Parce que JB avait toujours raison, c'était une loi séculaire tout aussi implacable que la gravité. Une loi mille fois niée et autant de fois vérifiée. On ne pouvait pas lutter contre ça. La seule chose qu'on pouvait faire, c'était s'irriter. Et c'était donc ce qu'il faisait.

Il se rendait compte que c'était puéril et stupide. Mais c'était plus fort que lui. C'était inscrit dans les gènes de leur relation. JB avait toujours adoré prodiguer un doux paternalisme à tous les damnés de la terre, alors qu'Antoine avait toujours détesté qu'on l'aide et le protège. Ça devait probablement pouvoir s'expliquer et même se résoudre très simplement en une ou deux séances chez le premier psychologue venu. Mais Antoine Eyrolles tenait à sa puérilité stupide comme à un vieux t-shirt fétiche.

Deux séances de plus chez le psy lui auraient peut-être permis de comprendre les raisons d'une autre source d'irritation tout aussi inutile et arbitraire : les tics de langage de JB. Après quinze ans au Québec, celui-ci était resté globalement étanche aux sonorités locales. Mais son vocabulaire, comme la peau couverte de cicatrices du vieux baroudeur, portait les traces de tous les lieux dans lesquels il avait vécu. Au « Eh bé » de son enfance tarnaise s'étaient adjoints les « boudu con » de sa période étudiante à Toulouse auxquels il fallait désormais intégrer d'incessants « c'est comme », « en tout cas » ou « c'est ça ». Mais la palme du tic, et la palme de l'irritation revenaient à l'incontournable « j'avoue » qui ponctuait une phrase sur deux de JB. En bon auxiliaire de justice qu'il était, Eyrolles ne pouvait pas s'empêcher d'avoir un léger sursaut à chaque fois. Quelle était cette manie d'avouer ainsi à tout bout de champ ? Il avait quelque chose sur la conscience ou quoi ?…

À ces détails près, les deux amis s'entendaient à merveille. Il leur avait fallu moins de deux minutes pour réactiver une complicité mise en veille pendant deux années sans le moindre contact. Eyrolles choisit un bout de nacho tapissé de fromage et l'engouffra. Il rinça le tout dans une rasade de bière. Il se demandait ce qu'il allait faire de ses prochains jours. Le rythme touristique s'essoufflerait bientôt. La ville cesserait alors de ne pas être agréable à visiter, pour être enfin agréable à vivre… Un bruit de pas paisible monta crescendo jusqu'à la table d'Antoine puis s'arrêta net tandis qu'un bras plongeait sans préavis dans le bol de nachos. Tout en mâchouillant sa prise, JB demanda à Antoine ce qu'il buvait et partit aussi sec au bar.

Physiquement, JB n'avait pas changé. C'était toujours cette même grande masse mollassonne et chaleureuse. Par contre, il y avait comme quelque chose d'éteint en lui. Bien sûr, Antoine ne s'était pas attendu à retrouver le Djibi folâtre de leurs vingt ans. Mais quand même. Il ne s'était pas non plus attendu à un tel calme. Car, si aujourd'hui Eyrolles l'éternel célibataire paraissait le moins stable des deux, à l'époque Jeanjean Djibi le JB était de loin le plus furieux. Le plus imprévisible. Parfois le plus dangereux…

Et pourtant, il avait aussi été l'un des premiers de toute la bande à se caser et à avoir des enfants. Antoine le soupçonnait d'avoir justement cherché à écraser ainsi la folie qui couvait en lui. Et, sans pour autant être capable de l'expliquer, il lui en voulait un peu. En même temps, JB avait eu l'intelligence de ne pas aller trop loin. Il avait su arrêter à temps les conneries d'adolescent, les colères noires, les ivresses incontrôlées. Et lui, au moins, il avait évolué. Alors qu'Antoine Eyrolles était au même point que vingt ans plus tôt : un peu en couple, un peu célibataire, un peu doué, un peu médiocre…

C'était aussi pour ça qu'il voulait écrire son roman. Il aurait bien aimé se surprendre pour une fois et aller puiser en lui les trésors qu'il pressentait dans ses profondeurs. Parce que, jusqu'à présent, il n'avait pas puisé grand-chose. Chaque fois qu'il avait senti gargouiller cette impérieuse envie que certains appellent l'inspiration, les réalités de la vie pratique l'avaient détourné vers d'autres desseins. Chaque fois, il avait dû aller à contre-courant de son envie, s'arracher de la page vierge, aller travailler, assumer ses responsabilités, se tuer à la tâche et tuer l'inspiration dans l'œuf. Car une fois le travail terminé, une fois les responsabilités assumées, l'impérieuse envie n'était plus qu'un lointain souvenir que la fatigue de la journée écartait définitivement. Mais cette fois-ci, il était résolu. Il s'était exilé à l'autre bout du monde pour deux semaines de vacances. Il disposait d'une éternité avant son retour, d'un océan entre lui et son bureau. Lui et son bourreau !

Ça avait bien commencé. Il était confiant et motivé. Le matin même, lors de son moment d'extase après les œufs au bacon et les douze cafés, il avait trouvé une idée, une brèche. C'était l'histoire d'un journaliste adepte de la langue de bois pour presse-caniveau qui – au sommet de sa popularité – se met à proférer la Vérité. Le cerveau d'Eyrolles s'était mis à turbiner à toute vitesse et les idées, à en jaillir comme d'un geyser. Certes, le geyser s'était rapidement arrêté. Et il restait pas mal de détails à régler. Mais il avait trouvé l'essentiel : un dispositif qui offrait des possibilités de défoulement infinies. Tout ce qui lui passait par la tête, par les nerfs, par le cœur, il pourrait l'exprimer à travers la plume de son journaliste. Et le procureur de Chambéry deviendrait ainsi le procureur de l'humanité !

Il termina sa bière en savourant cette modeste pensée. Il ne lui restait plus qu'à trouver un prétexte. Une intrigue. Comment faisaient les romanciers d'habitude ? Mystère. Il se souvint d'avoir entendu que Flaubert se documentait de longues années avant d'écrire. Il ne savait pas si c'était vrai, et d'ailleurs, il n'avait jamais lu Flaubert. Mais il se dit quand même que c'était ce qu'il fallait faire. Avant tout, Eyrolles devait se documenter, se renseigner sur le métier de journaliste. Comment parler de quelque chose que l'on ne connaît pas ? Même s'il lisait abondamment la presse, il ne savait absolument rien du journalisme. Encore moins du journalisme sensationnaliste.

Il tira vers lui le journal qui traînait sur sa table. La une exhibait un portrait-robot aux traits maléfiques et le titre annonçait « Avis de recherche : tueur sans pitié ». Il tourna les feuilles au hasard. Une double page était consacrée au meurtre de la patronne de restaurant dont il avait déjà entendu parler. La mise en page imitait le mur sur lequel, dans les films américains, les policiers épinglent leurs indices. Il y avait tout un tas d'informations plus ou moins inutiles, mêlant statistiques spécieuses, micros-trottoirs affligeants, portraits romancés et pseudo-analyses. Rien n'excédait plus de un ou deux paragraphes. En bas à droite, l'article concluait par l'avis de recherche du suspect numéro un avec le même portrait-robot que celui figurant à la une. En haut, à gauche, la photo du journaliste investigateur trônait dans un médaillon accompagné de son adresse courriel.

Pas la peine de chercher plus loin, c'était le modèle idéal pour le grand héros du grand romancier Antoine Eyrolles ! Porté par la douce euphorie de la bière, celui-ci décida d'envoyer immédiatement un message au journaliste. Il regarda de plus près le médaillon. On pouvait y lire « Tao Bilodeau, envoyé spécial ». « Tao »... Il se demandait s'il s'agissait d'un homme ou d'une femme. La mauvaise qualité de la photo qu'il scrutait à travers la loupe de son téléphone faisait apparaître des traits fins et délicats qui ne permettaient pas de trancher. Il opta pour une formulation compatible avec les deux genres.

— Eh bé, alors! On a fait six mille kilomètres juste pour regarder son téléphone?

JB venait d'arriver avec deux belles pintes fraîches. Antoine appuya vite sur «envoyer le message» et fit l'innocent.

— Hein? De quoi?…

— Je pensais que tu venais pour voir du pays, pas pour regarder ton beau téléphone.

— Et moi, je pensais pas venir pour me faire insulter…

— Allez, fais la victime, va!

— Je te rappelle que j'ai des petits problèmes de vue. Et si je regarde mon beau téléphone, c'est qu'il me sert de loupe pour lire le journal. Sans lui, je ne pourrais pas m'ouvrir l'esprit sur le reste du monde.

JB jeta un œil sceptique sur la double page étalée devant Antoine.

— C'est sûr que *Le Journal de Montréal*, ça ouvre beaucoup l'esprit. C'est bien connu pour ça…

Antoine, loupe à la main et main dans l'œil, fit mine de poursuivre une passionnante lecture. JB en profita pour annoncer la suite du programme. Il proposait de partir le lendemain dans la famille de Marie-Ève à Sainte-Agathe où ils devaient laisser les enfants pour les vacances. Ce serait l'occasion de passer une journée hors de la ville et de…

Au mot «enfant», le corps d'Eyrolles s'était crispé et son esprit s'était enrayé, l'empêchant d'écouter objectivement la fin de la phrase. Il repensa aux deux petits morveux qui faisaient la loi chez Marie-Ève et JB. Amélie et Gustave. Deux prénoms immondes, deux graines de tyrans, deux ennemis à combattre sans répit s'il voulait conserver ses maigres droits. Quand ils avaient vu Eyrolles arriver avec son «Ah! Ils ont grandi!» et son sourire forcé, ils s'étaient aussitôt enfuis dans leur chambre. JB s'était gentiment moqué de leur timidité et Antoine avait déclaré qu'ils étaient mignons tout en pensant ardemment le contraire. Peu à peu, les deux monstres s'étaient habitués à lui, mais ils gardaient une sorte de méfiance animale à son égard. Comme s'ils sentaient que leur domination absolue était menacée par cet intrus. Un intrus qui essayait de leur dérober le centre de l'attention, qui occupait la chambre d'Amélie et qui les obligeait à dormir tous les deux dans la même!

Eyrolles savait qu'il effrayait les enfants autant qu'il les dégoûtait. Il connaissait bien la candeur enfantine: une candeur qui rejette instinctivement tout ce qui est différent, qui méprise les faiblesses, qui honnit les handicaps! Une candeur qui se moque de ses lunettes de soleil! D'ailleurs, Eyrolles ne serait pas mécontent de la laisser partir toute seule à Saint-Machin, la candeur enfantine! Mais pour cela, il allait devoir trouver une bonne excuse…

Son téléphone vibra en diffusant une lueur prophétique. Eyrolles lut discrètement le message, puis il posa l'appareil et prit un ton dégagé.

— Ah! J'aurais bien aimé vous accompagner, mais demain j'ai justement un rendez-vous important pour mon roman. C'est con! Tant pis pour les enfants…

Sur la table, son téléphone avait abandonné toute velléité de lumière et de vibration. Mais un regard indiscret aurait pu y lire le message suivant:

Tao Bilodeau <tao.bilodeau@lejournaldemontreal.com>

19:07 (Il y a 0 minute)
À moi

cool:-D
je dois faire des entrevues demain après midi si tu veux tu peux venir avec moi ça me ferai plaisir!

tao

Le dimanche 22 décembre à 19:02, Antoine Eyrolles
<aerol@hotmail.fr> a écrit :

Bonjour,

Je suis romancier, actuellement à Montréal pour travailler sur mon
nouveau projet dont le personnage principal sera un(e) célèbre
journaliste. Je suis votre travail assidûment et l'apprécie depuis
longtemps. J'admire notamment votre vision synthétique et votre
écriture très efficace.

Je serais très curieux d'en savoir un peu plus sur votre parcours
et votre manière de travailler. Si jamais vous aviez un peu de
temps à me consacrer, je serais extrêmement heureux de pouvoir
vous rencontrer, vous poser quelques questions et, qui sait, vous
voir à l'œuvre.

Je serai à Montréal jusqu'au vendredi 5 janvier et suis à votre
disposition si vous avez des remarques ou des questions.

Je vous remercie de votre attention et vous prie de bien vouloir
agréer l'expression de mes sentiments distingués,

Antoine Eyrolles

* * *

Eyrolles était tout excité par son rendez-vous du lendemain. Après le
souper, il utilisa à nouveau sa formule magique « décalage horaire »
pour se retirer précocement dans sa chambre. Mais au lieu de se
mettre au lit en pleurnichant comme la veille, il sortit son ordinateur
et prépara sa rencontre avec Tao Bilodeau. Il éplucha tout ce qu'il
trouva sur ce qui semblait être le fait divers du moment : l'affaire de
L'Eggzotique. Malheureusement, si les dépêches, articles et chroniques
étaient innombrables, les informations, elles, étaient plutôt maigres. Il
réussit à apprendre que Carmen Medeiros, la patronne de *L'Eggzotique*, s'était fait poignarder après la fermeture de son restaurant.
C'était un vieux du quartier, répondant au doux nom de Réal, qui
avait découvert le corps. Il avait vu de la lumière dans le restaurant en
fin d'après-midi alors qu'il était censé être fermé depuis plusieurs
heures. Il était entré et il était tombé sur le cadavre de Carmen gisant

dans une mare de sang. Ça lui avait valu un portrait dans *Le Journal de Montréal* du jour. L'assassin était parti avec la caisse estimée à quelques centaines de dollars. Le suspect numéro un était un itinérant d'une quarantaine d'années, Justin Clark, un Québécois de père ontarien. Lui aussi avait eu droit à sa photo dans le journal et la piètre qualité de l'impression donnait à son faciès osseux un aspect encore plus patibulaire.

Quand Eyrolles lut pour la millième fois la même dépêche et qu'il pensa avoir épuisé toutes ses sources d'information, il était presque 2 heures du matin. Il se coucha dans son lit d'enfant, la tête pleine à craquer de prose journalistique et de faits divers sordides. Au-dessus de lui, une fée dessinée à la main susurrait: «Bonne nuit, princesse, fais de beaux rêves.»

Lundi 23 décembre

— Prèakomandé?

Eyrolles pivota la tête vers la source du son qui venait de nasiller à son oreille. Son cerveau ensommeillé eut besoin de quelques secondes pour comprendre ce qu'il venait d'entendre et pour formuler une réponse à la serveuse.

— Euh… Bonjour. Je… Oui, je suis prêt…

— Jvzékout.

— Alors. Je vais prendre… Le menu… euh… Le « facéti-œufs », je crois, celui avec deux œufs, bacon et crêpe, c'est bien ça, hein ?…

— Lézeukoman?

— Pardon?

— Lézeukoman?

— Les quoi ?!…

— Comment vous voulez vos œufs?

— Ah! Excusez-moi… Je vais les prendre pochés. S'il vous plaît.

— Pinblanpinbrin?

— Et bien, euh… pinblin?

— Krèpminsoupannkèk?

— Euh… oui.

— Non, je vous demande si vous voulez une crêpe mince ou une crêpe pancake.

— Ah, pardon. Je vais prendre… euh… la deuxième.

— Sratou?

— Euh… oui… sratou.

— Srapalon.

La serveuse était déjà loin quand Eyrolles réussit à décoder sa dernière réplique et à lui répondre merci. Puis il sortit son carnet avec le secret espoir de le maculer d'idées géniales avant l'arrivée de son repas. Un écrivain célèbre – dont il ne se souvenait plus du nom – n'avait-il pas dit que le ventre plein nuisait à l'inspiration et qu'il fallait toujours écrire à jeun?… Les conditions étaient optimales!

Il observa sa feuille, mordilla son stylo, regarda en l'air, prit de longues respirations… Puis observa à nouveau sa feuille, remordilla son stylo, reregarda en l'air… Reremordilla…

Il n'y avait rien à faire: son ventre était peut-être vide, mais son cerveau l'était tout autant! Et devant la pression du résultat, son imagination s'était recroquevillée hors de sa portée dans un recoin obscur de son esprit. En dernier recours, il essaya d'invoquer quelques mots-clés pour forcer les serrures de la création. «Journaliste. Vérité. Procureur de l'humanité…» Puis il attendit plein d'espoir, le stylo dans la main. Et tout à coup, une pensée fulgurante fit enfin jour en lui avec l'évidence de la révélation: il avait faim.

Oui, ça commençait à faire longtemps qu'il avait commandé et il se demanda si on ne l'avait pas oublié. Dès que la serveuse passa près de sa table, il la questionna à ce sujet. Elle lui opposa son invariable «srapalon». Bon. Tandis que son ventre lui envoyait des signaux de détresse, il relut pour la troisième fois le menu, tout en repensant au dialogue difficile qu'il avait eu avec la serveuse. Puis il repensa à tous les dialogues difficiles qu'il avait eus depuis son arrivée. Il se remémora avec douleur tous les malentendus qu'il avait eus, tous les sous-entendus manqués, toutes ses blagues qui étaient tombées à plat...

Les problèmes de communication entre Français et Québécois ne venaient pas tant des mots propres aux uns et inconnus aux autres. Ils se seraient même certainement mieux compris s'ils n'utilisaient que des mots différents. En fait, leurs problèmes venaient précisément du fait qu'ils utilisaient les mêmes mots. Mais pour dire des choses différentes. Pour commencer, le petit-déjeuner en France était le déjeuner au Québec, déjeuner qui en France était le dîner au Québec qui en France était le souper au Québec... Comment pouvait-on s'entendre si on n'était pas d'accord sur un sujet aussi fondamental que le nom des repas? Comment prétendre débattre de politique ou de philosophie si on était incapable de se donner rendez-vous pour manger ensemble?

Il prit une nouvelle page de son carnet et y dessina un tableau*. Puis il entreprit de recenser tous les faux amis qu'il avait repérés dans le langage, tous les mots terroristes qui menaçaient dangereusement l'harmonie franco-québécoise.

petit-déjeuner (Fr): déjeuner (Qc)
déjeuner (Fr): dîner (Qc)
dîner (Fr): souper (Qc)
pastèque (Fr): melon d'eau (Qc)
melon d'eau (Fr): melon miel (Qc)
melon (Fr): cantaloup (Qc)
râler (Fr): chialer (Qc)
chialer (Fr): brailler (Qc)
brailler (Fr): crier (Qc)

Son inventaire fut interrompu par un puissant effluve de bacon. Il redressa brusquement la tête, truffe en l'air, à l'affût de son repas. En vain. Si bacon il y avait, ce n'était pas pour lui. Il eut envie de râler, de chialer et de brailler dans toutes les langues du monde. Mais quand elle passa

---

*   NDA: Ce lexique (ainsi que les suivants) n'engage que son auteur. En cas de problème, remarque, compliment, réclamation, s'adresser directement à Antoine Eyrolles.

devant sa table, la serveuse ne lui laissa pas le temps de le faire et lui asséna un énième «srapalon» avant même qu'il ouvre la bouche. En désespoir de cause, il ajouta une ligne à son tableau:

srapalon (Qc): ce sera long (Fr)

Et comme pour le contredire, la serveuse arriva aussitôt les bras chargés de victuailles.

Il dévora son repas plus rapidement qu'il ne l'avait commandé. Puis il poussa son assiette et ressortit son carnet pour travailler à son roman. Hélas, l'écrivain célèbre avait raison: de toute évidence, le ventre plein d'Eyrolles ne le mettait pas dans de bonnes dispositions artistiques. Tout son organisme semblait obnubilé par une seule et unique préoccupation: la digestion. Impossible de lutter contre ça. Il devait provisoirement renoncer à la création, tant pis pour le roman. De toute façon, il avait promis à JB de ne pas revenir trop tard. Il demanda donc l'addition – «srapalon» – et il prit le journal.

La troisième page était signée Tao Bilodeau et elle était consacrée à l'affaire de *L'Eggzotique*. Les différents articles n'apportaient rien de nouveau. Mais on pouvait y trouver une interview intéressante de Mike Medeiros, le mari de la défunte. Les questions remuaient systématiquement le couteau dans la plaie et semblaient uniquement destinées à susciter des réactions de souffrance, de haine et de vengeance. Néanmoins, Mike Medeiros faisait preuve d'une certaine mesure. Certes, il disait en substance qu'il était en train de vivre la plus grande tragédie de toute sa vie. Mais il ajoutait avec un brin de fatalisme qu'il ne pouvait rien changer et qu'il avait «confiance en la police de [son] pays pour que justice soit faite». Il finissait sur une note émouvante. «Ça fait des années qu'on travaille fort, qu'on est tous les jours à essayer d'améliorer le restaurant. Et d'un seul coup, tout est brisé et tout paraît dérisoire. C'est dans des moments comme ça qu'on se rend compte que le plus important, c'est nos proches, c'est notre famille.»

Eyrolles médita ces phrases pendant quelques instants. Il se demanda ce qui était vraiment important pour lui. Évidemment, s'il avait eu une femme, des enfants, ça aurait été facile. Mais là, il ne savait pas trop. Son travail, sa carrière ? Oui, c'était important, mais… est-ce que c'était vraiment l'élément essentiel, capital, crucial ?… Il eut un doute. En fin de compte, Medeiros avait probablement raison : pour lui aussi, le plus important, ça devait être ses proches… Ça lui fit penser qu'il avait promis à JB de…

Il redemanda l'addition. Re-srapalon.

Il patienta en tambourinant nerveusement du doigt sur la table. JB l'attendait. Il devait même être en train de critiquer son retard. Et à mesure qu'il imaginait JB critiquant son retard, Eyrolles critiquait la serveuse. Elle devint rapidement la cause de tout ce que l'on pouvait lui reprocher à lui : retard, improductivité artistique, manque d'attention envers ses proches, digestion difficile… Cette serveuse était un véritable fléau ! Il décida de lui manifester son profond mécontentement en donnant un tout petit pourboire. De fait, ça avait été le pire service qu'il avait reçu depuis son arrivée à Montréal. Pas un sourire, pas un mot aimable, pas un effort. Et toujours ces sempiternels « srapalon » qui ne se réalisaient jamais. Il en avait marre. Puisque la serveuse ne venait pas à lui, il irait à elle. Il rangea ses affaires, enfila la grosse doudoune jaune de JB et se dirigea vers la caisse où la serveuse srapalonait sans vergogne. Il lui annonça d'un ton sec qu'il voulait payer.

— Kachoukart ?

— Euh… Par carte.

— Débioucrédi ?

— Quoi ?…

— Votre carte, c'est une carte de crédit ou de débit ?

Eyrolles resta un instant interloqué, puis il s'excita sans préavis en agitant sa carte dans les airs.

— Je sais pas moi ! C'est… c'est… C'est ma carte, ma carte bleue, quoi ! Qu'est-ce que vous voulez savoir de plus encore ?! Mon code secret, mon adresse, mes mensurations ?!…

La serveuse prit la carte sans rien dire, la glissa dans sa machine et effectua calmement les différentes opérations. Puis elle s'adressa à lui d'une voix claire, puissante et intelligible, une voix que n'importe quel client dans le restaurant pouvait entendre.

— Est-ce que je mets quinze pour cent de pourboire, Monsieur ?

Eyrolles se sentit pris à la gorge. Il était pourtant déterminé, résolu, convaincu : il détestait cette mégère nasillarde et il tenait à le lui faire comprendre. Mais il n'avait pas prévu d'en faire une déclaration publique. Et il avait beau avoir plaidé maintes fois avec brio dans des conditions ô combien stressantes, devant des assemblées de professionnels aguerris et de médias impitoyables, il était brusquement intimidé à l'idée d'être observé par une poignée de clients égarés dans un restaurant miteux à l'autre bout du monde. Il eut une bouffée de chaleur dans sa doudoune jaune. La serveuse tenait la machine devant lui, l'assistance était suspendue à ses lèvres.

— Oui, c'est bon, bredouilla-t-il, allez-y.

* * *

Malgré le soleil qui lui caressait le visage et la doudoune qui lui ceignait le torse, Antoine Eyrolles avait froid. Froid aux jambes (demain, collants) et froid aux gros orteils (demain, bottes d'hiver). Après avoir aidé JB à tester son nouveau jeu vidéo et fait des adieux déchirants à Amélie et Gustave qui partaient deux semaines à Saint-Truc chez leurs grands-parents, il s'était préparé pour son rendez-vous avec la création littéraire. Il avait commencé par élaborer une fiche personnage pour son héros-journaliste avec une liste complète de caractéristiques. Il ne restait plus qu'à prélever chez Tao Bilodeau les informations correspondantes. Puis il était parti à pied de chez Marie-Ève et JB, était descendu jusqu'au marché Jean-Talon et avait poussé encore un peu jusqu'à la rue Saint-Zotique, qu'il suivait maintenant vers l'est. Les dix premières minutes du trajet, jusqu'au marché, avaient été divines. Mais ensuite, le froid était devenu franchement envahissant et Eyrolles s'était mis à galoper de plus en plus vite pour essayer en vain de le semer. Heureusement, il aperçut bientôt l'épicerie que Tao avait donnée comme repère et il arriva au *Caffè mille gusti* juste avant d'atteindre le point de congélation.

Lorsqu'il entra, la luminosité glaciale de la rue bascula d'un seul coup à l'obscurité caniculaire du café. Il balaya la petite salle du regard à la recherche du ou de la journaliste. Il ne vit rien qu'un amas de formes et de silhouettes plus ou moins immobiles. Il s'apprêtait donc à s'asseoir à la première table venue lorsqu'un mouvement jaillit de l'amas – un bras, semblait-il – et qu'une basse profonde claironna : « Allô, allô ! »

Tao Bilodeau l'attendait à une table côté rue avec vue sur *L'Eggzotique*. Encore fallait-il avoir une bonne vue, évidemment. Car, si les lunettes de soleil avaient permis à Tao d'identifier immédiatement Eyrolles, elles n'aidaient pas celui-ci à distinguer quoi que ce soit sur le trottoir d'en face. Par contre, ce dont il pouvait être sûr, c'était que, malgré sa silhouette fluette, Tao était un mâle. Il avait une voix grave, mais jeune, qui sombrait dans des abysses de basses fréquences quand il entrelardait ses explications d'un « euh » guttural. C'est-à-dire la moitié du temps. Mais dès qu'il riait, c'est-à-dire l'autre moitié du temps, il roucoulait d'une voix sautillante et flûtée.

Eyrolles présenta son projet. Il resta vague sur le fond et enjoliva beaucoup sur les bords. Tao n'en demanda pas plus. Il était prêt à répondre à toutes les questions du romancier : pour une fois que ce n'était pas lui qui en posait ! Eyrolles fronça les sourcils et déploya ses mains. Il avait pensé à sa phrase longtemps à l'avance, choisissant le tutoiement pour se donner l'air décontracté. Il fut surpris qu'elle manque autant de naturel une fois dans sa bouche.

— Est-ce que tu pourrais me décrire la démarche journalistique ?

— Euh… C'est-à-dire ?

— Je veux dire par là… le processus de l'investigation.

— Hé ben…

— La quête de la vérité !

— Euh… Disons que…

Tao décrivit son travail avec pragmatisme et simplicité. La première chose qu'il faisait en se réveillant le matin, c'était essayer de trouver une histoire. Oui, une histoire, c'est-à-dire un fait réel qui, lorsqu'on l'habillait un peu, était susceptible de parler au lecteur. Quand son boss l'appelait en arrivant au *Journal*, Tao devait déjà avoir une ou plusieurs idées sous la main. Si l'histoire était approuvée par le boss, Tao passait ensuite au travail de terrain. Ça devenait alors un mélange de télémarketing, d'archéologie et de porte-à-porte. Il s'agissait de recueillir par tous les moyens des témoignages, des citations, des traces, des photos. De la chair. Et quand il disposait enfin de suffisamment de matière, il n'y avait plus qu'à écrire. Cette dernière étape, expédiée dans le premier *Tim Hortons* venu, était une simple formalité : n'importe qui sait écrire, non ?…

Eyrolles cachait mal une certaine déception. Le portrait que dressait Tao ne correspondait pas du tout à ce qu'il s'était imaginé de son héraut de la Vérité, pourfendeur des apparences, procureur de l'humanité.

— Bon. Mais tout ça, ça reste un peu… comment dire… abstrait, décréta-t-il. Peut-être que ce serait plus parlant si je pouvais assister en vrai à ce que vous… à ce que tu fais ?…

— T'as entendu parler de *L'Eggzotique* ?

Travaux pratiques. Tao esquissa les grandes lignes de l'affaire. Eyrolles feignait la surprise. Mais il connaissait déjà par cœur la plupart des informations que le journaliste lui divulguait. Il fut néanmoins ravi d'apprendre quelques précisions.

Le crime avait eu lieu entre 14 heures 15 et 14 heures 30 ; Carmen Medeiros avait été poignardée précisément au moment où Eyrolles était descendu de son avion et avait posé les pieds sur le sol canadien. Un seul coup de couteau, mais profond, appliqué. Fatal. Le montant de l'argent volé contenu dans la caisse du jour s'élevait à 372 $. Le suspect principal avait été arrêté la nuit précédente alors qu'il se trouvait chez une de ses connaissances, qui avait vu son portrait dans le journal et avait alerté elle-même la police. Il n'avait pas encore avoué, mais sa tentative de fuite et sa résistance lors de l'interpellation ne plaidaient pas en sa faveur. Il s'était débattu comme un diable. Il avait même essayé de frapper les policiers en leur criant « lâchez-moi, gang de crisses ». Eyrolles se répéta l'insulte dans sa tête en bougeant faiblement les lèvres. Plus on avançait dans son dossier, moins la culpabilité de l'itinérant faisait de doute. Tao avait ainsi trouvé l'angle de son prochain article : « la Belle et la Bête ».

Eyrolles l'interrompit timidement.

— Ici, est-ce qu'il faut prouver la culpabilité ou l'innocence des suspects ?

— La culpabilité. Pourquoi ?

— Donc, le suspect est toujours présumé innocent ?

— Oui, mais d'après les informations que j'ai, les présomptions contre lui sont très lourdes. Ce n'est plus qu'une question de temps.

— Ils ont trouvé des empreintes et tout ?

— Pas encore, mais c'est en cours.

— Ah bon ? Même sur l'arme du crime ?

— Non. Elle a été nettoyée.

— Nettoyée ?

— Le couteau a été retrouvé tout beau tout propre dans le lave-vaisselle du restaurant.

— Ah oui ? C'était quel genre de couteau ?

— Un couteau de cuisine. Il a été pris sur place.

— Pris sur place… et remis à sa place ! C'est quand même sympa de faire la vaisselle après avoir tué quelqu'un.

— Ouain. Il faudrait que je l'invite chez moi un de ces jours, gloussa Tao.

— Couteau au lave-vaisselle, marmonna Eyrolles d'un air songeur.

— Mais, honnêtement, entre les relevés d'empreintes, les prélèvements d'ADN et les caméras de surveillance, de nos jours, on peut difficilement éliminer tous les indices.

— Il y avait des caméras de surveillance dans le restaurant?

— Oui. Enfin… Elles étaient pas branchées.

— À quoi elles servent alors?

— C'est purement dissuasif.

— Dissuasif?

— Oui, ça limite les vols, par exemple.

— Par contre, ça n'empêche pas les meurtres…

— Ben…

— Et en plus, ça n'a rien filmé?

— Ben…

— Donc, il n'y a aucune trace avérée de l'assassin?

— Pas pour l'instant. Mais il a été vu dans le restaurant une première fois dans la journée.

— Qui ça?

— Clark, l'itinérant.

— Ah! Le suspect!

— Oui. Il est passé au restaurant à l'heure de pointe. Il y avait du café dans le vestibule pour les clients qui attendent avant de pouvoir s'asseoir. Il voulait en avoir. Et il y a eu comme une petite altercation.

— Ah oui ?

— Rien de grave. Une serveuse lui a demandé de partir et il a fait des manières. Mais il a quand même fini par s'en aller.

— Et il serait revenu après, à la fermeture ?

— C'est ça. Les analyses de la cuisine devraient arriver rapidement. La seule question maintenant, c'est de savoir si on aura d'abord les preuves ou les aveux.

— Donc, l'affaire est bouclée ?

— On dirait, oui.

— Alors, à quoi servent les entrevues d'aujourd'hui ?

Tao eut un petit sourire espiègle et sa voix trahit une pointe de fierté.

— La Belle et la Bête… Mon idée, c'est de faire un portrait croisé, sur deux pages : à gauche, la victime, à droite, l'assassin.

Eyrolles voyait déjà la mise en page constellée de petits encarts de deux paragraphes maximum.

— J'ai rendez-vous avec des employés de *L'Eggzotique*, poursuivit Tao. Les deux serveuses, la plongeuse et un cuisinier… Ça va me permettre d'avoir différents témoignages sur la victime.

— Et pour le suspect ?

— Oh, lui ? J'ai tout ce qu'il faut : le casier judiciaire, le rapport de police, l'évaluation psychiatrique… J'ai même son dossier scolaire avec les appréciations de tous ses profs depuis la maternelle !

— Ça ressemble à quoi ?

— C'est presque trop facile : je pourrais écrire n'importe quels éléments dans n'importe quel ordre, ça ferait toujours un portrait d'assassin.

— De présumé coupable, en tout cas.

— Ah oui, excuse… de présumé innocent même, si tu veux.

— Il a eu une vie difficile ?

— C'est le moins qu'on puisse dire. Il est passé par l'orphelinat, les fugues des familles d'accueil, la drogue, l'alcool, le vol… il manquait plus que le meurtre.

— La légende parfaite du portrait-robot, quoi !

— C'est-à-dire ?

— J'ai vu la photo dans le journal d'hier. Un gars qui se balade avec une gueule comme ça dans un film, on sait tout de suite que c'est le méchant. Maintenant, il a non seulement la gueule du méchant, mais la biographie complète.

— Ouain. C'est triste, mais c'est la triste vérité.

Eyrolles eut à nouveau une petite pensée pour son héros romanesque, le célèbre procureur de l'humanité.

— Ah ! La Vérité !…

— D'ailleurs, tu sais le pire ?

— Non.

— C'est un récidiviste : il a déjà été inculpé pour blessures volontaires à l'arme blanche.

— Ah !

— Ça m'a donné l'idée d'un dossier sur la récidive. Clark serait parfait dedans.

Eyrolles ne savait pas comment formuler gentiment la remarque désobligeante qui lui brûlait les lèvres. Mais sans attendre sa réponse, Tao agita soudain le bras en claironnant : « Allô ! Allô ! » Puis il gloussa deux octaves plus haut et Eyrolles sentit un courant d'air glacé en provenance de la porte d'entrée qui venait de se refermer.

* * *

Claire venait de finir sa journée à *L'Eggzotique*. Elle portait encore son tablier de serveuse, dans lequel les pièces de monnaie tintinnabulaient à chacun de ses pas. Elle avait mis son manteau directement sur sa tenue de travail et lorsqu'elle l'enleva, en s'asseyant, une odeur de frites envahit l'espace olfactif jusqu'alors dévolu à la caféine.

Elle était française, deux syllabes suffisaient à le savoir. À vue d'oreille, Eyrolles aurait dit qu'elle était lyonnaise. Mais elle était très enrhumée, ce qui ne facilitait pas la reconnaissance de son accent. Il eut envie de lui demander d'où elle venait. Il avait mené si souvent des interrogatoires dans sa fonction de procureur qu'il sentait ses vieux réflexes se mettre en branle et son esprit inquisiteur le titiller. Mais d'un autre côté, il n'osait pas paraître trop curieux. Il était là pour préparer son roman et observer Tao. Pas pour mener une enquête. Il ne dit donc rien et, les yeux fermés derrière ses lunettes fumées, il se contenta du rôle de spectateur. En deux roucoulements et quelques infrabasses, Tao avait réussi à mettre Claire en confiance. Mais l'élocution saccadée et les doigts sismographiques de la serveuse trahissaient une nervosité viscérale.

— Claire, est-ce que tu peux me parler un peu de Carmen Medeiros ? Quel genre de patronne, quel genre de femme elle était ?

Eyrolles se caressa le nez. Une petite croûte s'était formée à l'endroit où celui-ci avait épousé le trottoir verglacé. Une lueur d'émotion colora la voix de Claire.

— Carmen, c'était… c'était vraiment une super patronne. Elle connaissait tous les clients, toutes les histoires, les prénoms de tous les enfants. Elle était toujours souriante et chaleureuse, c'était… un rayon de soleil…

Tao enregistrait la conversation avec son téléphone. Il nota néanmoins « rayon de soleil » dans son carnet.

— Les clients l'appréciaient ?

— Les clients l'adoraient. Y en a plein qui venaient juste pour elle.

— Vous avez quel genre de clientèle ?

— Principalement des gens du quartier. C'est assez varié.

— Des réguliers ?

— Oui, on revoit souvent les mêmes têtes. Le matin à l'ouverture, c'est plutôt des personnes âgées. À l'heure du dîner, plutôt des employés de bureau.

— Vous faites aussi des dîners ?

— On fait déjeuners et dîners. Sauf la fin de semaine où on fait juste des déjeuners. Là, on voit surtout des familles ou alors des jeunes qui viennent bruncher pour se remettre de la fête de la veille.

— Est-ce qu'elle travaillait aussi les fins de semaine ?

— Oui, elle travaillait du mercredi au dimanche. Le lundi et le mardi, c'est Mike.

— Mike… Mike Medeiros, son mari ?

— Oui.

— Ah ? Je savais qu'il était propriétaire, mais je savais pas qu'il travaillait aussi là-bas.

— Si. À la base, il vient plus pour s'occuper des fournisseurs, des factures, de la paperasse. En général, le lundi et le mardi, c'est plutôt calme, on n'a pas vraiment besoin d'hôtesse. Mais si le monde commence à rentrer, il vient nous aider en salle.

— Carmen, elle, travaillait comme hôtesse ?

— Oui. Comme gérante et comme hôtesse.

— Ça consiste en quoi exactement ?

— Ça consiste à gérer l'équipe et à accueillir les clients. Le restaurant roule vraiment bien, surtout en fin de semaine. C'est elle qui allait voir les clients quand il y avait de l'attente. C'est elle qui leur parlait et les faisait patienter.

— Elle prenait pas de tables, comme serveuse ?

— Non. Sauf parfois, quand c'était ses amis. Mais c'était plus pour leur faire plaisir. Elle faisait le service, mais elle rentrait la commande à l'un de nos codes et, en général, elle nous laissait même le pourboire alors qu'elle s'était occupée de tout.

Tao griffonna dans son carnet tout en continuant à parler.

— D'une manière générale, elle était comment avec ses employés ?

— Elle était vraiment cool avec nous. Très proche. Moi, je parlais beaucoup avec elle, parce qu'on travaillait souvent ensemble. On parlait de tout. J'aimais vraiment beaucoup travailler avec elle.

— Et avec les autres, ça se passait bien ?

— Oui, super bien…

Elle s'arrêta et ses doigts frappèrent d'un petit coup sec sur la table.

— Enfin, après, ça reste la restauration. Ça peut pas être parfait avec tout le monde. Et puis quand on est gérant, si on veut que ça marche, il faut savoir être ferme.

— Donc, elle était relax, mais elle savait aussi être ferme ?

— Oui, quand c'était nécessaire. Par exemple, quand des employés travaillaient vraiment mal. Mais c'était rare.

Eyrolles écoutait, toujours sans rien dire, toujours les yeux fermés. On aurait pu se demander s'il n'était pas en train de faire une petite sieste incognito.

— Est-ce que c'est toi qui as eu affaire à l'itinérant le jour du crime ?

— Non, c'est un busboy, Jonathan. Moi, j'étais assez occupée, je l'ai vu de loin.

— Est-ce que tu te souviens de l'impression qu'il t'a donnée?

— Une mauvaise impression.

— C'est-à-dire?

— On voyait qu'il était louche. J'aurais pas aimé me retrouver seule dans la rue avec lui.

— Ou seule dans le resto…

— Oui, laissa échapper Claire d'une voix tremblotante.

Tao détendit l'atmosphère avec un roucoulement communicatif et changea de sujet.

— Est-ce que tu te souviens d'une anecdote qui pour toi représenterait le mieux Carmen?

— Oui. Ben, il y en a plein. Mais par exemple, un jour…

Eyrolles fronça insensiblement le sourcil gauche et remit la main sur sa croûte. Il enrageait. Elle avait dit qu'il y avait eu des problèmes avec des employés! C'est là qu'il fallait fouiller! Il fallait la charcuter là-dessus! Tout de suite! Arrêter de chercher des anecdotes, des bons sentiments et des rayons de soleil. Franchement! Mais voilà, Tao savait d'avance ce qu'il voulait dire de Carmen et de l'itinérant et il ne s'intéressait qu'à ce qui confirmait le portrait qu'il avait prévu!

Eyrolles ravala son impatience et supporta sagement l'historiette bien-pensante qui figurerait le lendemain à gauche de la double page. Tao écoutait Claire en l'encourageant à l'aide de gloussements empathiques. Quand l'anecdote et les gloussements s'essoufflèrent, Eyrolles ne put s'empêcher d'intervenir.

— Excusez-moi, est-ce que ça vous dérange si je pose une question?

Malgré la formulation ouverte, Eyrolles s'adressait plutôt à Tao. Mais Claire répondit la première.

— Non, bien sûr, pas de problème.

— C'est quoi un… un bossboy?

— Les busboys, c'est ceux qui aident les serveuses. Ils montent les tables, débarrassent, servent le café. La seule chose qu'ils font pas, c'est servir les assiettes.

— Et toucher le pourboire, je suppose, rajouta Eyrolles.

— On leur donne un petit pourcentage en fin de journée. Après… C'est sûr que c'est plus payant d'être serveuse que busboy.

— Plus payant?

— Oui, au final, on gagne presque le double d'eux. Mais c'est normal: on a plus d'expérience. Et surtout plus de responsabilités.

— Je comprends…

Dans sa tête, Eyrolles sortit son lexique franco-québécois pour y ajouter une nouvelle entrée.

Payant (Qc): qui rapporte de l'argent
Payant (Fr): qui coûte de l'argent

— J'aurais une dernière faveur à te demander: j'ai un handicap visuel et… j'ai aperçu quelques photos, mais elles étaient de mauvaise qualité et j'ai du mal à me représenter Carmen. Toi qui l'as bien connue, est-ce que tu pourrais me la décrire?

— Carmen… c'était une très belle femme. Elle a dû faire tourner pas mal de têtes quand elle était jeune!… Enfin, je veux pas dire qu'elle était vieille. Mais, c'est sûr qu'elle avait plus vingt ans. Par contre, elle était encore très séduisante. Brune, assez plantureuse, des grands yeux, un immense sourire. Et elle était très coquette. Elle aimait se mettre en valeur, changer de coiffure, s'acheter des nouveaux vête-ments. Elle avait aussi beaucoup de charme, dans sa manière d'être, de parler, de rire. Non, elle était vraiment…

Claire laissa sa phrase en suspens. Eyrolles s'en saisit le premier.

— Quand on est une femme aussi belle que Carmen, dans un res-taurant, j'imagine qu'on doit parfois se faire courtiser?

— Quand on est une femme, on se fait courtiser, à la base. Alors, oui, quand, en plus, on sert des hommes et qu'on est une belle femme, c'est sûr que… Mais ça allait jamais plus loin que ça.

— Il n'y a pas eu de clients qui sont tombés amoureux ou qui ont été insistants?

— Amoureux, je sais pas. Insistants, oui, ça nous arrive à toutes. Mais elle savait mettre la distance nécessaire.

Eyrolles se demanda si Claire, elle aussi, avec sa nervosité à fleur de peau et sa voix disgracieuse, suscitait l'insistance de la clientèle mascu-line. Il était sur le point de lui poser la question lorsque Tao intervint.

— J'ai des photos en masse pour le dossier, je te les montrerai, si tu veux. C'est vrai que c'était une très belle femme… En parlant de photo, est-ce que je peux en prendre une de toi, Claire?

— Euh, oui, dit-elle en se recoiffant, si vous voulez.

Eyrolles n'osa pas interrompre la séance photo avec sa question.

— Un petit sourire… Attention… Parfait! Merci beaucoup, Claire. Bon. Je pense que j'ai suffisamment de matière. Et tu dois avoir envie de te relaxer un peu après ta journée.

— Oui, renifla-t-elle, j'avoue.

Allons bon, elle aussi, elle s'y mettait! Mais qu'est-ce qu'ils avaient tous à avouer?…

Ça y est, Eyrolles était énervé. Claire et sa bienveillance mielleuse l'avaient énervé. Tao et ses questions innocentes l'avaient énervé. Mais ce qui l'avait le plus énervé, c'était de n'avoir pas réussi à obtenir ce qu'il cherchait. Il avait la conviction que si c'était lui qui avait mené la discussion, ils auraient appris quelque chose d'important. Oui, quelque chose de primordial qui était là, palpable dans l'atmosphère, à portée de la main et qu'ils laissaient filer. Tao demanda les factures et passa un coup de téléphone à Réjeanne Gagnon, la plongeuse de *L'Eggzotique*, qui était la prochaine au programme. Pendant ce temps, Eyrolles se consola en essayant d'imaginer la brune plantureuse à l'immense sourire. Le rayon de soleil… Que ce soit la victime ou l'assassin, il n'arrivait pas à se représenter autre chose que des stéréotypes. Des portraits-robots. Tout ça manquait cruellement d'aspérité. De creux, de bosses. Tout ça manquait d'authenticité…

Eyrolles s'apprêta à payer les deux additions, mais Tao récupéra autoritairement la sienne : par principe et par habitude, il refusait de se faire inviter. Tel était le prix de son indépendance. Trois dollars vingt-cinq, en l'occurrence, pour un espresso. Eyrolles, qui avait bu la même chose, fit un savant calcul, posa royalement quatre dollars sur la table et remit sa doudoune jaune. Toujours au téléphone, Tao regarda négligemment sa facture, laissa un billet de cinq dollars, et sortit.

La générosité de Tao l'énervait.

Réjeanne avait un petit contretemps. Elle proposait qu'ils la rejoignent chez elle un quart d'heure plus tard. Tao voulait en profiter pour essayer de recueillir des impressions de la part de clients ou de personnes du quartier. Il avait justement repéré un coiffeur à côté de *L'Eggzotique*. Ils devraient trouver leur bonheur dans ce vivier à ragots.

Ils traversèrent la rue en face de l'épicerie et arrivèrent devant l'entrée de *L'Eggzotique*, qui faisait l'angle. La porte d'entrée était fermée, mais on pouvait voir la salle intérieure à travers les larges baies vitrées avec les chaises retournées sur les tables. Ils longèrent le trottoir et Tao s'arrêta devant une petite lucarne.

— La cuisine est juste ici…

L'imagination d'Eyrolles se projeta derrière la lucarne trois jours plus tôt et reconstitua le plantureux rayon de soleil dans une mare de sang. Quelques pas plus loin, derrière le mur mitoyen, on aiguisait des lames de rasoir et des ciseaux.

* * *

Comme toujours à cette période de l'année, la petite salle de *Coiffure Jean-Jacques* était pleine. Deux clients se faisaient coiffer tandis que trois autres attendaient leur tour en placotant sous une tête d'orignal empaillé dont le panache fleurissait au milieu du mur. Personne ici n'avait moins de soixante ans, à l'exception de l'orignal.

Tao se présenta et parla de son article. Aux mots «Journal de Montréal», il y eut un grand «Ah!» unanime dans l'assistance. Était-ce un «Ah!» admiratif ou bien un «Ah!» désapprobateur? Eyrolles était bien incapable de le dire. Après avoir mobilisé son instinct et sa sensibilité maximum, tout ce qu'il parvint à conclure, c'est que c'était un «Ah!».

Tao appuya sur le bouton «rec» de son téléphone, puis on parla de Carmen, de sa beauté, de sa gentillesse, de ses cheveux, de l'injustice et de la tristesse de sa mort. Le journaliste avait du mal à canaliser le flux des commentaires qui fusaient de toutes parts. Il prenait des notes convulsives et repositionnait le micro de son téléphone afin de ne négliger personne. Eyrolles et l'orignal se regardaient du même œil impassible, comme dans un miroir. Le procureur en vacances aurait bien lancé un petit hameçon à ragots, par exemple sur des amants éventuels de Carmen, comme ça, juste pour le plaisir de la pêche, pour voir si ça mordrait. Mais il n'arrivait pas à en placer une. Tous ces petits vieux vivaient le drame du siècle et c'était à qui y jouerait le rôle le plus important. La coiffeuse connaissait par cœur la capillarité de la défunte. Mais la coiffée, elle, connaissait par cœur sa famille. Chez les Medeiros, Mario, le fils aîné, était le portrait craché de Carmen. Un beau brun ténébreux, dit l'un. Un séducteur né, renchérit l'autre! Sandra, la fille, tenait vraiment de son père: responsable, travailleuse, la tête sur les épaules. Tandis que Nino, le petit dernier, le pauvre… «Le pauvre quoi?» se demanda Eyrolles. Et pour toute explication, il entendit le même «Ah!» toujours aussi unanime. Toujours aussi indéchiffrable.

L'une des clientes était la sœur de Réal, le Neil Armstrong local, le héros qui avait posé le premier les pieds sur les lieux du crime. Ce titre glorieux suscitait l'admiration et fermait les clapets. La barre était haute et, dans le petit salon, la surenchère semblait terminée. Pourtant, en entendant le nom de Réal, un petit client à la voix chevrotante s'emporta soudain. Il prétendait que Réal avait peut-être été le premier à découvrir la victime, mais que lui, il avait assisté en direct au crime! Cette fois-ci, le «Ah!» unanime fut indubitablement désapprobateur. Mais voyons don! Le petit vieux chevrotait de plus belle, mais personne ne le croyait! Et pourtant, oui, oui! Il était passé dans la rue ce jour-là. Et il avait entendu une chicane.

— Ben voyons, une chicane!

Oui, oui, même qu'en passant devant le restaurant, il avait entendu crier une fille.

— Enweille don! Et qu'est-ce qu'elle disait, ta fille?

La petite voix au son de rasoir électrique redescendit d'un ton, comme si on venait de changer la vitesse de l'appareil. Il n'avait pas tout compris. Mais il avait entendu la voix dire «savait». Peut-être bien «tu savais». Ou alors «je savais».

— Coudon, faudrait savoir, là…

— Tu sais rien pantoute!

Mais surtout, reprit-il autoritairement, il y avait quelque chose qu'il avait parfaitement bien entendu et dont il était absolument certain: quelqu'un avait crié «vieille pute».

— Mais voyons don!!

— Oui, oui! «Vieille pute.»

— Ç'a pas d'bon sens!

— Ayoye!!!

À ces dernières paroles, une véritable hystérie s'empara du salon. La coiffée se retournait vers Tao pour lui dire que ce n'était pas possible, que le client était fou raide, qu'il inventait. La coiffeuse disait à sa cliente d'arrêter de bouger, sinon elle n'arriverait pas à couper droit. Le coiffeur disait au client à la voix de rasoir électrique que de toute façon il était sourd et que la chicane, il avait dû l'entendre dans sa tête. Le rasoir électrique chevrotait tant qu'il pouvait. Une cliente regardait les uns et les autres en répétant sans cesse que «voyons donc». Tao écartait les sourcils en imaginant son beau portrait de Carmen éclaboussé par l'immonde locution «vieille pute». Et, devant cette panique générale, l'orignal sembla faire un clin d'œil à son vis-à-vis. Eyrolles ne put s'empêcher de lui rendre un léger rictus.

Le téléphone de Tao sonna. C'était le coup de fil horaire de son boss qui venait aux nouvelles. Tao en profita pour prendre congé. Il était temps de fuir et d'aller à leur rendez-vous avec la plongeuse de *L'Eggzotique*. Ils remercièrent tout le monde et quittèrent le salon en pleine tourmente.

* * *

Tao avait glissé son téléphone dans son bonnet, contre son oreille, afin d'avoir les mains libres. Il faisait un compte rendu de ce qu'il avait recueilli jusque là. Eyrolles le suivait, comme un aveugle suit son chien. Réjeanne Gagnon habitait dans l'appartement situé juste au-dessus du restaurant. Ils repassèrent devant la lucarne de la cuisine, puis devant les baies vitrées. Le soleil hivernal s'était déjà avachi derrière un modeste immeuble de deux étages et ne parvenait plus à approvisionner la rue en lumière, en chaleur et en enthousiasme. La salle du restaurant était désormais plongée dans une pénombre où émergeait timidement la lueur bleutée d'un ordinateur. Ils contournèrent l'entrée où deux sapins enguirlandés souhaitaient un «joyeux temps des fêtes». Comme Tao l'avait pressenti, son boss lui demandait de se concentrer sur «la Belle» et de continuer à recueillir des témoignages positifs sur Carmen. Qu'on sente une unanimité. Que se dessine un conte de fées. Un conte de fées transformé en tragédie...

Tao raccrocha. Ils longèrent une nouvelle baie vitrée et arrivèrent à l'escalier extérieur qui conduisait chez la plongeuse. Le seuil de sa porte était abondamment décoré. La sonnette émit un grognement métallique. Peu après, le loquet s'ouvrit.

— Allô!

— Bonjour. Je m'appelle Tao et...

— Z'êtes les journalistes?

— Oui, c'est ça. Vous êtes Réjeanne?

— Appelez-moi Reggie: personne m'appelle Réjeanne depuis cinquante ans... V'nez-vous-en!

L'appartement était imprégné d'une puissante odeur de tabac sous laquelle subsistait celle d'un produit ménager bien chimique. Ils suivirent un couloir long et froid donnant sur deux pièces successives avant d'atteindre un petit salon surchauffé. Tao et Eyrolles s'assirent côte à côte dans le sofa, face à un gigantesque téléviseur cathodique. Reggie se cala dans sa chaise berçante.

Tao posa son téléphone sur la table basse. «Rec», présentations, *Journal*, explications. Les «euh» s'abîmaient toujours plus profondément, mais les roucoulements semblaient quelque peu émoussés. Le journaliste fatiguait.

— Reggie, est-ce que vous pourriez nous dire quel genre de patronne était Carmen?

La chaise berçante se mit à tanguer avec, de temps en temps, de brusques à-coups. Carmen était toujours aussi parfaite, belle, gentille et généreuse. D'ailleurs, c'était elle et son mari qui avaient offert le téléviseur à Réjeanne ainsi que la petite chaufferette qui s'essoufflait à ses pieds.

Eyrolles écoutait moins le sens des mots que leur son. Sans trop savoir pourquoi, il éprouva rapidement une sympathie instinctive à l'égard de Reggie. Cette même sympathie qu'il lui arrivait de ressentir pour certaines victimes dans ses procès. Il tâcha de mettre sa sympathie de côté et d'écouter plus attentivement. Les mots de Reggie sortaient avec un débit sec et franc, parfois rocailleux. Mais sa voix, érodée par le temps et le tabac, convoyait aussi quelque chose de très tendre. Et elle entrecoupait fréquemment ses phrases d'un petit rire nerveux qui aurait pu passer pour un sanglot dans un autre contexte.

— Mike et Carmen, y m'ont quasiment sauvé la vie.

— Ah oui? Comment ça?

— Ben là, avec la job, l'appartement… je leur dois tout.

— Ce sont eux les propriétaires de l'appartement?

— Ouais, ils me font un tarif spécial!

— Ça doit être pratique d'habiter juste à côté.

La chaise berçante couina et Reggie prit une voix guillerette.

— Pas de trafic et pas besoin de déneiger son char pour aller à la job!

— Par contre, ça vous dérange pas, parfois, d'être si près de votre lieu de travail?

— Non, au contraire. Ça m'empêche de faire des niaiseries. Quand je sors de chez moi, je vois le resto et…

Elle émit son petit rire nerveux suivi d'une toux sèche.

— Et je sais que je dois y être pour huit heures le lendemain matin, alors...

— Ça vous donne une structure, une rigueur?

— C'est en plein ça!

Eyrolles entendit un subtil galop se rapprocher sur le plancher. Avant qu'il puisse analyser ce qui se passait, il sentit une masse douce et chaude lui atterrir sur le ventre.

— Ah! Ça, c'est ma fifille! Elle s'appelle Tiguidou!

Eyrolles mit la main sur une grosse touffe de poils.

— Eh ben, enchanté, Tiguidou, moi c'est Antoine.

— J'espère que vous êtes pas allergique aux chats.

— Il a pas l'air, gloussa Tao.

— En tout cas, ça paraît qu'elle vous a adopté! Hein, ma Tiguidou!

En quelques secondes, un puissant ronronnement se mit en branle sous la paume d'Antoine Eyrolles. Pendant un instant, il n'écouta plus du tout la discussion et se laissa contaminer par les ondes de félicité féline. Ça se propageait sous son bras et résonnait jusque dans son ventre. Il inséra délicatement ses doigts dans la fourrure, descendit puis remonta au-dessus du crâne. Le chat s'étira avec un gémissement d'aise puis il tourna la tête vers le plafond comme pour offrir son cou. Eyrolles faufila son index, et le fit glisser lentement, jusqu'à ce qu'il tombe sur quelque chose de dur. Il palpa l'objet : c'était un collier surmonté d'une clochette. Il caressa la gorge du chat et le ronron vrombit comme un moteur diesel... Non, en fait ce n'était pas une clochette, mais un de ces petits tubes en métal qui s'ouvrent et dans lesquels on peut introduire l'adresse du propriétaire. Eyrolles s'amusa à visser et dévisser doucement le tube. Devant ce désintérêt temporaire, Tiguidou ralentit immédiatement la cadence de son ronronnement pour manifester son mécontentement. Désolé,

Eyrolles reprit les caresses. Tiguidou reprit les ronrons. Soudain, la vibration devint vraiment intense et Eyrolles mit quelques secondes pour réaliser que ça ne provenait pas du chat.

— C'est quoi, ce bruit?

Reggie s'arrêta au milieu de sa phrase pour écouter plus attentivement.

— Ah ça! C'est les fridges en bas. Ils viennent de se mettre en route.

— Les fridges, c'est là où vous stockez les aliments? continua Eyrolles.

— Non, le stock, on le met dans la chambre froide, au bout du bâtiment. Ça, c'est les petits fridges de la cuisine. C'est juste pour ce qui va être utilisé pendant la journée: le beurre, les fruits, les affaires de même.

— Ah! Donc, la cuisine est juste en dessous?

— Oui. Là, sous la fenêtre, il y a les plaques. Après c'est la friteuse et le toaster, au niveau de la tévé. Et vous vous êtes assis juste au-dessus du comptoir et des fridges. C'est pour ça que ça vibre un peu.

— Alors, c'est là qu'on cuit, qu'on coupe, qu'on prépare les assiettes? demanda Eyrolles sans s'arrêter de caresser Tiguidou.

— Ouain, c'est pas mal ça.

— Et vous, où est-ce que vous vous trouvez quand vous faites la plonge?

Reggie fit un geste vers sa propre cuisine.

— La plonge, c'est un peu plus loin, là-bas.

Eyrolles retira une main du chat pour désigner à son tour la cuisine de Reggie.

— Donc, c'est là-bas que se trouve le lave-vaisselle?

— C'est ça.

— Et vous êtes pas trop dérangée par le bruit, ici ?

— Non, vraiment pas. Depuis le temps, je les entends même plus, les maudits fridges.

— Tant mieux, parce que c'est quand même fort, hein ? On peut pas dire que ce soit très insonorisé !

— Non, mais ça me dérange pas. Pis, en général, je travaille les moments où ça fait le plus de bruit. Donc, ça me gêne pas pantoute.

Eyrolles plongea sa main et son regard sur Tiguidou. Tao allait reprendre le fil de sa discussion interrompue, mais Eyrolles ne lui en laissa pas le temps.

— Et le jour du crime, vous avez pas entendu du bruit ?

— Du bruit ?…

— Oui, par exemple des voix ? Ou alors des bruits d'objets, n'importe quoi…

Tao jeta un regard noir à Eyrolles, mais celui-ci, captivé par le chat, ne pouvait pas le voir.

— Non…

— Non ? Rien du tout ?

— Non. De toute façon, je me suis endormie devant la tévé ce jour-là.

— Donc, vous avez pas entendu crier ?

La chaise berçante émit un grincement fébrile. Reggie regarda Eyrolles qui regardait Tiguidou qui regardait toujours le plafond. Elle se figea momentanément. Tao vint à son secours.

— Y a pas de troubles, Reggie. C'est juste une question comme ça. Vous êtes pas obligée de répondre. On n'est pas de la police.

Au mot « police », Tiguidou eut un léger sursaut. Eyrolles apaisa l'animal et se mit à parler d'une voix tout aussi douce que ses caresses.

— Non, bien sûr, vous êtes pas obligée de répondre, Reggie. Mais ce serait quand même bizarre que quelqu'un dans la rue ait entendu du bruit venant de la cuisine et pas vous, non ?

Le son des réfrigérateurs se tut, la chaise berçante s'arrêta net et, pendant quelques longues secondes, ce fut le silence.

— Oui, j'ai entendu du bruit, ce jour-là.

Pour la première fois depuis le début de l'entrevue, Eyrolles leva la tête et regarda Reggie à travers ses lunettes noires.

— Ah oui ? Qu'est-ce que vous avez entendu, Reggie ?

— J'ai entendu crier.

— C'était un homme ou une femme ?

Son débit se fit plus sec et plus rocailleux.

— Ça, je sais pas. Je dirais que c'était un gars… Malgré que c'était quand même aigu…

— Et qu'est-ce qu'il a crié, ce gars ?

— 'Tends minute, que je me souvienne… C'était… euh…

— Prenez tout le temps que vous voulez.

La chaise berçante reprit son rythme de croisière.

— Je crois que c'était quelque chose comme « Tu sais ce que ça fait », mais je suis pas sûre.

— Vous avez entendu crier « Tu sais ce que ça fait » ?

— Oui, je crois ben.

— Bon.

— C'est ça.

— Et c'est tout?

— De quoi?

— C'est tout ce que vous avez entendu ce jour-là?

— Euh…

— Vous avez entendu «Tu sais ce que ça fait» et après, plus rien, silence?

— Non.

— Qu'est-ce que vous avez entendu d'autre, Reggie?

— Ben, c'est pas très joli à répéter.

— Ne vous inquiétez pas pour nous, on en a entendu d'autres. Hein, Tao?

Tao observa Eyrolles sans rien dire, puis son regard revint se poser sur Reggie. À son tour, elle regarda les verres fumés qui reflétaient son image puis elle avala sa salive.

— Pis j'ai entendu quelqu'un crier «vieille pute».

✳ ✳ ✳

Donc, l'itinérant était rentré dans le restaurant à la fermeture, peut-être pour demander quelque chose à boire ou à manger. Il avait trouvé Carmen seule dans la cuisine. Elle avait certainement eu peur, l'avait probablement esquivé, ou repoussé. Et c'est là qu'il avait dû paniquer. Il l'avait détestée, insultée, poignardée et il était parti avec la caisse…

Tao était partagé. D'un côté, sa curiosité journalistique était malgré lui happée par l'anecdote. Elle pouvait en outre souligner le caractère odieux du crime et de son responsable, la Bête. Mais d'un autre côté, la vulgarité de l'expression semblait éclabousser la Belle au passage. Tao se demandait s'il n'allait pas entacher le beau portrait de son héroïne en évoquant un détail qui conférait au conte de fées une brutale réalité.

Il en voulait à Eyrolles d'avoir fait dévier plus ou moins volontairement le cours des entrevues vers des zones marécageuses. Il avait besoin de tout sauf de détails scabreux. Mais en même temps, il constatait que ce soi-disant romancier avait un certain talent pour obtenir des confidences. Il ferait un bon enquêteur pour les affaires glauques du *Journal*. Mais pas pour celle-ci. Non, celle-ci était close. L'assassin était identifié, la victime, sanctifiée, le scénario, ficelé. Pas besoin d'appeler son boss pour savoir ce qu'il en pensait. L'histoire était déjà dessinée, ce n'était pas le moment de la barbouiller de ratures.

La luminosité du jour faiblissait toujours plus, entraînant avec elle l'énergie du journaliste. Il commençait à étouffer dans ce salon surchauffé. L'odeur de taverne qui régnait dans la pièce le dégoûtait et cette Reggie le mettait mal à l'aise. Il guettait le premier moment opportun pour partir. Mais Eyrolles insistait sans états d'âme.

— Est-ce que ça vous arrive souvent d'entendre ce genre de choses en bas?

— Non, jamais. C'était la première fois.

— Et vous avez pas eu envie de savoir ce qui se passait?

— Oui et non.

— Vous aviez envie de savoir ce qui se passait, mais vous avez pas osé aller voir?

— Non, je voulais pas savoir ce qui se passait.

— Ah bon? Pourquoi?

— J'aime pas ça, les chicanes.

— Ça vous fait peur?

— Oui.

— Vous avez peur de vous faire blesser?

— Non. J'ai peur de moi.

Ensuite, tout alla très vite et Tao ne put rien faire. Le chat ron-ronna, la chaise berçante grinça et Eyrolles extirpa une anecdote sup-plémentaire des marécages.

L'histoire remontait à quelques années. Reggie travaillait depuis un peu plus d'un an à *L'Eggzotique*, mais elle n'habitait pas encore au-dessus. À l'époque, elle vivait dans l'Est, un petit trois et demi dans un gros immeuble à logements. Une nuit, elle avait entendu du bruit en haut de chez elle. Des coups, des cris, des pleurs. Mettons qu'elle avait un peu bu ce soir-là. Mettons que le bruit des coups et l'effet de la boisson avaient fait un drôle de mélange en elle. Surtout les cris d'en-fants: c'était venu la chercher... Elle était montée voir ce qui se passait au-dessus. Mettons que ça s'était mal passé.

Reggie arrêta momentanément son récit pour avaler sa salive. Puis elle prit son courage à deux mains et elle le termina d'un trait, cul sec, comme on boit un médicament infect, mais nécessaire.

Elle s'était retrouvée peu de temps après au commissariat. Coups et blessures. Voies de fait graves. Le voisin était capable de varger sur ses ti-culs de trois et cinq ans. Mais contre une Reggie déchaînée, il n'avait pas fait le poids. Il avait fini dans un très sale état. Et Reggie, elle, avec son passé et toute le kit, elle était restée en cellule de dégrise-ment puis était partie directement pour Tanguay, la prison pour femmes. Le lendemain, au restaurant, c'était les cuistots qui avaient dû faire la plonge en sacrant après elle. Elle avait eu trop honte pour appeler, pour prévenir, pour expliquer.

Il avait fallu plus d'une semaine pour qu'elle finisse par répondre à un des innombrables messages que Mike Medeiros, le mari de Carmen, avait laissés sur son téléphone. Le lendemain, il était venu la voir. Il s'était porté garant, avait payé sa caution et elle avait pu sortir.

Ensuite, à son procès, il avait témoigné en sa faveur, pour dire qu'elle travaillait pour lui, qu'elle était fiable, sérieuse, honnête. Il l'avait sauvée d'une énième descente aux enfers.

Alors depuis, elle s'était accrochée à sa job comme à une bouée. Et quand l'appartement au-dessus du restaurant s'était libéré, elle y avait vu le moyen d'échapper définitivement à ses vieux démons. Oui, elle était fiable. Oui, elle était sérieuse. Oui, elle était honnête. La drogue, c'était terminé, elle ne consommait plus depuis des années. Ça, elle pouvait le jurer. Elle buvait toujours, mais elle faisait attention. Elle se connaissait bien. Elle était capable maintenant.

Et c'est pour ça que le jour du crime, elle n'avait pas bougé quand elle avait entendu la chicane. Sur le moment, elle n'avait pas voulu prendre le risque de refaire une bêtise et de tout gâcher. Mais aujourd'hui, elle s'en voulait, elle se disait que si elle était descendue, peut-être…

Elle répéta le mot « peut-être » comme pour essayer de remonter le temps et de changer le cours des choses. Tao la rassura. Le meurtre avait vraisemblablement eu lieu juste après les cris. Elle serait de toute façon descendue trop tard. La seule chose qu'elle aurait pu faire, c'est ramasser un coup de couteau elle aussi.

— J'aurais peut-être préféré, murmura-t-elle avec un roc dans la gorge.

* * *

— N'essayez pas de résister à la gravité…

Étendu de tout son long, Antoine Eyrolles obéissait docilement.

— Laissez-vous aller dans le sol…

Il avait hésité à suivre Tao pour son entrevue avec Odile, la deuxième serveuse. Mais il était tard, il faisait déjà nuit. Et il avait dû partir tout seul dans les rues obscures et glissantes.

— Vous n'avez plus aucune force dans aucun de vos muscles…

Il s'était un peu perdu, évidemment.

— Vos yeux s'enfoncent dans leurs orbites.

Il avait entendu des bruits bizarres derrière lui.

— Votre corps s'écrase de tout son poids.

Mais il était arrivé juste à temps pour son cours de yoga.

— Observez les zones de tension, les zones de relâchement…

C'est Marie-Ève qui lui avait offert un forfait « découverte » au studio à côté de chez eux. Quand elle s'était aperçue qu'il faisait des salutations au soleil tous les matins, elle l'avait subitement gratifié de son estime, de sa sympathie et de deux semaines de cours gratuits. Eyrolles, lui, ne comprenait pas en quoi sa routine matinale était particulièrement admirable : les personnes qui voyaient bien se frottaient les yeux en se réveillant. Lui, qui voyait mal, se frottait le corps ; il s'ouvrait les yeux vers l'intérieur. Et pour cela, il enchaînait quelques postures de yoga. Voilà tout…

— Laissez aller vos pensées. Observez-les sans les juger…

Mais il avait beau aimer le yoga, à ce moment précis, il aurait préféré se trouver avec Tao et Odile à causer de l'affaire de *L'Eggzotique* plutôt que d'être ainsi, allongé, impuissant à écouter la douce voix de Sarasvata dans les émanations de patchouli.

— Puis revenez ici… maintenant… à l'expérience du relâchement… complet… de votre corps… et de votre esprit…

Il revoyait la cuisine, les plaques de cuisson à droite de la lucarne, puis le toaster et les plans de travail. Il se demanda où ils rangeaient les couteaux… Peut-être contre le mur, sur une barre magnétique ?… Ou bien dans des fourreaux sur le comptoir ?…

— Si vos pensées s'agitent…

Il imagina le portrait-robot sortir un couteau du fourreau…

— Laissez-les faire…

Puis l'enfoncer dans le ventre de Carmen Medeiros…

— Sans jugement…

Puis sortir de la cuisine pour le mettre au lave-vaisselle.

— Et ramenez votre attention à la sensation de l'air qui rentre et sort de vos narines…

Enfin, il le voyait appuyer sur le bouton « Marche » et…

— Et à votre respiration…

Eyrolles respira profondément.

Namasté.

Il n'avait pas vu le cours passer. C'était comme si Sarasvatruc l'avait hypnotisé et qu'il se réveillait après un long voyage. Il se sentait vidé de toute tension, baigné de plénitude. Et il sortit d'un pas flottant dans la nuit glacée.

* * *

Je me souviens d'un bébé qui pleurait à fendre l'âme. C'était un samedi matin, en plein rush. *Les autres clients commençaient à s'impatienter. On se sentait de plus en plus mal. Mais elle est arrivée, elle l'a pris dans ses bras et il s'est aussitôt endormi. Comme par magie! Elle avait un don pour les enfants! Et elle était capable de garder un bébé dans ses bras pendant tout un repas pour que ses parents passent un bon moment à L'Eggzotique.*

D'un geste définitif, Tao appuya sur les touches « pomme » et « S » de son clavier. Ça avait un petit côté publicitaire, mais l'anecdote d'Odile légèrement remaniée fittait parfaitement à côté de la photo avec les enfants.

Il avala une gorgée de Guru. De toute façon, la journée avait été longue, il était presque 8 heures et il n'avait plus le temps de niaiser. Il avait dû repasser au bureau où il espérait toujours le coup de téléphone d'un informateur qui refusait de l'appeler sur un téléphone cellulaire et tenait à passer par le standard du *Journal*. En attendant, il profitait de l'ambiance studieuse de la salle de rédaction pour finir son travail.

Il se replongea dans son article. Il s'était installé devant son ordinateur à la première table venue, au milieu des télés jacasseuses et des collègues affairés. Mais il n'entendait ni les uns ni les autres. Par contre, il réagissait en moins d'une milliseconde à la moindre saute d'humeur de son téléphone. Celui-ci vibra au moment où il s'attaquait à l'anecdote de Claire. Tao bondit. Fausse alerte : c'était un texto d'Eyrolles, qui prenait quinze phrases précautionneuses pour lui demander si tout s'était bien passé avec ses entrevues. D'un pouce virtuose, il répondit « tu liras ça dans l'édition de demain ;-) », puis il se remit à son clavier.

* * *

Eyrolles avait la tendresse yogique dans le cœur et la voix de Reggie dans la tête. Mais à mesure qu'il songeait à sa rencontre avec la plongeuse, un bataillon de scrupules se mit à l'envahir. On l'avait invité à écouter le récit d'une femme, chez elle, une pauvre femme, malmenée par la vie, et lui, tout ce qu'il avait trouvé à faire, c'était de jouer au procureur. Il avait sorti sa carapace, son esprit retors, et il avait transformé un témoignage humain, sensible et touchant en véritable comparution. Il avait jeté le doute et la suspicion partout, traqué les zones d'ombre, posé ses pièges. Après quoi, au moment où n'importe quel humain normal aurait eu des mots doux et réconfortants, lui, en guise de consolation, il avait dressé un réquisitoire.

Il s'arrêta, frappé de stupeur, au beau milieu du trottoir. Il était tellement habitué à contrôler ses émotions dans sa vie professionnelle que, dans sa vie privée, il avait parfois tendance à se relâcher complètement. Et il était alors sujet à des accès soudains et démesurés de sentimentalisme. En l'occurrence, le cocktail vacances plus yoga avait été fatal.

Quand il arriva à l'appartement, Antoine Eyrolles embaumait le patchouli. Il fut accueilli par des fragrances anisées. JB prenait l'apéritif dans le salon avec son collègue Marc-André. Eyrolles se sentait propre, zen, comblé et n'avait absolument aucune envie de boire de l'alcool. Mais il fut projeté malgré lui vingt ans en arrière, à l'époque où se soustraire à un verre de pastis était un sacrilège passible de huées belliqueuses et de bannissement à vie. Il en prit donc un. Pas trop chargé, parce qu'il avait très soif. Après le troisième verre, il avait complètement étanché sa soif. Mais il avait encore envie de pastis.

Pour la énième fois en autant de discussions depuis son arrivée au Québec, il fut question d'accent, de façon de parler et des différences entre le français de France et le français du Québec. Eyrolles avait du mal à comprendre pourquoi ces sujets suscitaient une telle passion. Il avait vécu à différents endroits en France et il y avait chaque fois découvert une manière spécifique de parler. Il ne voyait pas pourquoi on opposait toujours la France et le Québec. Il n'était pas plus dépaysé à Montréal qu'il ne l'avait été dans le Nord, ou en Bretagne ou à Marseille ou même en Savoie. Il avait d'ailleurs plus de difficulté à comprendre certains vieux sur le marché de Chambéry que la plupart des Montréalais qu'il avait rencontrés.

Il fallait vraiment ne jamais être sorti de son trou pour trouver que les Québécois étaient exotiques ou incompréhensibles, comme on essayait de le lui faire dire. Ou alors, oui, ils étaient exotiques et incompréhensibles. Tout comme les Ch'tis, les Corses, les Occitans, les Auvergnats, les Parigots, les Basques et les autres… Comme tout ce qui vient d'ailleurs. Il se prit néanmoins au jeu de la discussion parce qu'il fallait bien une petite controverse pour accompagner le pastis. Plus il parlait, plus Marc-André adoptait une sorte d'accent parisien un peu caricatural.

— Du coup, Antoine, qu'est-ce que t'as appris, comme mots québécois?

— Tu vas voir, il est super bon pour imiter les accents! ironisa JB.

L'imitateur maugréa en grattant la croûte sur son nez. Marc-André renchérit innocemment.

— Ah oui? OK, je veux entendre ça, vas-y, mon vieux!

Eyrolles n'osa pas lui dire que plus personne ne disait «mon vieux» en France depuis quarante ans.

— Eh bien, euh, là, comme ça, non, je vois pas...

— T'as rien remarqué de spécial?

— Ben... Oui et non. J'ai peut-être remarqué des petites...

— Parce que si t'as pas remarqué l'accent, c'est que t'as un problème d'audition, là.

— Il y a des mots que j'avais jamais entendus, mais dans le contexte, ça se comprend bien et...

— Comme quoi, par exemple?

— Eh ben, je sais plus, euh...

— Y a pas des expressions, genre, qui t'ont marqué?

— Je connais Antoine, tu peux être sûr qu'il a déjà de quoi faire une encyclopédie du parler québécois.

— Allez, une expression! quémanda Marc-André, émoustillé.

— C'est un railleur professionnel, ajouta JB, il suffit qu'il entende une fois quelqu'un pour pouvoir se moquer de lui pendant une semaine.

Eyrolles se sentait comme un chien de foire et n'avait aucune intention de faire le beau devant ces deux badauds. Il ne dit rien et grogna imperceptiblement.

— Allez, vas-y, mon vieux !

— Fais pas ton timide, je suis sûr que tu t'es entraîné pour l'accent dans ta chambre !

— Juste un mot !

— Il se fait désirer…

Il assistait à la surenchère, stupéfait et impuissant. Brusquement excédé, il se tourna vers ses interlocuteurs.

— Lâchez-moi, gang de crisses !

— Hé bé, voilà !

— Eille ! Excellent, mon vieux !

— J'avoue, c'est pas pire.

— T'en as-tu d'autres, des comme ça ?

— Une autre ! Une autre !

Antoine Eyrolles n'avait aucune envie de recommencer ce petit numéro.

— Allez, juste une dernière.

— Après, on te laisse, promis.

Il prit une grande inspiration. La perspective qu'on arrête bientôt de le harceler le poussa à réfléchir encore un peu. Mais une légère brume éthylique s'était mise à poindre, à travers laquelle il ne voyait goutte. Pourtant, il avait en effet découvert au Québec un certain nombre de mots nouveaux, de tournures inattendues et d'expressions imagées dont il s'était délecté. Il essaya de repenser à ce qu'il avait griffonné le matin même dans son carnet, son embryon de lexique franco-québécois. Mais devant l'empressement de son auditoire, il ne se souvenait plus de rien.

Finalement, deux mots sortirent tout seuls de sa bouche.

— Vieille pute.

— «Vieille pute»? Euh… Ça sonne pas trop québécois, ça.

— Non, vraiment pas. T'as-tu entendu ça sur le Plateau?

— Je me souviens plus très bien, feignit Eyrolles. Je crois que c'était… euh…

— À la limite, ça peut être un Belge ou un Suisse. Ou un Maghrébin… Mais c'est pas un Québécois qui a dit ça.

Quand JB était aussi définitif, Antoine n'avait qu'une envie: le contredire. Mais il n'avait plus la force de se battre. Il demanda un autre pastis en signe d'acceptation.

— Non, «vieille pute», tu peux être sûr que c'est pas un Québécois qui a dit ça, répéta JB en remplissant le verre.

* * *

Le cadran indiquait 21 heures 48, la canette de Guru était vide et Tao faisait sautiller frénétiquement ses jambes sous son bureau. En fait, il était à la fois nerveux et épuisé. Il venait à peine de finir sa double page, qu'il relisait avec une certaine satisfaction. Conformément aux consignes de son boss, il n'avait parlé ni de vieilles putes ni de vieilles histoires de prison pour femmes. Et il ne le regrettait pas: l'article était cohérent, l'histoire était simple, belle et efficace. Le téléphone de son bureau sonna. Tao décrocha avidement: son prochain article était peut-être au bout du fil.

La police avait reçu les résultats des analyses. On avait comparé les empreintes du suspect avec les différents prélèvements effectués sur place. Il y avait bien des traces de Justin Clark dans le restaurant. Mais uniquement dans le vestibule. Partout ailleurs, rien. Ni dans la cuisine, ni près du lave-vaisselle, ni dans la salle. Et le plus préoccupant, c'est que le vestibule, comme tout le restaurant, avait été lavé à la fermeture du restaurant, avant le crime.

Ça signifiait donc qu'on avait réussi à trouver la trace de l'itinérant dans un lieu qui avait été lavé après son passage, mais pas dans la cuisine qui, elle, ne l'avait pas été après le crime. Soit le gars avait pris des précautions de professionnel du crime, soit…

Le téléphone cellulaire de Tao vibra. Il le saisit de sa main droite et y jeta un œil distrait tout en continuant de parler dans l'autre téléphone, qu'il tenait de la main gauche. C'était un texto d'Eyrolles qui disait : « Prévois autre chose pour ta double page. L'itinérant n'est pas coupable. » Tao repoussa sans réfléchir le cellulaire et le conseil qu'il contenait au bout de son bureau.

Mais quand il reposa le téléphone du *Journal* sur son socle, les informations de son œil droit et de son oreille gauche convergèrent soudain jusqu'à son cerveau et son visage devint blême. Il se redressa avec lenteur et vit l'article fraîchement écrit à l'écran de son ordinateur. Il ferma les yeux en soupirant. Ses jambes ne sautillaient plus du tout.

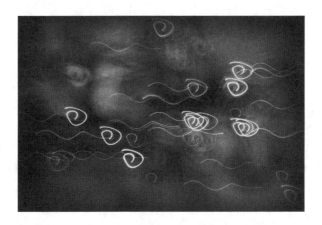

Mardi 24 décembre

Selon un écrivain célèbre, l'ambiance matinale est propice à la création et l'aspect répétitif de la pratique est la clé du processus littéraire.

Comme tous les matins, Eyrolles se leva tôt, fit ses salutations au soleil et prit sa douche. Comme tous les matins, il partit seul avec son carnet pour écrire son roman dans un café. Comme tous les matins, il lut le journal pendant une heure. Puis il rêvassa pendant l'heure suivante. Comme tous les matins, il n'écrivit pas un mot. Ou si peu. Ou si mal. Ou si laborieusement qu'il valait mieux ne pas en parler.

Il se passait un phénomène étrange. Quand il marchait dans la rue entre l'appartement et le café, il était sans arrêt assailli de projets, de bribes de dialogues percutants, d'aphorismes lumineux. Mais il n'avait rien pour les noter. Alors, il les laissait couver sous son bonnet, au chaud dans son cerveau. Et quand il s'asseyait, enfin prêt à harponner avec son stylo les pensées sur la page blanche, tout lui paraissait soudainement plat, vil, médiocre. Il ressentait exactement le même effet que le jour où, à l'âge de dix ans, il était parti en jubilant à la chasse aux papillons avec ses grands cousins et qu'il en était revenu complètement déconfit. Les idées dans sa tête étaient des arabesques mobiles et diaprées ; les idées sur le papier étaient des insectes morts, grisâtres, répugnants. Il regarda son carnet avec un sentiment de dégoût. Il n'avait plus qu'une seule envie : faire autre chose.

Il faut dire qu'en plus, ce mardi matin, il était particulièrement impatient de découvrir l'article de Tao. Il ne fit même pas semblant d'essayer d'écrire et il se rua sur *Le Journal de Montréal* avant d'absorber la première goutte de café. Armé de son téléphone en guise de loupe et de ses inamovibles lunettes noires, Eyrolles avait l'air d'un espion en train de photographier des documents confidentiels. Il tourna précipitamment les pages en quête du fameux portrait croisé. Tao s'était fait évincer des prestigieuses pages deux et trois ainsi que de la une par d'autres faits divers : un incendie de sapin de Noël qui avait fait deux morts en banlieue nord ; une asphyxie dans un chalet qui en avait fait un ; le décès du parrain de la mafia montréalaise qui, à en croire l'article, avait été à l'origine de plus de morts que tous les incendies et toutes les asphyxies de l'année réunis. L'affaire de *L'Eggzotique* n'avait pas pu lutter contre tous ces beaux cadavres bien frais. Elle avait donc été reléguée en pages huit et neuf.

Tao avait conservé son concept de portrait croisé sur double page. À gauche, Carmen Medeiros posait avec son mari et ses trois enfants, tous également beaux, colorés et souriants. À droite, Justin Clark jetait un regard noir et blanc à l'appareil du policier-photographe au moment de son incarcération. La principale modification effectuée par Tao à la suite des découvertes de la veille était d'ordre lexical. Pour désigner Clark, il faisait un usage généreux de l'expression « présumé coupable » (sept occurrences), suivie de près par le mot « suspect » (six occurrences) et il parlait une seule fois de l'« assassin » qu'il s'empressait de qualifier de « possible ». Malgré la révélation sur l'innocence de l'itinérant, Tao n'avait pas pris la peine de changer le fond de son texte où sa culpabilité faisait plus que planer. Il s'était bien gardé de mentionner que la police n'avait trouvé aucune empreinte du suspect sur la scène du crime. La quête de la Vérité avait bifurqué à mi-parcours vers le mélodrame. Et Tao faisait d'ailleurs preuve d'un certain talent dans ce domaine.

En revanche, il n'y avait pas grand-chose à se mettre sous la dent. En une minute, Eyrolles avait tout lu, assimilé, digéré, rejeté. Et il restait sur sa faim. Qu'allait-il se passer maintenant ? Allaient-ils garder encore longtemps la piste de l'itinérant ? Allaient-ils classer l'affaire sous les piles de dossiers d'incendies, de mafia, d'asphyxies ? Ou bien allaient-ils reprendre à zéro, réinterroger tous les acteurs, réactiver toutes les pistes ?...

* * *

Un peu plus de trois heures plus tard, Eyrolles avait encore et toujours les fesses sur une chaise dans un restaurant. Mais le décor avait changé. Et Tao, qui venait d'arriver, allait enfin pouvoir répondre à toutes ses questions. Entre-temps, Eyrolles avait lu intégralement *Le Journal de Montréal*, regardé son carnet avec une moue de dégoût, bu trente cafés, envoyé un texto à Tao pour savoir s'il pouvait le suivre aujourd'hui, envoyé un texto à JB pour lui dire qu'il n'allait pas tarder, reçu un texto de Tao lui donnant rendez-vous à midi, envoyé un texto à JB pour lui dire qu'il allait tarder («victime d'inspiration soudaine»), bu trente autres cafés, marché cinquante kilomètres dans Montréal, conçu un million d'idées géniales pour son roman, entendu des lutins chanter des chansons de Noël sur la Plaza Saint-Hubert, échoué par hasard devant *L'Eggzotique*, rencontré le fameux Réal chez *Coiffure Jean-Jacques*, sorti sa canne à pêcher le ragot, recueilli de précieuses informations sur la météo à venir (tempête), compris qu'il n'aurait pas le temps de se faire coiffer (tant mieux) ni d'obtenir des confidences (tant pis), marché cinquante autres kilomètres, entendu les mêmes lutins chanter les mêmes chansons de Noël sur la Plaza, et, enfin, attendu Tao au restaurant *Aux Derniers Humains* en dévorant le plat du jour.

— Alors?!

Eyrolles brûlait d'impatience. Il grattouillait nerveusement la croûte sur son nez et jetait un regard ardent à travers ses lunettes fumées. Tao avait le teint terreux. Deux cernes charbonneux soulignaient ses yeux fripés d'un trait rageur.

— Alors, c'est la marde…

— Qu'est-ce qui se passe?

— Chus tanné, là!… Il est midi et j'ai aucun sujet.

— T'as pas trouvé d'histoire?

— Oui, j'ai trouvé une histoire, j'ai même travaillé jusqu'à 3 heures du matin dessus. Mais mon boss l'a refusée.

— Ah, merde ! C'était quoi ?

— Un article sur la police. Sur la culture du chiffre dans la police.

— La culture du chiffre ?

— Ouain… Sur le fait que, depuis quelques années, tout est quantifié, rationalisé, tout est mis sous forme de statistiques. Les taux de criminalité, les taux d'élucidation, le rendement des services…

— Comme dans une entreprise, quoi…

— Comme partout.

— Et alors ?

— Et alors, les techniques de management utilisées dans les compagnies sont appliquées telles quelles dans la police. Le problème, c'est que la police, c'est pas une compagnie comme les autres. Son but, c'est pas de produire des crimes résolus. Et le fait d'utiliser tous ces indices pour évaluer son efficacité, ça produit des effets pervers. Et c'est pas toujours profitable aux citoyens.

— J'imagine…

— Surtout quand, d'un autre côté, il y a des coupes budgétaires, et que la moitié des services qui étaient déjà en sous-effectif doivent obtenir encore plus de résultats avec encore moins de moyens.

— Bon, ben, c'est super ça comme article !

— Peut-être, mais c'est pas l'avis de mon boss.

— Ah bon ? Pourquoi ?

— Il a dit qu'on pouvait pas publier un article comme ça un 25 décembre. Le monde a pas envie de lire ce genre de choses le jour de Noël.

— Le monde lit ce qu'on lui donne à lire !

— Mais surtout, ça risque d'être mal perçu par certaines personnes. Notamment des personnes qui sont des informateurs importants du *Journal.*

— Ah ! Je vois…

— C'est vraiment chien parce que j'ai travaillé fort là-dessus. J'ai des bonnes sources, des bons témoignages, une bonne histoire. Mais je dois en trouver une autre avant 5 heures.

— Et t'as aucune idée ?

— Non. Mon boss m'a « suggéré » de couvrir un accident qui a eu lieu vers Mont-Tremblant. Un gars qui a tué son bébé et qui s'est suicidé ensuite. J'ai déjà pris des rendez-vous. Je vais sûrement y aller.

— Pourquoi tu fais pas un article sur l'affaire de *L'Eggzotique* ?

— *L'Eggzotique*, on a pas mal épuisé le sujet. C'est déjà rare qu'on tienne aussi longtemps.

— Mais avec la disculpation du suspect numéro un, ça doit relancer l'affaire, non ?

— Qui a dit qu'il était disculpé ?

— Moi.

— Et qu'est-ce qui te faire dire ça ?

Eyrolles but un peu d'eau.

— Bah ! Le coup de l'itinérant… ça marche pas, c'est tout.

— Comment ça ?

— Il y a un problème de casting. J'ai joué mille fois la scène dans ma tête, ça sonnait faux à chaque fois.

— Comme quoi, par exemple ?

— Comme tout! D'un côté, on a un itinérant, un gars qui a des problèmes de santé mentale, qui est instable, impulsif et toxicomane. Et de l'autre côté, on a un assassin qui est tranquillement rentré dans un restaurant éclairé au risque d'être vu par tout le monde à travers les baies vitrées. Il a ensuite traversé un vrai labyrinthe avant d'atteindre les cuisines. Il a vu la patronne. Au lieu de s'enfuir, il a pris un couteau qui était rangé et il l'a poignardée. Mais pas seulement un petit coup de couteau, comme ça, pour se défendre ou pour gagner du temps. Non : il a enfoncé le couteau jusqu'au bout, avec puissance, avec application… Avec la volonté de tuer! Et là, à nouveau, au lieu de s'enfuir vers la sortie, il est allé dans la direction opposée pour faire un brin de ménage. Il a mis le couteau dans le lave-vaisselle, il a mis une pastille, il l'a démarré et, enfin, il est parti. Pourquoi pas un petit coup de balai, tant qu'on y est?… Non, franchement, ça marche pas.

— Pourquoi pas? En tout cas, il faut vraiment être fou pour faire ça…

— Et il faut être français pour traiter quelqu'un de vieille pute. Est-ce qu'il est déjà allé en France?

— Pas que je sache.

— Est-ce qu'il a évolué parmi des Français de France?

— Ça, c'est possible. Surtout quand on vit à Montréal.

— Oui, mais tu crois qu'il injurie les flics en québécois et les patronnes de restaurant en français de France?

Tao haussa les épaules.

— Moi, ce que je crois, c'est qu'il est pas allé plus loin que le vestibule.

— Ah?

— D'après les informations que j'ai eues, on n'a trouvé aucune trace de Clark dans tout le restaurant sauf dans l'entrée. C'est à peu près impossible qu'il se soit aventuré au-delà.

— Quoi ? Et c'est maintenant que tu me le dis ?

— Ça reste une présomption, rien n'est officiel encore.

— Une présomption d'innocence ?

— En quelque sorte.

— C'est marrant, vous êtes plus rapides pour annoncer les présumés coupables que les présumés innocents.

— Mouais. De toute façon, dans six mois, Clark sera dans le journal pour une autre histoire dans laquelle il sera vraiment coupable, alors…

— T'as l'air déçu qu'il ne le soit pas dans celle-là.

Tao eut une moue de déni.

Il détestait les itinérants. Il détestait jusqu'au mot « itinérant », qui le dégoûtait et l'enrageait à la fois.

— Non, je m'en fous, maugréa-t-il. Je suis juste fatigué. Et je dois faire un article…

— Pourquoi t'en fais pas un sur Clark ? Pour le réhabiliter ?

— On n'aurait pas de quoi faire plus qu'une dépêche.

— Alors un article sur *L'Eggzotique*, sur de nouvelles pistes, sur la clientèle ?… Je suis sûr qu'il y a de la matière pour des histoires !

— Peut-être, mais j'ai plus le goût et j'ai plus l'énergie. Il faudrait se replonger dans le dossier, refaire des entrevues. Moi, je suis brûlé. Je peux encore conduire, marcher, parler, mais je peux plus réfléchir. Je préfère encore aller à Mont-Tremblant.

— Si tu veux, je pourrais peut-être t'aider…

— M'aider à quoi ?

— Je sais pas… Je suis un peu au courant de l'affaire. Je peux chercher d'autres informations, je peux suggérer des idées pour des articles… des idées d'histoires.

— Si t'as du temps à perdre, je peux te passer mes notes sur *L'Eggzotique*…

Eyrolles fut traversé par un éclair d'allégresse savamment réprimé.

— Ben… Je promets pas de me prendre la tête jusqu'à 3 heures du matin. Mais je peux essayer d'y réfléchir un peu. Parfois, un regard extérieur… Et puis ça me permettra de me mettre dans la peau de mon personnage de journaliste, pour mon roman !

— OK, pas de trouble, marmonna Tao en fouillant dans son sac à dos. Je peux te passer ça, dit-il en posant un dossier dodu sur la table. Et je t'enverrai ce que j'ai dans mon laptop.

— Ça, c'est… tes notes sur *L'Eggzotique* ? demanda Eyrolles en soupesant l'auguste trésor.

Tao eut un semblant de sourire.

— Oui. T'as dix heures pour me trouver une histoire !

— Dix heures ? Ce sera pas trop tard pour l'édition de demain ?

— Laisse faire l'édition de demain : je vais faire mon article sur le gars de Mont-Tremblant, c'est plus réaliste. À moins vraiment que tu me trouves un scoop incroyable dans moins de cinq minutes.

— Ça marche ! répondit Eyrolles en voyant déjà « scoop incroyable » écrit en grosses lettres à la une du lendemain.

Tao regarda sa montre.

— J'ai hâte de voir ce que tu vas me trouver. Toi qui es romancier, tu dois avoir une bonne imagination.

— C'est juste une question de pratique, tu sais…

— Est-ce que tu veux quand même m'accompagner pour l'entre-vue à Mont-Tremblant ? Je dois être de retour à 6 heures à Montréal.

— Non, c'est gentil, mais je préfère me concentrer sur *L'Eggzotique*.

— Comme tu veux. Alors, je te laisse avec le dossier, c'est correct ?

Correct ? Eyrolles était tellement content qu'il aurait voulu embras-ser Tao, le bénir, lui offrir son repas. Il n'en fit rien pour ne pas trop dévoiler son intérêt pour l'affaire. Mais ce ne fut pas facile. Il laissa Tao partir et termina son café en sentant de grandes bouffées d'eu-phorie lui gonfler les poumons. Il ouvrit le dossier au hasard. Il tomba sur des feuilles manuscrites qui étaient indéchiffrables sans l'aide d'une loupe et d'un bon éclairage. Ça allait être difficile pour le scoop en moins de cinq minutes…

Il écrivit un texto à JB dans lequel il s'excusait de ne pas pouvoir venir au réveillon familial à Saint-Machin pour cause d'inspiration surabondante puis il demanda son addition. Quel bon repas ! Il avait tout aimé, la nourriture, le cadre, le service… Repu et satisfait, il laissa huit dollars de pourboire sur une facture de vingt-deux dollars. Sa seule déception était que Tao ne soit pas là pour être témoin de sa générosité.

✷ ✷ ✷

Quand Antoine rentra à l'appartement, JB était sur le point de partir à Sainte-Agathe pour rejoindre Marie-Ève et les enfants. Il aperçut le gros dossier de Tao sous son bras. Antoine se fit évasif.

— Ah ça ? Oui, c'est de la documentation sur les personnages pour mon roman…

— De la documentation ? Wow ! Tu fais ça bien.

— J'essaie, répondit modestement le romancier.

— Bon, t'es vraiment sûr que tu veux pas venir ?

— Non, je sens frémir quelque chose. Je veux pas le rater…

— Tu vas rater un super repas, en tout cas! Tourtière, soupe aux pois, tarte au sucre… T'es certain?

— Vraiment, c'est gentil, mais… en plus, j'ai mon cours de yoga tout à l'heure.

— Hé bé, comme tu veux. J'espère juste que tu vas pas trop déprimer : tout seul pour le réveillon de Noël…

— Je vais essayer.

La porte de l'appartement claqua derrière JB, et Antoine se mit au travail. Il commença par une petite sieste d'une heure sur le canapé. Les innombrables cafés avalés depuis le matin avaient fini par lui embrouiller le système nerveux et l'assommer. Impossible de réfléchir sereinement dans ces conditions. Impossible de faire honneur au dossier de Tao. En revanche, il fit honneur au canapé. Pendant ce temps, les flocons en profitèrent pour se mettre à tomber.

Lorsque Eyrolles émergea, ils avaient déjà largement tapissé les trottoirs. Il se redressa, engourdi, et partit se réveiller en douceur au studio de yoga. Après avoir suivi à la lettre les tendres injonctions de Suavarava, il sortit régénéré. Il marcha sur un tapis volant jusqu'au marché pour faire quelques emplettes gourmandes. Le froid lui parut soudain moins vif que les jours précédents. On percevait presque une sorte de tiédeur. Avec toute cette neige qui s'égrainait joyeusement dans les rues bariolées de lampions, ça donnait une ambiance très particulière, remplie de mystère et de choses en devenir.

Le marché était déjà fermé quand il arriva. Qu'à cela ne tienne – amour, paix, bonheur, voix suave dans les oreilles, tendresse yogique au cœur –, il repartit, comme il était venu, vers l'appartement. Il s'arrêta en route pour acheter des pâtes, de la bière et du vin au dépanneur. Et enfin, il revint à la case départ, l'esprit et l'appétit retrouvés.

∗ ∗ ∗

Tao haïssait Noël.

Il évita soigneusement de lire la pancarte souhaitant de «Joyeuses Fêtes à tous!» et se gara entre deux motoneiges devant le *Motel du Chasseur*. À peu près tout ce qu'il avait redouté s'était réalisé. Ses entrevues à Mont-Tremblant avaient été poussives, ses citations, rares, sa matière, maigre, son boss, exécrable, sa confiance en lui, déliquescente. Mais ce qu'il n'avait pas prévu, c'est que les flocons qui avaient commencé à tomber timidement à son départ de Montréal se transformeraient en averse à Saint-Jérôme puis en véritable tempête de neige à Tremblant. Le temps qu'il fasse ses entrevues, tout était devenu blanc: routes, ciel, champs, indistinctement. Et il avait bien failli se retrouver bloqué en plein milieu d'une côte en revenant de son dernier rendez-vous.

D'où le *Motel du Chasseur*.

On ne pouvait pas savoir comment évolueraient les conditions routières. Mais, visiblement, ça ne pouvait qu'empirer et il était formellement recommandé d'éviter de prendre sa voiture. De toute façon, même dans le meilleur des cas, Tao n'aurait jamais pu revenir à Montréal avant 9 heures du soir. À cette heure-là, Noël ou pas, sa mère était déjà couchée. Alors, tant pis: ça lui brisait le cœur de la laisser seule pour le réveillon, mais il n'avait pas le choix. Au moins, il pourrait en profiter pour finir son article. Et il serait déjà sur place le lendemain pour la couverture de la tempête dans les Laurentides, au besoin. C'était un moindre mal.

Il passa à la réception, son sac à dos à moitié vide pour seul bagage. L'hôtesse lui demanda de payer à l'avance et il inséra sa carte de crédit dans la machine. Chaque fois qu'il faisait ce geste, il avait l'impression de donner une partie de lui-même. Il avait la sensation physique d'un flux s'arrachant de ses entrailles. Un flux de beaux dollars siphonnés dans ses réserves vides. Il composa son code avec un soupir las et appuya sur «OK». OK pour le prélèvement. OK pour l'ablation. Allez-y, prenez tout! Calvaire... Décidément, il ne s'en sortait pas. Il avait beau avoir un revenu décent depuis quelques mois, il ne parvenait toujours pas à équilibrer ses comptes. Rien qu'avec son loyer, son char et le remboursement de ses dettes, son salaire partait en fumée. L'hôtesse lui rendit sa carte. Il ne savait même pas si le *Journal* allait lui rembourser le motel. Il ne savait même pas s'il allait oser demander au *Journal* de lui rembourser le motel. Après tout, c'était aussi un peu de sa faute à lui…

Il ouvrit la porte de sa chambre et fut saisi par la sensation d'humidité. La pièce était glaciale. Il se rua sur le calorifère, qu'il tourna au maximum. Estie! Il détestait le froid! Il détestait l'hiver! Il haïssait Noël!… Ah! Il était loin, son voyage en Asie, quand il avait fêté Noël en bobettes au bord de la plage!… Il fit le calcul dans sa tête tout en inspectant la chambre. Mets-en! Ça faisait… quatre ans! Un courant d'air froid venant de la fenêtre chassa rapidement les images de lagons et de bobettes de son esprit. L'encadrement de la fenêtre était mal isolé. Il tira les rideaux pour empêcher l'air de rentrer et découvrit des broderies de cerfs et d'épinettes. C'était le même genre de décoration que chez sa mère. Sa mère… Et son cœur s'ébrécha un peu plus. Maudit Noël!

Il décida de se mettre au travail pour se changer les idées. S'il essayait de travailler dans le lit, il s'endormirait à coup sûr. Il décida donc de s'aménager un petit coin bureau. Il poussa l'une des deux tables de nuit dans un coin et approcha une chaise. Puis il posa son ordinateur sur la table et le brancha à la prise la plus proche, le câble était juste assez long. Enfin, il éteignit le plafonnier et alluma la lampe de chevet pour créer une ambiance un peu plus chaleureuse. Le calorifère avait commencé à réchauffer la pièce. Bon. C'était pas si pire…

Il enleva son manteau et s'installa à son «bureau». Puis il alluma son ordinateur, fouilla dans son sac à dos et en sortit une canette de Guru. «Champagne!» lança-t-il en la décapsulant. «Et Joyeux Noël!» ajouta-t-il avec un enjouement factice. Mais il n'aurait pas dû. Car au seul mot de «Noël», un réflexe pavlovien le plongea aussitôt dans ses tourments habituels. Ah! Noël!… Maudit Noël qui, année après année, invitait invariablement à sa table les mêmes douleurs. Il pensa à sa mère. Il pensa à son père. Il pensa à son frère. Douleur. Douleur. Douleur. Brelan.

Noël !…

Cela dit, il devait quand même à son père l'une de ses plus grandes joies. En effet, c'était grâce à l'argent de l'assurance-vie qu'il avait pu faire son voyage en Asie. Si son père n'était pas mort, Tao ne serait probablement jamais parti. Et il n'aurait jamais rencontré Tao… L'autre Tao. Le vrai…

Comme pour illustrer ses pensées, son ordinateur acheva son pénible démarrage en affichant une photo du Laos. Quatre ans qu'il avait le même fond d'écran ! Peu à peu, la photo se fit recouvrir par une île, un archipel, un continent d'icônes et de raccourcis. Bientôt, elle fut complètement cachée. Tao aperçut le dossier « Eggzotique », qu'il avait envoyé à Eyrolles et qui trônait au milieu de l'écran. Ça lui fit penser à l'itinérant puis, inévitablement, à Francis. À ce tabarnak de Francis… Et, tel un jet de karcher, ses déconvenues, ses angoisses et toutes ses négativités canalisèrent leur flot vers lui.

Francis avait longtemps été un enfant modèle, et le modèle de Tao. Oui, Tao avait profondément admiré ce grand frère beau, intelligent, fort, gentil, parfait. Mais, vers l'âge de quinze ans, Francis avait subitement mal tourné. Il avait arrêté de travailler à l'école et commencé à consommer toutes sortes de choses. À dix-sept ans, il avait quitté la maison, Tao en avait douze. Ça avait été un choc sourd. Et bientôt un tabou absolu. Interdiction de prononcer son nom devant ses parents sous peine d'ambiance funèbre pendant une semaine. Tao avait entendu dire par d'autres personnes qu'il était parti dans l'Ouest. Sans plus de précisions. Une fois, bien après, il avait compris que Francis était passé chez eux pour demander de l'argent, un jour où Tao n'était pas là. À part ça, pas une carte postale, pas un coup de téléphone, pas un mot, rien. Il n'était même pas venu à l'enterrement de leur père. Tao l'avait revu une seule fois, à Montréal, l'année précédente. Il l'avait reconnu, par hasard, vers Berri-UQAM, au milieu d'une gang de quêteux et de chiens. Son frère, vraisemblablement drogué, lui avait jeté un regard vide. Tao avait détourné les yeux sans dire bonjour. Depuis, plus rien. Et c'était tant mieux.

La flèche de sa souris quitta le mot « Eggzotique » pour filer vers « Suicide Mont-Tremblant ». Il double-cliqua résolument sur l'icône. Maintenant, il fallait qu'il arrête de cogiter et qu'il se mette à travailler. Le spectre de son boss reprit sa place centrale dans son subconscient. Assez niaisé… Il ne pouvait plus se permettre de perdre du temps. Il but une longue gorgée de Guru, se passa les mains sur le visage et s'encouragea d'un inaudible: « Allez! Come on! » Puis il relut son plan de travail, organisa ses idées et se redressa sur sa chaise. Il était prêt, let's go!

C'est à ce moment que la lampe de chevet s'éteignit. Juste après, il entendit une longue clameur venant du salon en bas. Il attendit un peu. La clameur se tut, mais la lumière ne revint pas. Son ordinateur consciencieusement branché lui indiqua qu'il fonctionnait sur batterie et qu'il lui restait « environ 1 h 12 de charge ». Tao se leva et sortit dans le couloir. Tout était noir à l'exception du mot « sortie » qui rougeoyait faiblement devant l'escalier. La lumière de la salle de bain non plus ne marchait pas. Il revint dans sa chambre, entrouvrit les rideaux et regarda par la fenêtre. Il n'y avait plus de guirlandes scintillantes dehors, plus de fenêtres allumées dans les maisons voisines, plus de lampadaires éclairant la route. Plus qu'une immense obscurité. Et d'énormes lambeaux de neige qui s'arrachaient d'un ciel lépreux. Tao sentit le courant d'air en provenance de la fenêtre. Mais il ne sentait plus la chaleur provenant du calorifère… électrique. TABARNAK!

Alors c'était ça?!… C'était ça, être journaliste? Écrire des articles plates dans des motels poches? Aller se geler à la campagne pour un simple fait divers alors que la ville regorgeait d'enquêtes potentielles? Faire gentiment le scribe, écrire ce qu'on lui dictait et mettre son nom en bas? C'était pour ça qu'il avait fait trois ans d'études et qu'il s'était endetté pour un demi-siècle? C'était pour ça qu'il dormait cinq heures par nuit, qu'il avait renoncé à toute vie sociale et qu'il n'avait pas pris un jour de congé depuis un an ? C'était pour ça qu'il avait abandonné sa mère toute seule pour le réveillon ?! Maudit câlice de Nowell de marde, estie !!!

Tao avait les larmes aux yeux. Il remit son blouson et son bonnet pour se réchauffer. Puis il se rassit en reniflant devant son ordinateur. L'écran indiquait qu'on était le 24 décembre et qu'il restait 37 minutes de charge. Il projetait une lumière faible et froide qui donnait une teinte verdâtre à son visage. Tao eut l'impression fugace de se voir d'en haut. En guise de cadeau de Noël, il s'offrit alors quelques secondes d'auto-apitoiement. Il se vit, tout seul, dans la pénombre glacée de sa chambre, bonnet sur la tête, manteau sur le dos, les yeux humides, le nez coulant, ne disposant plus que de quelques minutes de batterie pour écrire un article inutile sur un sujet dont il n'avait rien à dire. Haïssant Noël, qui le lui rendait bien.

Il fit un effort surhumain pour ne pas pleurer, but la dernière gorgée de Guru et retrouva un semblant de courage. De toute façon, c'était ça ou la rue, comme Francis. Et s'il y avait bien quelqu'un à qui il ne voulait pas ressembler, c'était Francis. De toute façon, tout le monde déprimait à Noël. Ceux qui étaient en famille se déprimaient mutuellement. Ceux qui n'avaient pas de famille se déprimaient tout seuls. Noël, pour tout le monde, c'était le froid, le manque de soleil, les dépenses sans fin, les rhumes à répétition, la fatigue… Et le gros sac de marde qu'on remplissait depuis trois cent soixante jours qui se déchirait d'un seul coup à nos pieds.

Y avait-il une seule personne au monde qui ne déprimait pas à Noël ?

* * *

Eyrolles s'essuya la bouche avec sa manche et reposa sa fourchette dans son assiette vide en échappant un rot. Tout seul pour le réveillon… Il avait rarement été aussi heureux !

Les pâtes au beurre lui avaient fait l'effet d'un véritable festin. Depuis le temps qu'il rêvait de coquillettes sans se l'avouer ! Des coquillettes qui

– fait de langue notable – s'appelaient des macaronis au Québec! La langue française où tous les francophones croyaient se retrouver en terrain neutre était en réalité un terrain miné. Et miné dans son cœur même: la coquillette! La pâte! L'essence de la vie!... Mais ces controverses lexicales n'avaient pas empêché Eyrolles de se régaler. Il avait dévoré sa plâtrée avant même de déboucher le vin. Il posa son assiette vide dans l'évier, en équilibre sur la passoire et la casserole. Puis il s'installa au bureau de JB avec le dossier de Tao et sa loupe. Un autre festin l'attendait.

Il s'agissait d'un fatras impressionnant constitué de notes manuscrites, de rapports administratifs, de listes austères et de photocopies obscures, auxquels s'était ajouté un gros tas de feuilles fraîchement imprimées à partir des documents que Tao avait envoyés par courriel. Le journaliste avait également joint les fichiers audio des entrevues qu'il avait enregistrées. Eyrolles jeta une oreille rapide. Il reconnut les voix enrhumée de Claire et rocailleuse de Reggie, découvrit celle d'Odile et replongea un instant dans l'épopée cacophonique au salon de coiffure. Pour finir, le dossier de Tao comprenait le relevé complet des heures d'arrivée et de départ de chaque employé du restaurant, le montant des ventes quotidiennes de chaque serveur, le nombre d'œufs et de saucisses consommés... Eyrolles était stupéfait de voir la quantité et la variété des données enregistrées. Tout était catalogué, tracé, archivé.

Dans un premier temps, il ne rentra pas dans les détails, se contentant d'évaluer rapidement les différents types d'informations. Puis, naturellement, il fit des petites piles, regroupant les documents par thèmes ou par fonction. Il sortit bientôt son carnet et commença à y jeter au vol les remarques qui lui traversaient l'esprit.

Et il reconnut alors une sensation qui s'emparait souvent de lui au cours de ses procès chambériens, cet état d'esprit très particulier qui lui valait le doux sobriquet de «Eyrolles-la-vérole» de la part de ses collègues. C'était une force supérieure contre laquelle il ne pouvait pas lutter. Une force qui canalisait toute son énergie vers la résolution du problème et réduisait au strict minimum toute attention pour les stimuli extérieurs. Au bout d'un certain temps, les notes, les remarques, les réflexions débordaient de son carnet et de sa tête. Il n'avait plus le choix. Une seule solution s'imposait.

Il ouvrit son ordinateur portable, appuya simultanément sur la touche « Windows » et le chiffre « 3 ». L'écran afficha immédiatement de belles rangées, parfaitement alignées, pleines de cellules vierges et avides. Il venait de sortir l'arme fatale : le tableau Excel.

C'était toujours spectaculaire de voir Eyrolles sur un ordinateur. Il avait suivi plusieurs formations pour malvoyants, mais il avait également passé beaucoup de temps, tout seul, à mettre au point un environnement ergonomique et adapté à son handicap. Il avait ainsi développé une manière aussi puissante que personnelle d'utiliser l'informatique. Pour commencer, il pianotait sur son clavier à une vitesse phénoménale, sans jamais le regarder ni jamais se tromper. Il prétendait qu'il écrivait plus vite qu'il ne pensait et que ce n'était pas les doigts, mais le cerveau qui le ralentissait. Ensuite, c'était le roi incontesté des macros et autres raccourcis clavier. Il connaissait par cœur toutes les combinaisons de touches des logiciels qu'il utilisait et il s'en créait de nouvelles dès qu'un nouveau besoin apparaissait. Il les dégainait plus vite que son ombre et provoquait alors un déluge de fenêtres qui s'ouvrent, d'onglets qui se ferment, d'applications qui basculent, de fichiers qui se déplacent et de bien d'autres choses incompréhensibles, vues de l'extérieur. Pour couronner le tout, il utilisait frénétiquement une loupe logicielle et, sans prévenir, un détail de l'affichage devenait instantanément gigantesque, comme s'il jaillissait subitement hors de l'écran. L'instant d'après, ce qui occupait la moitié de l'écran redevenait un détail d'une poignée de pixels... Bref, il était impossible de regarder Eyrolles travailler sur son ordinateur sans être rapidement pris de vertige, de nausée ou d'épilepsie.

Pendant près de deux heures, les données contenues dans les petites piles du dossier se téléportèrent vers les cellules du tableau, comme le pollen dans la ruche. Au fur et à mesure qu'il avançait, Eyrolles rajoutait des colonnes, des lignes, des feuilles. Les informations enchevêtrées sur la table, sens dessus dessous, égarées dans les feuilles polycopiées, se démêlaient comme par magie, se corrélaient et s'éclairaient mutuellement une fois dans le tableau. Peu à peu, le Sens s'esquissait du Chaos ; peu à peu se distillait le Miel.

Le Miel, en l'occurrence, était un fichier Excel contenant huit feuilles dans chacune desquelles se trouvait un tableau composé de cellules gorgées de données. Il dressait un portrait complet de *L'Eggzotique*, tant sur le plan financier que sur le plan humain. Toutefois, Eyrolles ne voulait pas s'arrêter en si bon chemin. Maintenant, il fallait qu'il synthétise, qu'il réduise la masse de données pour se concentrer sur l'essentiel. Il décida donc de créer une nouvelle feuille, un nouveau tableau, minimal, avec la liste des personnes travaillant à *L'Eggzotique*. À grands coups de copiés-collés, il ajouta une colonne pour indiquer leur fonction. Puis une autre pour signaler si elles travaillaient le jour du crime. Il ajusta le tout et contempla pendant un long moment le tableau.

« Ctrl S ».

Il se leva et fit quelques pas. Dans sa tête aussi, les pensées semblaient désormais se déplacer selon des lignes et des colonnes de tableau. Il alla se remplir un verre d'eau dans l'évier au-dessus de sa vaisselle sale. Il aperçut la bouteille de vin à laquelle il n'avait toujours pas touché. C'était un réveillon sobre : il n'avait pas bu une seule goutte d'alcool de toute la journée. Il fut tenté de se prendre un verre, par réflexe. Merde, c'était Noël quand même ! Mais, Noël ou pas, bizarrement, il n'avait pas envie de boire. Surtout après le grand verre d'eau qu'il venait d'avaler. Et il réalisa à temps qu'il tenait plus que tout à garder l'esprit parfaitement clair.

Il alla à la fenêtre. La rue était extraordinairement calme. La nuit était tombée depuis plusieurs heures maintenant. Un étrange halo enrobait les réverbères. Eyrolles plissa les yeux en grimaçant et devina soudain une multitude de gros flocons cotonneux dans le halo. Il comprit que même hors des réverbères, dans ce qui lui semblait être un ciel noir, la neige tombait abondamment. Il regarda sur le balcon : une couche haute comme son avant-bras s'était déjà déposée sur la balustrade. C'était la fameuse tempête de neige. Comme prévu. Tempête de neige ?...

Il courut à grands pas jusqu'au bureau en marmonnant des sons inintelligibles. Il ouvrit le Miel et ajouta une ligne pour Réal. Son nom ne figurait dans aucun papier administratif. Mais plusieurs notes manuscrites extraites notamment du dossier de police indiquaient que l'homme qui avait retrouvé le corps de Carmen était un gars du quartier, retraité, payé pour de menus travaux. Il ramassait les feuilles mortes à l'automne, il déneigeait en hiver, il rentrait et sortait les tables de la terrasse en été. Et il était toujours là, quand on avait besoin de quelque chose, une course, une réparation, un coup de main... Tous les après-midi, il arrivait au moment de la fermeture pour ranger les chaises sur les tables avant le ménage et sortir les poubelles. Tous les matins, il arrivait juste avant l'ouverture pour faire l'opération inverse. À la ligne « signe distinctif », on pouvait lire « malentendant » et « passionné de météo ».

Eyrolles se gratta le haut du nez et ajouta une colonne intitulée « alibi ». Puis il fouilla encore un peu dans les notes. Il constata avec une pointe de déception que Réal avait un alibi. Le jour du crime, après avoir mis les chaises sur les tables, il avait dit « bye, ma belle Carmen », puis il était parti avec deux autres voisins pour récupérer des sapins de Noël au marché Jean-Talon. Il n'était revenu que deux heures plus tard, bien après le crime.

Pour y voir plus clair, Eyrolles utilisa une mise en forme conditionnelle dans son tableau : quand il appuya sur « Entrée », toutes les personnes qui n'avaient pas d'alibi apparurent en gras. Il aimait cette sentence froide du tableau, ce jugement informatique parfaitement dépourvu d'humanité. Parmi les huit personnes qui apparaissaient en gras, trois personnes appartenaient à la famille proche de la victime. Trois personnes qu'un humain normalement constitué aurait pu être tenté de considérer hors de soupçon. Mais le tableau Excel, lui, ne se laissait pas apitoyer par la famille proche ni par quoi que ce soit. Le mari, la fille et le cousin de Carmen étaient à ses yeux tout aussi suspects que Reggie, Brahim, Claire, Odile et Jonathan.

Il rajouta une colonne intitulée élégamment «vieille pute», dans laquelle il nota si la personne était susceptible de dire l'expression sous le coup de l'émotion. Pour ce faire, il supposa que la langue de l'émotion était la langue maternelle. Il exclut donc les Québécois, les anglophones, les hispanophones et les lusophones. Enfin, il rajouta ce critère pour la mise en forme conditionnelle: désormais seules les personnes qui n'avaient pas d'alibi et qui étaient susceptibles de crier «vieille pute» apparaissaient en gras. Il ne restait plus que deux noms.

SECTEUR	NOM	FONCTION	JOUR CRIME	ALIBI	VIEILLE PUTE
direction	Carmen Medeiros	gérante			
	Mike Medeiros	gérant	oui	?	non
cuisine	Alex Sousa	chef	non	oui	non
	Sandra Medeiros	sous-chef	oui	non	non
	Kiko Fernandez	commis	non	oui	non
	Raul Carvalho	commis	oui	non	non
	Brahim Djabou	commis	oui	non	oui
	Reggie Gagnon	plongeuse	oui	non	non
	Doug Bradford	plongeur	non	oui	non
service	Odile Langelier	serveuse	oui	non	non
	Claire Gaillard	serveuse	oui	non	oui
	Jonathan Rivest	busboy	oui	?	non
	Mathieu Camaret	serveur	non	oui	oui
	Gabriel Santos	busboy	non	oui	non
autre	Réal Bélanger	factotum	oui	oui	non

Pour ne pas se laisser aveugler par l'apparente perfection du tableau, il poussa l'ordinateur de côté et ouvrit son carnet à une page vierge. Tout en haut de la page, il écrivit: «L'assassin – pistes – possibilités». Sur la ligne suivante, il inscrivit: «L'assassin est suffisamment vigoureux pour poignarder une femme dynamique et plantureuse.» Après une courte réflexion, il ajouta juste en dessous : « L'assassin fait preuve d'amateurisme et d'émotivité en criant "vieille pute" au moment du crime. » Il réfléchit encore. Puis nota : « L'assassin connaît suffisamment les lieux pour mettre son couteau au lave-vaisselle après le crime. » Il marqua une pause, se prit le menton dans les mains puis, tout en bas de la feuille, en s'appliquant comme un écolier, il conclut par : « L'assassin est une personne habituée des lieux, capable de vigueur et susceptible d'émotivité. » Puis il arracha la page, la froissa d'une main et s'habilla pour sortir.

✳ ✳ ✳

Une fois dehors, la première chose qui le frappa fut la qualité du silence. La seconde fut la quantité de neige. En quelques heures à peine, les marches de l'escalier avaient complètement disparu. Eyrolles en avait jusqu'aux genoux. Il marcha sans direction précise dans la neige fraîche et onctueuse. Les gros flocons continuaient de tomber d'en haut, sans relâche. Il mit son bonnet et s'aperçut que ses cheveux étaient déjà recouverts. Un bonheur enfantin s'empara de lui. Il eut envie de faire des boules de neige, de se jeter par terre. Mais, réveillon solitaire oblige, il se contenta de donner de grands coups de pied au sol pour la faire gicler de toutes parts. C'était toujours mieux que rien. Il traversa la rue Jean-Talon et arriva au marché. Il avait du mal à reconnaître ce lieu où il s'était pourtant trouvé quelques heures aupa-ravant. Les sapins à vendre à l'extérieur étaient désormais enduits d'une épaisse laque blanche. Avec une mauvaise vue et une bonne imagination, on se serait cru dans une forêt sibérienne. Eyrolles pas-sait donc un réveillon solitaire en Sibérie ! Il glapit de plaisir. Sa soirée studieuse l'avait rendu extatique. Et tout ça sans une goutte d'alcool !

Pour être plus exact, il se sentait un peu comme un jeune amou-reux. D'ailleurs, il était en train de réaliser qu'il en avait tous les symptômes. Des symptômes qu'il connaissait bien puisqu'il était tombé amoureux en moyenne une fois par an depuis le primaire. Bien sûr, il y avait eu des périodes creuses. Et des périodes assez folles. Mais, bon an mal an, l'amourette annuelle se produisait. Une telle régularité en devenait même suspecte. À se demander s'il n'y avait pas autre chose que la magie de l'amour qui entrait en jeu dans le processus. En tout cas, la mécanique était toujours identique : il sentait venir un béguin, le laissait se développer, tombait amoureux, consommait, consumait. Puis l'amour disparaissait et c'était alors le moment des douleurs (Oh ! Élise !), des rancœurs (Ah ! Fanny !), parfois même des injures (Sonia, Cassandre…) voire des coups (l'autre folle de Bénédicte ! !). Puis plus rien. Jusqu'au béguin suivant.

Eyrolles reconnaissait qu'il y avait probablement quelque chose de pathologique dans le fait de jouer inlassablement ce jeu sans jamais essayer de le pousser au-delà. Il réalisait en outre qu'il attirait toujours le même type de fille. Le type de fille qui aime jouer à l'infirmière. Le type de fille qui n'est pas contente quand on ne veut plus jouer à l'infirmière avec elle. Mais il acceptait son sort avec fatalisme et même avec une certaine félicité : il mangeait toutes les six heures, dormait une fois par jour, faisait les courses une fois par semaine… Et il tombait amoureux une fois par an. Ainsi soit-il.

Il repensa aux deux derniers jours et revit le cycle infernal se mettre inéluctablement en place. L'attrait léger au début, puis plus insistant par la suite. L'impatience, la nervosité, entraînant de manière irréversible l'espèce d'obsession monomaniaque. Et enfin, la libération euphorique qu'il était en train de vivre ce soir. C'était un fait irrécusable : il était tombé amoureux. Il était tombé amoureux de l'affaire de *L'Eggzotique* ! Et comme tout amoureux transi qui se respecte, il avait marché jusque chez sa belle.

L'enseigne du restaurant était coiffée d'une épaisse couche de neige qui, en s'affalant en son milieu, recouvrait complètement le « z » et le « g ». Elle annonçait désormais « L'Egotique ». Eyrolles ne s'en formalisa pas outre mesure et s'approcha. Les deux petits sapins de l'entrée croulaient eux aussi sous le poids de la neige. On ne pouvait presque plus lire leur message. Il colla sa tête à la baie vitrée. Dans l'obscurité totale de la salle, la lueur bleutée de l'ordinateur avait quelque chose de mystique. Eyrolles fit quelques pas sur le trottoir en continuant de longer la baie vitrée. Tout le quartier reposait dans un calme douillet. À peine entendait-on émerger de temps en temps un éclat de voix ou la rumeur de la route au loin. La neige s'était posée sur la ville comme la sourdine sur les cordes du piano.

Au-dessus du restaurant, l'appartement était éclairé. Eyrolles se demanda ce que faisait Reggie. Peut-être était-elle en famille. Peut-être avec des amis. Peut-être était-elle seule, avec son chat. Il avança jusqu'à son escalier. Il n'y avait pas une seule trace dans le tapis neigeux. Personne n'était monté ni descendu depuis plusieurs heures. La dernière option était donc la plus vraisemblable : elle était seule, elle aussi. Mais était-elle aussi heureuse que lui d'être seule? Il eut un mouvement de tendresse et de pitié à l'égard de la plongeuse. À tous les coups, elle devait travailler le lendemain. Pour acheter sa bonne conduite, pour éviter de «faire des bêtises»...

Eyrolles retourna à l'entrée de *L'Eggzotique*. Il se glissa entre les deux sapins et utilisa la lampe de son téléphone pour déchiffrer l'horaire des fêtes affiché sur la porte. Le restaurant était «*ouvert tous les jours, y compris Noël et jour de l'An!*» Il se souvint alors d'une coupure de presse qu'il avait lue dans le dossier de Tao. Mike Medeiros y expliquait qu'il tenait à ce que le restaurant fonctionne en dépit des circonstances. Il estimait que c'était le meilleur moyen de faire honneur à Carmen et à son dynamisme. Elle aurait aimé que le lieu continue de vivre à sa mémoire.

En tout cas, à sa mémoire, Reggie devrait faire la plonge le lendemain! Un 25 décembre!... Eyrolles leva la tête une dernière fois vers la fenêtre éclairée à l'étage. Il neigeait toujours, imperturbablement. Il fut parcouru par une étrange sensation et décida de regagner ses pénates. Il repassa devant le salon de coiffure. L'orignal arborait un bonnet de père Noël lumineux. Ça lui remonta un peu le moral.

Sur le trajet du retour, il repensa à cette histoire de «vieille pute», histoire révélée par un client de *Coiffure Jean-Jacques*, corroborée par Reggie, histoire inexpliquée et, ô combien, Eyrolles détestait les phénomènes inexplicables! Il s'imagina successivement chaque employé du restaurant en train de proférer l'injure pour déterminer qui était vraiment susceptible de l'avoir fait. Cette fois-ci, il essaya d'établir son

diagnostic non plus par rapport à la langue maternelle, mais tout simplement à l'instinct. Il s'agissait avant tout de se mettre dans la peau du
personnage. Ensuite, il suffisait de dire l'injure, comme une formule
magique, à mi-voix pour éprouver sa crédibilité.

Il commença avec Claire. «Vieille pute»… «Bieille pude»… Oui,
même avec le nez bouché, ça marchait très bien. Il passa à Reggie.
«Vieille pute»… «Vieille pute»… Non, ça ne marchait pas. Il réessaya,
en imitant sa voix rauque. Non plus. Il réessaya, légèrement plus fort.
Toujours pas. Il s'immergea dans le contexte, imagina la cuisine, le couteau, la patronne qui fonce sur lui… il hurla «VIEILLE PUTE!!!». À ce
moment, une forme noire surgit juste devant lui en poussant un cri
effrayant: «Aaaaaaïïïïaaaaa!!!!» Une vieille dame en manteau de fourrure le regardait d'un air terrifié. Avant qu'il puisse bégayer ses excuses
piteuses, elle avait déjà filé en répandant un flot d'injures en italien.

Eyrolles redescendit sur terre et décida d'avorter provisoirement ses
expériences. Il se rendit compte qu'il était entouré de pizzerias, d'épiceries
et de cafés italiens. Son esprit s'excita et son pas se pressa. Depuis son arrivée, il avait été étonné par l'importance de la corruption et par l'omnipré-
sence de la mafia à Montréal. Il y avait des articles quasi quotidiens à ce
sujet dans les journaux et la documentation était abondante. Il aurait
aimé connaître la position des Medeiros à ce sujet. Ils étaient portugais et
avaient peu de chance de jouer un rôle dans la grande famille italienne.
Par contre, leurs affaires marchaient bien. Ils devaient susciter l'attention.
Les convoitises. Est-ce qu'on avait cherché à récupérer une partie des
bénéfices? Est-ce qu'ils avaient déjà été menacés?… Les restaurants qui
brûlaient mystérieusement étaient légion à Montréal. Et *L'Eggzotique* était
situé à la lisière de la Petite-Italie… Alors?

Mais, non: Tao avait assuré que l'assassinat de Carmen Medeiros ne
portait pas la signature d'un crime mafieux. Et en effet, Eyrolles avait du
mal à imaginer Tony Montana se déplacer pour un crime à trois cents
dollars. Et faire la vaisselle après…

Il traversa la rue Jean-Talon, continua sur Henri-Julien, passa
devant le studio de yoga et se sentit définitivement sauvé, enfin «chez
lui». C'était la troisième fois en deux jours qu'il faisait le trajet jusqu'à

L'Eggzotique. Il commençait à bien connaître l'itinéraire. Il entendit la cloche de l'église Sainte-Cécile rompre douze fois le silence. Quand il arriva rue de Gaspé, il découvrit que la trace de ses pas était déjà recouverte. À peine devinait-on des formes onduleuses là où, un peu plus tôt, il avait descendu l'escalier. Il rentra vite au chaud et enleva tout son attirail en faisant tomber par terre une avalanche qui se transforma rapidement en flaque bourbeuse. Puis il but un verre d'eau qui traînait, piocha un chocolat sur le comptoir et alluma distraitement la musique. Il envisagea même pendant un instant d'écouter une émission de télé. Mais il n'y avait rien à faire : il était hanté. Il ne pensait qu'à ça et ne voulait penser à rien d'autre. Il fallait que ça sorte d'une manière ou d'une autre.

Il prit son téléphone et écrivit un texto à Tao.

L'assassin est une personne habituée des lieux, capable de vigueur et susceptible d'émotivité. Joyeux Noël. Antoine.

Mercredi 25 décembre

Antoine Eyrolles rêvait qu'il marchait en Sibérie. Mais une Sibérie moelleuse et démesurée où l'épais manteau neigeux était chaud et servait de tapis de yoga. Il se laissait suavement conduire à l'ombre des sapins par la voix de Suavaravir, et la voix de Suavaravir était le tapis de yoga qui était le manteau neigeux, toujours aussi moelleux et démesuré. Lorsque, soudain, tout se mit à vibrer : le manteau, le tapis... la voix devint plus grave, robotique, la vibration, insoutenable... Était-ce une avalanche ? un tremblement de terre ? Eyrolles se réveilla en sursaut. La réalité était pire que le rêve. Tout l'appartement tremblait convulsivement tandis qu'un bruit de fin du monde se rapprochait. Il attrapa ses lunettes sur la table de nuit et se précipita à la fenêtre. Il distingua une masse sombre et tonitruante se ruer sur le trottoir. La masse s'arrêta, recula aussitôt, contourna l'arbre et repartit en trombes. Puis le son de tonnerre s'éloigna peu à peu, les vibrations s'atténuèrent, le calme revint.

Et les trottoirs furent déneigés.

Une fois dehors, il fut obligé d'admettre que l'opération était aussi effrayante qu'efficace. Il ne restait plus un flocon sur les trottoirs, et Antoine Eyrolles partit prendre son petit-déjeuner en gambadant gaiement sur un sol immaculé. Les grandes artères avaient été dégagées, mais, çà et là, le déplacement de la neige avait formé de véritables collines. Les petites rues, quant à elles, étaient encore recouvertes d'une toison drue dans laquelle s'enfonçaient deux traces parallèles et zigzagantes laissées par des automobilistes téméraires.

Le ciel était redevenu calme et bleu, mais la tempête de la veille avait tout changé. Comme si elle avait ajouté l'ingrédient indispensable à la recette et que la pâte avait subitement levé. Ce n'était pas seulement une touche de blanc dans le décor. C'était un enchantement généralisé qui métamorphosait la ville. Partout, des gens munis d'une pelle et d'un grand sourire déblayaient leur entrée, leurs escaliers ou leur voiture. Trois mois plus tard, les sourires se feraient peut-être moins francs. Mais en attendant, pelleter la belle neige sous un bon soleil le jour de Noël était un bonheur unanimement partagé. Et tout le trajet jusqu'au *Café'In* fut baigné d'une bonne humeur anarchique et contagieuse.

Quand il poussa la porte d'entrée du restaurant, une bouffée de chaleur et de musique s'échappa de l'ouverture. Frank Sinatra croonait des chansons de Noël dans les haut-parleurs. Eyrolles s'assit sur la chaise qui lui semblait le plus à l'abri de ce type de nuisance et posa son carnet sur la table. Aussitôt, la serveuse remplit sa tasse en lui lançant un «bon matin» plein d'entrain. Il y versa deux sucres, trois crèmes et touilla distraitement. Puis il ouvrit son carnet et commença à réfléchir à son roman. Il était en forme : les idées venaient toutes seules, le monde imaginaire dans lequel il se projetait lui paraissait limpide et hospitalier. Tout en lapant son breuvage doux et lacté, il étudia la possibilité d'une liaison amoureuse entre son héros et une femme. Une femme aussi sereine que le journaliste pourvoyeur de Vérité était névrosé. Aussi tendre qu'il était incisif. Une femme saine. Spirituelle et charnelle. Tiens, une prof de yoga, par exemple. À eux deux, ils formeraient le yin et le yang ; à eux deux, ils trouveraient un équilibre ; à eux deux, ils pourraient résoudre tous les problèmes.

Sans s'en rendre compte, Eyrolles dériva rapidement de son thriller romantico-sentimental à un plateau de télé où il devait parler de son travail. Le héros n'était plus son personnage journaliste, mais lui-même, Antoine Eyrolles, romancier prolifique et imprévisible, qu'un animateur célèbre interrogeait au sujet de son dernier best-seller. Malgré les questions éculées et les provocations grossières de l'intervieweur, Eyrolles parvenait toujours à trouver un angle sympathique et original. Il s'exprimait simplement, tout en modestie, avec une profonde sincérité. « Il n'y a pas de recette pour faire un livre. C'est avant tout une discipline. Un peu de talent et beaucoup de travail. » Mais il devenait tranchant, et même polémique, quand il s'agissait du milieu littéraire. « Je trouve ridicule qu'une poignée d'auteurs vendent des milliers de livres tandis que des milliers d'autres – parfois tout aussi intéressants – sont à peine lus. Personnellement, je verse une grande partie de mes revenus à une fondation pour l'émergence des jeunes auteurs. Et je pense que tous les autres gros vendeurs devraient encourager, comme moi, une meilleure répartition de la visibilité littéraire. » Dans la salle, le public applaudissait chaleureusement et, devant leur écran télé, toutes les profs de yoga de l'univers se pâmaient.

Une demi-heure plus tard, la copie du romancier prolifique était toujours aussi blanche que le toit de l'église en face. Mais au moins, Eyrolles s'était fait plaisir. Il rangea sans la moindre culpabilité son petit carnet au profit du *Journal de Montréal*.

« Un pied cinq pouces ». C'était le titre de la une. Mais c'était surtout une litanie omniprésente à chaque page du journal. Eyrolles ne savait pas trop ce que ça représentait en centimètres. Par contre, il savait qu'il était tombé un pied cinq pouces de neige. Les journalistes ne manquaient pas d'épithètes toutes plus fortes les unes que les autres pour qualifier la tempête. Et toutes les autres informations avaient disparu, ensevelies sous les chutes de neige. Il y avait des pages et des pages sur les pannes d'électricité, les poteaux succombant sous le poids de la neige, les malchanceux coincés sur la route qui avaient réveillonné dans leur automobile… Mais pas un mot sur *L'Eggzotique* !

Jusqu'à la fin de sa lecture, Eyrolles avait conservé l'espoir d'entrevoir le bout d'un de ses tableaux dans le quotidien. La veille, il avait envoyé le Miel, son document Excel final, à Tao. Le pauvre était resté bloqué en région et avait été contraint de dormir dans un motel. Il n'avait pas dû passer le réveillon le plus festif de la planète. Mais au moins, il avait eu le temps d'apprécier le travail d'Eyrolles. Le soir même, il l'avait largement félicité et il avait prédit un probable article de synthèse bientôt dans le *Journal*. Hélas, il faudrait manifestement attendre que la neige fonde un peu pour espérer voir émerger, en dessous, des sujets plus terre à terre.

En ce lendemain de tempête, l'affaire était, tout comme le paysage, provisoirement figée. Tao avait prévenu. La police ne voulait pas faire étalage de ses doutes pendant les fêtes. La culpabilité de Justin Clark n'avait donc pas été encore officiellement écartée. Elle tiendrait le temps qu'elle tiendrait : quelques heures ou quelques jours, mais le plus longtemps possible. Pour l'instant, entre les congés de Noël, les routes bloquées et les pannes d'électricité, les effectifs policiers attribués à l'affaire ne permettaient pas d'avancer très vite. De son côté, Tao, qui était le seul au *Journal* à s'être occupé de l'affaire, avait désormais d'autres priorités.

Eyrolles se sentait bloqué. Il n'y avait pas de temps à perdre ! Il fallait enquêter sur le restaurant, sur les proches, les amis, les comptes bancaires ! ! Mais on était le 25 décembre. Tout était fermé. La police mangeait de la dinde, la presse comptait le nombre de flocons qui étaient tombés, et l'intrépide investigateur du *Journal de Montréal* décollait à peine de son motel campagnard pour aller manger chez sa mère. Eyrolles n'avait pas le choix : il devait prendre son mal en patience.

D'ailleurs, c'était une superbe journée. Il ne faisait pas trop froid – on parlait de moins cinq degrés Celsius à la page météo –, l'air était sec, le ciel, dégagé et le soleil qui se reflétait sur la neige éclaboussait la ville de lumière. Eyrolles ne s'attarda pas au concert de Sinatra. Il partit après son deuxième café, sans même prendre la peine de lire la double page sur les réveillons insolites.

De retour à l'appartement, il ne put s'empêcher de contempler à nouveau ses tableaux Excel. Il apporta quelques corrections mineures, réécouta les enregistrements des entrevues, nota de nouvelles remarques. Mais, contrairement à la veille, il s'arrêta avant de se laisser emporter par la fièvre. Il tempéra son impatience, mit de côté tout ce qui concernait *L'Eggzotique* et tâcha simplement prendre du bon temps.

Ce fut donc une journée paisible et bienveillante. Il se promena au parc Jarry en écoutant le joyeux gazouillis des enfants glissant sur la butte. Oui, une journée paisible et bienveillante. Il mangea une pizza aux fruits de mer dans le canapé en cuir où venait s'affaler le soleil.

Vraiment, une journée paisible et bienveillante. Il feuilleta le *Guide du Routard* en somnolant puis écrivit quelques cartes postales. Ce fut une journée paisible et bienveillante. Et ce fut un peu chiant.

Quand Marie-Ève et JB rentrèrent enfin de Sainte-Agathe, Eyrolles les attendait comme un chiot impatient de revoir ses maîtres. Ils étaient partis depuis moins de vingt-quatre heures, mais il avait plein de questions à leur poser : « Ah bon, une tourtière ?... Ah oui, un pied trois pouces de neige ?... Incroyable ! Mais il paraît qu'il en est tombé près de deux pieds à certains endroits... Et vous n'avez pas eu de panne d'électricité ? Bon. Tant mieux... »

JB était content de voir son ami de bonne humeur. Marie-Ève, qui sortait sans fin des sacs de nourriture de sa glacière, se demandait pourquoi il restait dans leurs jambes. Coudon ! Il ne voyait pas qu'il... Mais elle ne savait pas trop comment lui dire d'aller ailleurs pour lui permettre de ranger ses affaires. Surtout que le téléphone d'Eyrolles venait de vibrer et qu'il était planté en plein milieu du chemin, à moitié accoudé sur le plan de travail en train d'essayer de lire un texto le nez collé sur son appareil sans se préoccuper le moindrement de ce qui se passait au-delà. Elle décida d'abandonner provisoirement ce qu'elle avait prévu de faire et de nettoyer plutôt le comptoir. Elle ramassa des miettes, des macaronis séchés et des emballages sales de chocolat. Lorsque, d'un pied vif, elle ouvrit la poubelle pour y jeter sa moisson, elle aperçut le carton de pizza d'Antoine. Celui-ci venait justement de lâcher son téléphone. Il était donc à sa merci...

Marie-Ève n'était pas méchante, mais, comme l'expliquait JB, elle ne mettait pas de gants. Elle disait tout de suite ce qu'elle avait sur le cœur, avec une certaine franchise, voire une certaine brutalité. Par ailleurs, elle avait, toujours selon JB, une conscience écologique très développée et elle croyait religieusement aux « petits gestes du quotidien qui sauvent la planète ». C'est pour cette raison qu'elle était tombée sur Antoine avec une telle fougue. Mais il ne fallait pas le prendre personnellement. Elle aurait agi ainsi avec n'importe qui.

JB se sentait légèrement mal, coincé en tampon entre sa blonde et son ami. Il n'aurait pas pensé qu'Antoine était si susceptible et il ne s'était pas attendu à ce qu'il se décompose à ce point lorsque Marie-Ève l'avait houspillé. En fin de compte, elle lui avait juste ordonné un peu sèchement d'aller mettre le carton dans le bac de recyclage. Il n'y avait pas de quoi se vexer. Antoine avait assuré que non, non, tout allait bien. Mais il tirait une de ces tronches, boudu con!…

En effet, Antoine Eyrolles n'était pas susceptible.

Par contre, il venait de lire le texto de Tao.

Jeudi 26 décembre

Ce n'est pas le vacarme des déneigeuses qui réveilla Eyrolles ce matin-là, mais celui de ses pensées. Avant même que la conscience se diffuse dans son être, une forme de réflexion s'y articulait déjà. Les idées s'enchaînaient, les arguments se confrontaient de manière autonome. Et quand il se dressa sur son lit à 6 heures 48, il avait déjà tiré sa conclusion : « Non, c'est pas possible. »

Il se sentait mal, autant physiquement que mentalement. Comme s'il avait reçu une lettre de rupture et qu'il l'avait ruminée toute la nuit. De la même manière, il ne parvenait pas à oublier le texto de Tao qui lui revenait en boucle à l'esprit. Il décida d'aller à la première séance de yoga qui commençait à 7 heures 15. La bien nommée séance yoga « lève-tôt ». Ce n'était pas sa charmante Shalbalala qui donnait le cours. Mais ça allait peut-être l'aider quand même à se remettre les idées et les vertèbres en place.

Il mit directement ses pieds nus dans les bottes, et le pantalon de ski sur son jogging-pyjama. Puis il emballa le tout de doudoune jaune et sortit. Il faisait encore nuit. Le froid sec et mordant lui piqua les yeux. Il toussa fébrilement et ne traîna pas. En quelques pas, il fut au studio de yoga. Il avait à peine l'impression d'être sorti de sa couette. Il enleva la doudoune, le pantalon de ski, les bottes et, magie, il était en tenue de yoga. Il prit un tapis et s'y allongea dans la position du cadavre.

— Je vous invite à déposer complètement votre corps…

Le décès était dû à un arrêt cardiaque.

— Sans opposer la moindre résistance…

Lui-même dû à une overdose d'héroïne.

— Vos yeux fondent derrière votre tête…

On ne savait pas encore si l'héroïne était trop pure ou si, au contraire, elle avait été coupée avec un produit dangereux. Les tests étaient en cours.

— Vos bras s'enfoncent dans le sol…

Il y avait eu récemment des cas de surdoses liées à la présence dans l'héroïne de fentanyl, un médicament puissant.

— Votre bassin s'abandonne pleinement à la gravité…

Putain, merde, pourquoi ? !

— Vos jambes et vos pieds pèsent de tout leur poids dans le tapis…

Eyrolles se remémorait pour la millième fois le texto.

Tu avais raison : l'assassin est vigoureux, émotif et habitué des lieux.

— Ramenez vos pensées sur l'empreinte de votre corps contre le sol…

Tu avais tort : Reggie n'est pas innocente :-/

— Et respirez profondément…

Putain, Reggie, merde ! ! !

— Inspirez sur quatre…

Elle avait écrit une lettre d'adieu.

— Un…

Une lettre d'aveu.

— Deux…

Oui, Reggie avait tout avoué.

— Trois…

Tout : le meurtre de Carmen…

— Quatre…

Le vol de la caisse…

— Expirez sur huit…

Et son suicide.

— Un…

Putain, Reggie…

— Deux…

:-/

— Trois… Quatre… Cinq… Six… Sept… Huit…

Quand il sortit du studio de yoga pour revenir chez Marie-Ève et JB, Eyrolles avait l'esprit vide et vierge, comme le parc après la tempête de neige. On aurait pu suivre à la trace la moindre pensée qui le traversait. Et pendant un certain temps, rien ne s'y aventura. Puis, quelque chose se mit à poindre, s'approcher et se poser, qui y fit un sillon clair et arrondi.

Le problème n'était pas de savoir si elle était coupable. Le problème était de comprendre pourquoi elle s'était dénoncée alors qu'elle était innocente.

C'était un sillon en forme de point d'interrogation.

* * *

Exceptionnellement, Eyrolles prit son petit-déjeuner chez Marie-Ève et JB. Il s'était acheté *Le Journal de Montréal* en passant au dépanneur et avait pris des viennoiseries à la pâtisserie pour aider à faire passer *Le Journal*. Il ne restait plus qu'à faire un bon café pour que le rituel soit complet. Hélas, s'il y avait à peu près tous les appareils de cuisine imaginables chez Marie-Ève et JB, il n'y avait pas de quoi faire des cafés filtres. Ils possédaient une de ces cafetières modernes hors de prix qui utilisait des dosettes de café individuelles. Des dosettes de café écologique. Vingt grammes de plastique pour sept grammes de café, elle était belle, l'écologie !

Marie-Ève laissait paisiblement maugréer Antoine et sirotait son thé roïboos sans broncher. JB, lui, avait la bouche entravée par un demi-croissant préalablement fourré au Nutella. Antoine dut faire cinq espressos successifs (cent grammes d'emballage !) pour remplir décemment son mug et avoir l'illusion de boire un café filtre normal. Puis il versa du lait jusqu'au rebord et renversa trois kilos de sucre dans le tout. Il goûta. C'était corsé, amer, dégueu. Il rajouta trois autres kilos de sucre et une goutte de lait pour la route. Enfin, il ouvrit le journal. Un énorme titre inculpait Réjeanne Gagnon, un mince filet disculpait Justin Clark. Il sentit une pression désagréable dans sa poitrine et il essaya de respirer profondément pour la faire partir. Puis il commença à lire le compte rendu du décès de Reggie.

C'est le moment que choisit Marie-Ève pour lui annoncer qu'elle avait invité une bonne amie pour le souper. Une avocate. Ça pourrait intéresser Antoine de rencontrer une homologue québécoise…

Eyrolles extirpa son nez croûté du journal. Il regarda alternativement Marie-Ève et JB. Alors, d'abord, ce n'était pas une homologue, lui, il était procureur. Mais surtout, il ne comprenait pas pourquoi les gens tenaient toujours à lui faire rencontrer des personnes comme lui. Est-ce qu'ils pensaient vraiment qu'il avait pris deux semaines de vacances et fait six mille kilomètres pour rencontrer des avocats ? Pourquoi pas aller en Nouvelle-Zélande pour manger une fondue savoyarde tant qu'on y était ? !

— Ah? Super! Elle travaille dans quel domaine? demanda-t-il d'une voix mielleuse.

Elle était spécialisée en droit de la famille. Évidemment. Tout ce qu'il détestait le plus. Elle faisait son beurre sur les divorces et les gardes d'enfants, étrillait les maris infidèles et plumait les papas-poules. Oui, les avocates en droit des familles, il connaissait par cœur!

— Ah? Génial. J'ai une très bonne amie qui fait ça aussi à Chambéry. Je me demande s'il y a beaucoup de différences…

Oh oui! Oh oui! Il pourrait vérifier ça ce soir. Comme il avait hâte!…

Il attendit de voir si c'était bien terminé ou si une autre nuisance le guettait encore. Quand il estima que l'ennemi s'était replié et qu'il était plus ou moins à l'abri, il reprit son journal.

— Et sinon, ton roman, ça avance?

JB avait du croissant sur les dents de devant, ce qui donnait à sa prononciation un petit côté viennois. À la seule évocation du mot « roman », Eyrolles revit son carnet de travail, les quelques lignes piteuses qu'il y avait écrites, les papillons ensanglantés. Et tout son corps, du sphincter à la luette, se raidit aussitôt.

— Ouais, ça avance bien. J'ai prévu de finir le premier jet avant la fin de mon séjour.

— Ah oui? Bravo!

— Mouais. Tu sais, le plus dur c'est de se lancer. Après, ça va tout seul. Par contre, j'ai encore besoin de me documenter un peu. Tu sais pas où je pourrais aller par hasard?

Et c'est ainsi qu'Antoine Eyrolles, trente-huit ans, procureur de la République à la cour d'assises de Chambéry en vacances à Montréal, détermina son emploi du temps du jour. Le matin, il ferait semblant de travailler à son œuvre en ruminant l'affaire de *L'Eggzotique*. L'après-midi, il irait somnoler à la bibliothèque pour documenter un roman imaginaire. Et le soir, il souperait avec une personne qu'il détestait déjà en lui faisant des sourires hypocrites. Vivement la rentrée!

* * *

Contre toute attente, l'après-midi s'avéra aussi agréable que fructueuse. Eyrolles se rendit compte qu'il adorait les bibliothèques. Ce calme souverain, ces moquettes infinies, cette ambiance de travail communicative… tout ça n'était pas sans lui rappeler ses belles années de jeunesse étudiante. Il se dit que, même à Chambéry, il devrait travailler plus souvent dans ces sanctuaires vénérables et bienfaisants.

Il commença par fouiner au petit bonheur la chance. En faisant des recherches sur «la toxicomanie à Montréal», il trouva des informations sur le fentanyl. Il s'agissait d'un opioïde extrêmement puissant dont on se servait pour couper l'héroïne ou la cocaïne. On assistait à une vague de décès en Amérique du Nord dans laquelle le rôle de la substance était hautement soupçonné. Eyrolles lut des études sociologiques, des rapports statistiques, des portraits d'usagers. Et parfois, la voix rocailleuse de Reggie venait rouler sans prévenir dans ses oreilles. Il la réentendait dire qu'elle ne consommait plus…

La bibliothèque était très bien conçue pour les malvoyants. Elle disposait d'un fond de ressources impressionnant et d'équipements adaptés : des livres en gros caractères, des écrans larges… Mais aussi des bibliothécaires extrêmement compétents et dévoués. Celle qui renseignait Eyrolles avait aussi un petit côté infirmière assez développé. Et qui ne semblait demander qu'à s'épanouir davantage. Elle l'assit dans un fauteuil de ministre, devant un écran géant, et lui apporta un plein chariot de documents. Quand elle fut assurée qu'il ne lui manquait rien, elle lui lança un «Tiguidou!» jovial puis elle s'en alla.

Tiguidou! Il avait de quoi tenir tout l'hiver. En dehors de l'actualité récente, il ne trouva pas grand-chose sur *L'Eggzotique*. Par contre, il y avait plusieurs articles sur son propriétaire. Mike Medeiros apparaissait comme un entrepreneur dynamique, actif depuis une dizaine d'années dans le paysage montréalais. Bien avant *L'Eggzotique*, il avait ouvert un restaurant de poulet portugais, le *Coco Rico*, qui était désormais une franchise connue en constante expansion. Il avait aussi plusieurs pizzerias et, depuis quelques mois, une crêperie. Dans un magazine anglophone consacré à l'économie, Eyrolles put lire une entrevue dans laquelle Mike confiait ses petits secrets. L'une des clés de la réussite en restauration était selon lui de conserver toujours des frais fixes et des coûts de fonctionnement très bas. La masse salariale y était traditionnellement faible, ce n'était pas le point le plus délicat. Par contre, l'immobilier était déterminant. Mike achetait systématiquement les immeubles où se trouvaient ses restaurants afin d'éviter des loyers qui plombent les bénéfices. L'une de ses forces était d'avoir su anticiper les flux de population, et donc les tendances foncières. Il avait toujours acheté des immeubles bon marché dans des quartiers mal cotés qui s'étaient par la suite appréciés. Le prix de l'immeuble augmentait et constituait alors un investissement rentable, indépendamment de la réussite ou de l'échec du restaurant. Mais en plus, les loyers perçus pour les logements remboursaient l'emprunt et le restaurant n'avait plus de loyer à payer.

Mike Medeiros était ce qu'il convient d'appeler un self-made-man. Ne s'attardant pas dans les études, il avait commencé très tôt à travailler dans la restauration, où il avait occupé tous les postes possibles, de la plonge à la direction, en passant par le service et la cuisine. Il avait donc une vision complète du métier, une expérience concrète, une sensibilité qui manquait parfois à des entrepreneurs plus académiques. Au fil des entrevues se dessinait le portrait d'un homme d'affaires créatif et avisé. Mais aussi celui d'un être ouvert et même d'un généreux philanthrope. Il faisait, par exemple, des dons substantiels à des fondations de recherche sur l'autisme, dont était atteint son plus jeune fils, Nino, âgé de dix ans.

Ah!...

Même si ce n'était pas la voie qu'il avait choisie, Eyrolles ne pouvait pas s'empêcher d'éprouver de l'admiration pour les créateurs d'entreprise. Certes, il avait une aversion tenace à l'égard de tous ceux qui ne cherchaient qu'à « faire de l'argent » – de l'argent pour l'argent – en général au détriment des paramètres humains. Mais il avait une profonde sympathie pour ces audacieux qui osaient se lancer, mettre à l'eau leur petite barque et s'engager dans les océans tumultueux. Il y avait quelque chose de l'explorateur aventurier chez eux. Et tant mieux pour eux si l'aventure se couronnait de réussite.

Il nota qu'il y avait finalement autant de diversité chez les entrepreneurs que chez les procureurs. On avait tendance à se regrouper par domaine professionnel – entre enseignants, entre avocats, entre patrons, entre ouvriers – alors qu'au fond, il y avait bien plus d'affinités potentielles entre deux personnes de profession différente, mais de caractère commun. Entre un entrepreneur et un procureur qui avaient tous deux un côté aventurier, par exemple. Il se demanda quel genre de procureur aurait fait Mike Medeiros. À tous les coups, il aurait été du genre qu'il aimait. Medeiros aurait fait un bien meilleur procureur que ce crétin de Sotinel, en tout cas. Eyrolles fut immédiatement envahi par un raz de marée de sensations, de souvenirs, de sentiments variés en provenance express du palais de justice de Chambéry. Il les chassa avec humeur. Puis il se demanda quel genre d'entrepreneur, lui, Eyrolles, aurait fait.

Lorsque la bibliothécaire-infirmière vint gentiment lui annoncer que les lieux allaient bientôt fermer, il était en train de s'imaginer à la tête d'un empire. Un empire de petites barques, créatives et philanthropiques. Il accosta brutalement à la dure réalité. Il aurait voulu rester encore longtemps à lire, à se faire servir comme un pape et à rêvasser dans cet épais cocon de silence et de moquette. Mais surtout, il n'avait aucune envie de rentrer à l'appartement parler affaires juridiques avec une avocate spécialisée en droit de la famille. Hélas, il n'avait plus d'excuse, plus d'alternative. Le seul qui aurait pu le sortir de ce traquenard, c'était Tao. Et Tao était encore en mission à Saint-Trou-Perdu-du-Lac, injoignable.

Avant de partir, il finit de survoler un article un peu creux où Mike déclamait avec force violons que «tout ça, il le faisait pour sa famille, pour pouvoir transmettre quelque chose à ses enfants, lui qui était parti de rien». Puis une annonce pria tous les usagers de bien vouloir retourner chez leurs amis pour passer une soirée de merde à parler boulot en faisant semblant de sourire et d'aimer les avocats. Et il quitta la bibliothèque, ses moquettes, ses ressources et ses employées à reculons en se jurant, foi d'Eyrolles, de revenir.

✳ ✳ ✳

Quel que soit le domaine – la justice, la musique, la pêche à la ligne, les motos… –, il y a toujours des personnes qui se sentent obligées de manifester leur dévotion en poussant la connaissance technique le plus loin possible. Des personnes qui connaissent par cœur le Code civil, la discographie intégrale de Bob Dylan ou les modèles de bicylindres en V dans l'ordre chronologique. Eyrolles était la parfaite antithèse de ces personnes. Et, de fait, il avait peur. Peur du ridicule.

Il était pourtant reconnu comme un excellent procureur : estimé par ses collègues, redouté par ses adversaires, bien noté par sa hiérarchie… Oui, c'était un bon procureur, mais c'était un piètre technicien. À vrai dire, il ne savait pas lui-même comment il procédait pour gagner des procès. Par contre, il savait que ce n'était ni grâce à ses connaissances techniques ni grâce à son orthodoxie. Et il détestait plus que tout les discussions juridico-juridiques. Car il arrivait immanquablement un moment où ses lacunes se révélaient au grand jour et provoquaient l'hilarité générale.

Or, Eyrolles n'avait aucune envie de provoquer l'hilarité générale. Surtout devant cette avocate qu'il ne connaissait pas. Surtout devant JB ! Et surtout, surtout, devant l'autre, là, et son rire fracassant…

Il reprit une bière. Il choisit une blonde d'Achouffe, la plus forte. Tant qu'à passer une soirée de merde, autant être soûl. Il était comme à son habitude dans les pattes de Marie-Ève, qui s'activait dans la cuisine. Elle reprit rapidement le contrôle de son territoire.

— Bon, les gars, là, soit vous restez dans la cuisine et vous vous rendez utiles, soit vous êtes les bienvenus dans le salon.

— Non, mais, chérie, bredouilla JB, on ne va pas te laisser tout préparer toute seule quand même… Qu'est-ce qu'on peut faire pour t'aider ?

Marie-Ève fit d'une pierre deux coups.

— Vous pouvez apporter les trempettes et les apéritifs sur la table basse, par exemple.

Eyrolles se désola de constater que ce pauvre JB était de plus en plus soumis à la despotique Marie-Ève. Mais il ne dit rien et manifesta sa désapprobation en refusant de se soumettre aux ordres, en refusant de collaborer au déplacement de l'apéritif, bref en ne faisant rien. Personne ne s'en aperçut d'ailleurs. Car il avait la fâcheuse tendance à avoir la vue qui baissait drastiquement dès qu'il s'agissait de participer à la moindre tâche ménagère. Fort heureusement pour lui, son handicap se dissipait lorsqu'une activité plaisante se présentait. Il s'installa dans le canapé et planta un bout de carotte dans le guacamole.

— Pis si vous pouviez laisser deux ou trois chips pour les invités, ce serait apprécié, entendit-il persifler à l'autre bout de la pièce.

«Les» invités ? Qu'est-ce que c'était encore que cette histoire ? Antoine s'était préparé psychologiquement à subir une avocate. Mais deux, non, c'était au-delà de ses capacités. Et il fallait en plus jeûner en les attendant ! Est-ce qu'il avait toujours le droit de boire sa bière ou devait-il demander la permission ?

La cloche sonna et ses orteils se recroquevillèrent instantanément. «Les» invités arrivaient. Eyrolles ne bougea pas d'un pouce, tandis que Marie-Ève accourait à la porte, suivie du pas fidèle et pataud de JB. Il écouta les gloussements de rigueur, les compliments sur les coupes de cheveux respectives, les démonstrations de joie toujours plus aiguës, lorsque, soudain, deux profondes syllabes offrirent un contrepoint inattendu.

— Salut!

— Je vous présente Malek, mon chum. Malek, c'est Marie-Ève et JB.

— Salut, enchantée! Eille, c'est quoi ça?

— Un gravlax: c'est trois fois rien, j'ai fait ça vite fait, expliqua la voix grave. Ça peut se manger à l'apéritif… Et ça, c'est un petit dessert.

— Tu vas voir, c'est tellement bon! Malek est chef cuistot dans un resto gastronomique…

Simultanément, quoique pour des raisons différentes, les visages de Marie-Ève, JB et Antoine s'illuminèrent. Ce dernier sentit la chape de plomb qui l'emprisonnait depuis de longues minutes se dissoudre illico. Il trouva même la force de se lever et de se tourner vers la porte d'entrée. Alors comme ça, Malek travaillait dans un… resto?

— Bonjour! fit-il, radieux.

Malek était le sauveur providentiel d'une soirée promise à l'apocalypse. Pourtant, il avait plutôt le physique de l'horrible monstre que celui du gentil héros. Son corps faisait bien deux fois celui de Tao. Mais, alors que la voix du journaliste avait une sonorité fluette et nasale, Malek parlait de tout son torse. Le son y résonnait comme dans une vaste caverne avant de retentir dans les airs. Quand il se contentait de dire merci, on croyait entendre s'abattre la foudre. Même ses plus douces amabilités faisaient le vacarme de terrifiantes injures.

Antoine sympathisa d'emblée avec le seigneur des cavernes. Mais aussi avec sa production: il enfourna un quatrième gravlax de saumon dans l'âtre de sa bouche et attrapa son verre de vin blanc pour parachever l'engloutissement. C'était divin. D'ailleurs, tout était parfait. En dépit de tous ses préjugés, même Chloé, l'amie avocate de Marie-Ève, lui semblait agréable. Tout le monde subissait une sorte d'enchantement et discutait avec entrain. Seul JB affichait un petit air maussade au bout du divan.

Antoine se mit à parler de son projet officiel. Son œuvre. Sa présentation mélangeait adroitement des bouts d'idées qu'il avait eues pour le roman et des bribes de réflexions liées à l'affaire de *L'Eggzotique*. Le tout était cousu de mensonges plus ou moins éhontés. Il dressa ensuite un portrait dithyrambique de Mike Medeiros d'après ses recherches de l'après-midi. On aurait cru un film de propagande. JB n'avait jamais compris pourquoi Antoine s'entichait toujours de personnages médiocres, alors qu'il restait dédaigneux, voire méprisant, vis-à-vis de personnes brillantes. Notamment vis-à-vis de lui… Après avoir érigé un monument en hommage à l'intelligence créative de Mike, Antoine composait maintenant une ode à sa philanthropie. Mais, pas de chance pour lui, JB était consultant en droit des entreprises. Les dons caritatifs, c'était son rayon. Et la philanthropie, ça ne l'émouvait guère.

— Les dons sont déductibles d'impôt. Toutes les entreprises font ça, en général, c'est plus pour des raisons fiscales que pour des raisons humanitaires.

— Bon, d'accord, mais tu vas pas me dire que Medeiros gagne de l'argent en donnant des milliers de dollars à des fondations.

— Si, je vais te le dire. Et les entreprises me payent, parfois très cher, pour que je le leur dise.

— J'espère qu'à moi, tu me le dis gratuitement !

— Oui, pour toi c'est cadeau. Et en prime, je t'informe même que la plupart des patrons et des chefs d'entreprise d'une certaine taille ne sont pas forcément aussi cool qu'ils en ont l'air. Ils ont des conseillers en communication pour leur expliquer comment faire du business en donnant l'impression de faire de l'humanitaire. Ils ont des conseillers financiers qui leur expliquent comment faire des dons caritatifs pour payer moins d'impôt et avoir une bonne image… Avec la philanthropie, ils sont gagnants sur tous les tableaux.

— Bon Dieu, chéri, t'es en feu à soir, glissa Marie-Ève.

— Oui, enfin, c'est pas parce que tes riches clients sont des raclures que toutes les personnes qui font des dons en sont aussi. Le gars, il a un enfant autiste, il fait des dons à des fondations de recherche sur l'autisme. Point. Pas la peine de chercher plus loin.

Quand Antoine était en adoration, on ne pouvait pas faire grand-chose contre ses gourous… JB jeta provisoirement l'éponge.

— Peut-être qu'il fait ça par pure générosité, concéda-t-il amèrement, mais, en tout cas, ça lui permet d'économiser beaucoup d'argent, crois-moi !

De toute façon, Antoine ne l'écoutait plus et continuait à encenser son demi-dieu, roi du poulet portugais, sous le regard amusé de Malek et des autres.

Antoine Eyrolles se révéla un hôte charmant. Il était très serviable, toujours enclin, malgré son handicap, à verser du vin, à apporter les plats ou à débarrasser. Et lorsqu'il fut question de savoir si on sortait des assiettes propres pour le dessert, il annonça un peu pompeusement qu'il fallait honorer le dessert de Malek et que, pour ce faire, il ferait lui-même la vaisselle, s'il le fallait. Bien évidemment, il ne le fallait pas puisqu'il y avait un lave-vaisselle. Mais l'annonce avait fait son petit effet. Antoine avait même gagné les bonnes grâces de Marie-Ève, qui buvait son vin et riait à ses blagues. Elle était contente et soulagée que la soirée se passe bien. Elle avait eu beaucoup d'appréhension, au début, craignant qu'Antoine se drape dans un silence artistique hautain pendant tout le repas. Elle s'était bien trompée. Il s'entendait à merveille avec Malek, ce qui rendait Chloé toute contente, ce qui rendait Marie-Ève toute contente, ce qui réconfortait JB. Oui, il était d'excellente compagnie, toujours prêt à faire une boutade, mais sachant aussi être très à l'écoute des invités…

Force était d'admettre que, quand il s'agissait d'écouter des histoires de restaurant, Antoine Eyrolles était à l'écoute. Et il se trouvait que, justement, Malek sortait d'une longue période de rush. Ça lui faisait du bien de s'épancher. Antoine n'avait pas eu à insister beaucoup pour avoir droit à un panorama exhaustif de la restauration vue de l'intérieur. Malek avait écumé maintes cuisines, accumulé maintes anecdotes. Et pendant qu'il livrait un récit personnel de ses expériences, entrelaçant les souvenirs, les blagues, les commentaires, et brodait un magnifique patchwork narratif, Antoine faisait inconsciemment l'exercice inverse : il décousait les faits, repérait les fondamentaux, expurgeait l'accessoire, induisait, déduisait, synthétisait… Il ne lui manquait plus que des lignes et des colonnes. En attendant, il pouvait en tirer une première conclusion : que ce soit pour le patron, le cuisinier, le serveur ou le plongeur, quel que soit le poste, travailler dans un restaurant était dur.

Le patron, par exemple, ne pouvait jamais savoir combien de temps son restaurant allait survivre. Un mauvais commentaire, une rumeur malveillante et la clientèle fuyait. Un problème, un jour, dans une assiette et toute une réputation pouvait s'écrouler. Une inspection intempestive dans la cuisine ou dans les feuilles de paye et le restaurant pouvait fermer. Tous les restaurants avaient des cuisines plus ou moins propres, tous les restaurants avaient des employés plus ou moins légaux. Une grande partie d'immigrés, de précaires, qui disparaissaient du jour au lendemain, parfois avec une partie du matériel ou du frigo. Et le patron devait donc naviguer à vue avec une clientèle volage et un personnel en perpétuel mouvement.

Travailler sur le plancher n'était pas beaucoup plus confortable. Pour commencer, c'était exigeant physiquement : serveurs et busboys devaient rester des heures debout et courir toute la journée avec des assiettes dans les mains. Mais ce n'était pas plus facile psychologiquement. Ils n'avaient aucune sécurité d'emploi. Il suffisait que leur face ne plaise plus au patron pour qu'ils soient licenciés sans préavis. Et surtout, ils étaient pris en étau entre, d'un côté, des clients toujours pressés, stressés, parfois de mauvaise humeur et, de l'autre, des cuisiniers toujours pressés, stressés, souvent de mauvaise humeur. Eux devaient ménager les uns et supporter les autres comme si de rien n'était. Et avec le sourire !

Mais la cuisine était sans conteste ce qui paraissait le plus ingrat. Le stress, comme partout ailleurs dans le restaurant, était l'ingrédient de base. Auquel il fallait ajouter une bonne rasade d'inconfort et quelques louches de contrariétés. Chef et commis devaient rester debout à piétiner toute la journée dans la fumée et la chaleur des diverses cuissons. Un été, Malek s'était ainsi retrouvé à faire le ramadan par quarante degrés à l'ombre en faisant cuire des travers de porc sur des plaques surchauffées !… Il fallait travailler sous pression, sortir les assiettes le plus rapidement possible, avec des stocks imprévisibles, du matériel caractériel et des effectifs toujours trop faibles. Mais le pire, c'était que, contrairement au patron qui empochait de jolis bénéfices quand le restaurant marchait, contrairement au serveur qui récoltait compliments et pourboires quand le client était content, le cuisinier, lui, n'avait jamais rien. Merci, bonsoir. Au mieux. Même dans un restaurant gastronomique comme celui dans lequel Malek travaillait, les gratifications étaient rares et son salaire, dérisoire. Un bon chef gagnerait toujours moins qu'un mauvais serveur.

Le dessert cuisiné par Malek et servi par Antoine était succulent. Cela mit tout le monde d'accord, tous les convives en harmonie, quel que soit le sujet abordé. La satisfaction de Marie-Ève l'incitait à dire des mots doux à JB, qui en perdit les dernières traces de son amertume apéritive. Antoine, légèrement ivre, se laissa tomber sur son dossier en déclarant sentencieusement que l'estomac n'était pas loin du cœur. Il demanda à Malek pourquoi il ne montait pas son propre restaurant : avec une telle cuisine, il ferait rapidement fortune.

— C'est pas avec la qualité qu'on fait fortune en restauration, c'est avec la quantité, répondit le cordon-bleu. Regarde ton gars, là, Medeiros. Lui, il a tout compris ! Qu'est-ce qu'il vend ? Du poulet, des crêpes, des pizzas ou des œufs au bacon ! Tout ça, ça vaut quoi ? Rien. Une crêpe, n'importe qui est capable d'en faire, c'est de la farine, du lait et des œufs. Il la vend quinze piastres, ça lui en coûte trois.

JB était tout content qu'on descende un peu Mike Medeiros de son piédestal.

— J'avoue. Il vaut mieux vendre de la merde en masse que de la qualité en petite quantité.

— De la merde, de la merde… il faut pas exagérer ! s'indigna Eyrolles.

— Non, c'est pas de la merde. Mais à côté de la bouffe de Malek, ç'a juste pas rapport.

Encore une fois, la cuisine de Malek mit tout le monde d'accord.

Quand les invités furent partis, Marie-Ève et JB ne traînèrent pas. Visiblement, les deux tourtereaux avaient encore quelques mots doux à se dire. Et Antoine, décidément royal jusqu'au bout, avait déclaré que – tiguidou ! – il rangerait tout tout seul. Mais auparavant, il fit quelques bricoles. Il commença par ajouter une ligne dans son lexique franco-québécois et enlever ainsi une énième occasion de se méprendre.

Goûter (Qc) : avoir un goût
Goûter (Fr) : percevoir un goût

Puis, il envoya un petit texto à Tao. Il voulait savoir si celui-ci avait du nouveau. Au passage, il laissait entendre subtilement que lui en avait. Pour la première fois depuis le début de sa relation avec le journaliste, celui-ci ne répondit pas dans la minute. Eyrolles se dit qu'il devait encore être coincé au fin fond de la campagne, loin de tout réseau. Il remit son téléphone dans sa poche et attaqua la vaisselle en digérant toutes les bonnes choses qu'il avait accueillies en lui au cours des dernières heures.

La cuisine était indéniablement un métier de passionnés. Tout en lavant les casseroles d'un geste machinal, il passa en revue toutes les personnes de sa connaissance qui aimaient cuisiner. Il y avait Juju, son pote ariégeois, Jean-Marc, son parrain, Maryse, sa tante, et bien sûr, sa mère. C'était curieux, ils avaient tous une caractéristique en commun : la générosité.

Il se demanda alors qui était le cuisinier de *L'Eggzotique*. Mais pas moyen de se souvenir de son nom. Eyrolles avait une mémoire assez particulière. Une mémoire prodigieuse pour tout ce qui était inutile. Les dates et les chiffres les plus insignifiants encombraient son cerveau comme de vieilles pendules dans le grenier d'un antiquaire. Sa mémoire avait aussi quelque chose de maladif. Il suffisait qu'il entende une conversation stupide à l'autre bout d'un bistrot pour se rappeler, dix ans plus tard, les arguments et le son de la voix de tous ses protagonistes. Par contre, il avait toujours eu de gros problèmes pour retenir les noms en général et les noms de famille en particulier. Avec son handicap, on pouvait comprendre qu'il n'ait pas une grande mémoire visuelle. Mais pour ce type de données, sa mémoire auditive ne valait pas mieux. La seule chose qui fonctionnait pour lui, c'était l'écriture. Pour mémoriser, il devait écrire. Mais pas écrire à l'ordinateur. Non, il fallait qu'il écrive le nom à la main, sur un papier. Une fois que c'était fait, il n'avait même pas besoin de regarder le papier, le nom était gravé pour toujours dans sa tête. Bref, il avait une mémoire manuscrite. Et comme il n'avait jamais manuscrit ce nom-là, il trottina dans sa chambre à la quête du chef de *L'Eggzotique*. Il alluma son ordinateur, les doigts encore pleins de savon à vaisselle, ouvrit son tableau Excel en quelques raccourcis clavier, et paf!... Voilà : le cuistot s'appelait Alex Sousa. Il avait vingt-neuf ans et c'était le meilleur ami du beau-frère de Mike. Quand il ne travaillait pas, c'était Sandra Medeiros, la fille de Mike et de Carmen, qui le remplaçait en cuisine. Ah! Ah! La fille de Mike était cuistot?! C'était bien la preuve qu'il y avait de la générosité chez les Medeiros. Et que JB avait complètement tort avec ses histoires de dons caritatifs déductibles d'impôts!

Eyrolles mit du temps à digérer le repas. Il surfa d'abord sur l'excitation résiduelle des discussions, dans la bonne humeur brouillonne de l'alcool. Puis il dériva le reste de la soirée sur Internet, tâchant de se divertir comme il le pouvait, mais sans cesse ramené à *L'Eggzotique* par les révélations subites qui germaient dans sa tête. Quand il se décida enfin à se coucher, il prit le soin de placer son ordinateur et ses écouteurs près du lit. Il s'allongea en position fœtale, s'enfonça une oreillette contre chaque tympan, appuya sur « lecture » et ferma les yeux. Il ressemblait à un adolescent qui ne peut s'endormir qu'en écoutant son album préféré. Sauf qu'en l'occurrence, l'album préféré d'Eyrolles s'intitulait « Entrevues Eggzotique » par « Tao Bilodeau ». Un hit! Lorsque la voix rocailleuse de Reggie se mit à parler, il rêvait déjà.

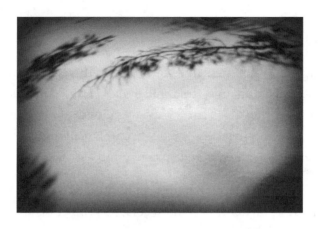

Vendredi 27 décembre

une game de soccer (Qc): un match de foot (Fr)

Conformément aux vœux de la fée au-dessus de son lit, Antoine avait passé une bonne nuit et fait de beaux rêves. Dans l'un d'entre eux, il avait participé à un débat fort original sur la différence entre le français de France et le français du Québec et, plus précisément, sur leur degré respectif de contamination à l'anglais. Eyrolles se rappelait parfaitement avoir clos le débat en quelques sentences tranchantes qui avaient suscité l'admiration de tous et de toutes, notamment celle de la prof de yoga présentatrice télé qui animait l'émission. Hélas, la discussion avait étrangement dérivé, les sentences s'étaient transformées en fondue savoyarde et il lui était impossible de se remémorer ce qu'il avait dit ou même pensé du sujet.

Après une nuit aussi studieuse, il se leva plus tard que d'habitude et se rendit directement au studio de yoga pour la séance de 8 heures 30. C'était sa chère Shawarmamia qui officiait. Sa voix se propageait dans l'air en ondes voluptueuses qui atterrissaient dans les tympans d'Eyrolles comme dans un lit princier. Au moment de la demi-lune inversée, elle s'approcha par-derrière et lui fit délicatement pivoter les hanches pour un meilleur alignement. Il découvrit alors que ses mains étaient aussi douces, sinon plus, que sa voix. Puis elle lui susurra à l'oreille, tout suavement, rien qu'à lui, que c'était « parfait » et il eut du mal à relâcher complètement sa respiration jusqu'à la fin de la séance.

Quand il ressortit, il faisait bon, surtout sous la doudoune jaune, et il neigeotait insensiblement. Il ressentait encore les effets bienfaisants de sa pratique lorsque, après quelques détours perpendiculaires, il regagna enfin l'appartement. Marie-Ève et JB venaient de se lever. Antoine les laissa émerger tranquillement et alla dans sa chambre envoyer un petit texto à Tao. Il n'avait toujours pas de nouvelles et, à vrai dire, il s'inquiétait un peu. Il commençait aussi à avoir hâte de discuter de *L'Eggzotique* et de passer enfin à la phase suivante.

Parmi les diverses recherches qu'il avait effectuées la veille, il s'était amusé à googler le nom d'un certain nombre de protagonistes de l'affaire qui figuraient dans le dossier de Tao : employés actuels et passés, membres plus ou moins proches de la famille Medeiros, partenaires de travail de Mike, amis de Carmen. C'était tout bête, mais ça s'était révélé instructif. Il avait, par exemple, découvert qu'Alex Sousa, le chef cuistot, aimait la chasse et les voitures, qu'Odile, la serveuse, faisait des spectacles de marionnettes pour enfants, que Gabriel, le busboy, avait fini deuxième de la ligue de soccer avec son équipe et que Jonathan, l'autre busboy, avait gagné une bourse pour un projet technologique. Enfin, il avait constaté que Brahim Djabou avait un homonyme footballeur et que Claire était dépourvue de la moindre particularité.

De fil en aiguille, Eyrolles était tombé sur le blogue d'un certain Félix Abiloux, un ancien serveur de *L'Eggzotique* qui avait livré inopinément une information de premier ordre. Son blogue était une espèce de fourre-tout littéraire dans lequel il était difficile de tirer des éléments factuels précis. Néanmoins, sa lecture n'était pas désagréable et Eyrolles avait vogué dans les méandres de sa pensée avec un plaisir croissant. Il avait alors relevé une coïncidence pour le moins surprenante. Dans un post publié à l'époque où il travaillait à *L'Eggzotique*, il écrivait, en gros, que son patron l'arnaquait. C'était difficile de comprendre en quoi consistait l'arnaque, car Abitruc avait une manière de raconter tout en digression. Mais ça méritait quand même d'être creusé…

Tao renvoya un message avant l'écoulement de la minute fatidique. Ouf, Eyrolles pouvait se rassurer, tout rentrait dans la normale : le journaliste était à nouveau réactif et connecté. Il lui proposait de manger avec lui à *L'Enchanteur*, un resto du quartier. Antoine répondit spirituellement qu'il en serait « enchanté ; -D ». Tao ne réagit pas au calembour et se contenta de texter sobrement « cool a tantot ».

* * *

Eyrolles finissait son premier café et avait à peine commencé la lecture du *Journal de Montréal* lorsque Tao arriva. À force de coincer son téléphone entre son oreille et son épaule, le journaliste avait attrapé un torticolis féroce. Il se déplaçait avec la tête de biais, comme s'il cherchait quelque chose sous la table. Mais il était surtout épuisé. Il commanda un sandwich BLT et une intraveineuse de café. C'était toujours quand tout le monde était en vacances que les histoires se mettaient à éclore. Il était submergé de travail et il se demandait comment il allait pouvoir tout traiter.

— Faque si tu veux continuer ton stage et faire de la synthèse de documents, t'es le bienvenu, dit-il, toujours de biais, en plaisantant à moitié…

Derrière leurs verres fumés, les yeux d'Eyrolles imaginèrent un nouveau dossier plein de données sur *L'Eggzotique* et se mirent à briller.

— Si je peux t'aider, ce serait avec plaisir. J'ai justement un peu de temps en ce moment. C'est quoi comme documents ?

Tao désigna l'épaisse valisette à côté de lui.

— C'est ça.

— Ah ! Et ça contient quoi exactement ?

— Des feuilles de paye. Je dois déterminer combien coûte le déneigement de la ville aux contribuables. Et là-dedans, j'ai toutes les heures supplémentaires des services municipaux. Je peux te dire que…

— Ah ? Mais quel est le rapport avec *L'Eggzotique* ?

— Aucun rapport : *L'Eggzotique*, c'est terminé.

— Mais…

— Mais si tu préfères, tu peux venir avec moi pour cette histoire du jeune qui s'est tué en ski-doo.

— Comment ça, « *L'Eggzotique*, c'est terminé » ?…

— Ben, l'affaire est résolue. Y a plus rien à en tirer journalistiquement.

— Résolue, résolue… Il reste encore pas mal de détails à éclaircir, quand même.

— En tout cas, c'est pas à nous de l'éclaircir. Chacun son travail : à la police de faire le sien.

— Mais, justement, tu m'as dit toi-même que la police ne le faisait pas.

— Non, j'ai dit que la police avait pas toujours les ressources optimales de…

— Tu m'as dit que les policiers manquaient cruellement de moyens, qu'ils étaient constamment en sous-effectifs et qu'ils étaient prêts à tout pour avoir des bons taux de résolution.

— De toute façon, en l'occurrence, l'enquête est limpide…

— Limpide ?

— Euh, on a trouvé la victime, on a trouvé la coupable, et l'une comme l'autre est décédée. Alors, honnêtement, oui, je crois qu'il reste plus grand-chose à chercher ni à trouver.

— Tu sais bien que c'est pas aussi simple. Il y a beaucoup de zones d'ombre. D'ailleurs, je voulais te dire… Il faut absolument que t'enquêtes sur les anciens employés du resto : tu vas trouver plein d'histoires. Je suis tombé sur le blogue d'un gars qui s'appelle Félix Alimoux. C'est un ancien serveur de *L'Eggzotique* et il laisse entendre que Mike Med…

— Attends, je vais pas me mettre à investiguer sur des affaires classées alors que j'ai des dizaines de dossiers en cours ! Excuse-moi, mais on s'en fout de ce que « laissent entendre » les anciens serveurs. T'as lu les aveux de Reggie, t'as vu son casier, son portrait ? Tout est dit. C'est fini.

— Alors, puisque t'en parles, oui, j'ai lu le portrait ridicule que t'as fait de Reggie. Et justement, rien n'est dit. Ton truc, ça ferait un bon personnage de film d'action, mais, par contre, ça fait pas avancer l'enquête.

— On a trouvé les empreintes de la coupable sur la victime, on a trouvé l'argent de la victime chez la coupable. On a une coupable qui a fait des aveux ! T'as lu le contenu de la lettre ? Elle a écrit noir sur blanc qu'elle avait tué Carmen. Qu'est-ce que tu veux de plus ?

— Des preuves, par exemple. Moi, cette lettre, je sais pas d'où elle sort. Elle l'a peut-être écrite sous la menace. Ou peut-être que quelqu'un d'autre l'a écrite à sa place, qui sait ?

— T'as trop d'imagination. C'est pas la peine de chercher bien loin : Reggie, elle était toute croche. T'as vu son casier ?

— Oui, comme j'avais vu le casier de Justin Clark. Qui s'est avéré innocent.

— Allez, arrête. T'étais là, avec moi, quand je l'ai interviewée. T'as bien vu qu'elle passait son temps à mentir !

— Non. Elle ne savait pas mentir, c'est différent. Elle mentait mal, donc c'était facile de relever tous ses petits mensonges. Mais elle mentait pas tant que ça : la plupart du temps, elle disait la vérité.

— Quelqu'un qui ment parfois, c'est déjà trop. C'est comme si tu me disais « elle tue parfois, mais la plupart du temps elle est innocente ».

— Ce que je veux dire, c'est qu'elle ne mentait pas comme quelqu'un qui cherche à dissimuler son crime. D'ailleurs, elle nous a fait des grosses confidences alors que rien ne l'y obligeait. Elle les a faites parce qu'elle était franche et qu'elle était incapable de les cacher. Et elle a peut-être omis des faits, elle a peut-être menti sur certains aspects, mais toutes les choses réellement importantes qu'elle a dites étaient vraies.

— Comme quoi?

— Comme le fait qu'elle ne consommait plus de drogue, par exemple.

— Ah oui! La preuve : on l'a retrouvée avec quinze livres d'héroïne dans les veines!

— Justement, c'est bizarre.

— C'est pas bizarre : c'est une toxico qui dit qu'elle ne consomme plus, c'est tout.

— Elle nous a dit la vérité quand elle disait ça, j'en suis sûr. J'ai réécouté plusieurs fois l'enregistrement de l'entrevue avec elle et… j'en suis sûr, répéta Eyrolles.

Tao le regarda, incrédule.

— Comment tu peux en être sûr? T'as un détecteur de mensonges intégré?

— Oui, si on veut, assura Eyrolles le plus sérieusement du monde.

— Eh ben parfait : si tu veux t'en servir pour analyser mes feuilles de paye, ça me sera plus utile que pour délirer sur un vieux dossier fini, fermé et enterré.

Eyrolles fit un effort manifeste pour garder son calme. Il prit un ton didactique et courtois.

— Tao, peut-être que t'es fatigué et que t'as du mal à faire fi des apparences. Mais si tu prends le temps de remettre tous les éléments à leur place, si tu prends la peine d'imaginer la scène comme je l'ai fait, tu seras forcé d'admettre que Reggie ne peut pas être la coupable. Et si elle n'est pas la coupable, ça veut dire que c'est une victime. Et ça, c'est grave.

Tao essaya de répondre, mais Eyrolles ne le laissa pas s'exprimer. Il continua de parler plus fort et plus vite comme pour neutraliser toute objection avec son flux de paroles.

— C'est même très grave. Une victime innocente!… Ça veut dire qu'on a raté quelque chose et qu'il faut reprendre toute l'histoire à zéro. La fermeture du restaurant, le couteau, la personne qui a crié «vieille pute»… D'ailleurs, tu sais bien que ça ne peut pas être elle non plus qui a dit «vieille pute». Hein? Comment tu l'expliques, ça?

— Estie, tu penses encore à cette histoire, toi?

— Bien sûr que j'y pense! Pour établir la vérité, il faut que tous les éléments concordent. Et cette histoire est loin d'être un élément anodin.

— Tu me niaises?… D'abord, qui est-ce qui nous a parlé de ça, hein? C'est Reggie elle-même! C'est l'assassin!

Maintenant, c'était Tao qui commençait à s'énerver.

— L'assassin présumé, corrigea calmement Eyrolles. Et ça a été confirmé par un autre témoin, souviens-toi: le client du salon de coiffure.

— Tu parles du vieux, là?… OK! Alors, l'assassin ainsi qu'un vieux cave à qui l'assassin a probablement parlé ont raconté l'histoire invraisemblable d'un cri le soir du crime. C'est ça, ta preuve d'innocence?!

— Ce n'est pas à moi de prouver l'innocence, c'est à toi de me donner des preuves de culpabilité, n'oublie pas!

— J'ai rien à prouver, moi. On a toutes les preuves qu'il faut.

— Ah ouais? Et d'abord, quel aurait été le mobile de Reggie?

— Le mobile, c'est l'argent, évidemment! On a retrouvé la caisse chez elle. Et elle en parle elle-même dans sa lettre d'aveu!

— Reggie n'aurait pas été assez stupide pour risquer de mettre tout son équilibre en péril pour trois cents malheureux dollars.

— Reggie est une fuckin toxico! Les toxicos pensent pas aux consé-quences. Ils pensent à leur prochaine dose, c'est tout.

— Non, Reggie n'était pas comme ça. Elle était très consciente de ses faiblesses. Et ses faiblesses, elle savait les contrôler pour préserver l'avenir. Je *sais* qu'elle est innocente. Ce n'est pas elle qui a tué Carmen.

Eyrolles but tranquillement une gorgée de café. Tao, qui s'était agité de plus en plus au fil de la discussion, tout à coup, ne bougeait plus. Il s'était bloqué le cou lors de sa dernière réplique et ne pouvait plus faire le moindre mouvement sans souffrir le martyre.

— Je sais pas ce que t'as avec cette histoire. Mais si tu t'es mis dans la tête que t'allais la résoudre comme un justicier solitaire, je te conseille ami-calement d'arrêter de perdre ton temps et de profiter plutôt de ton voyage.

— Je te remercie pour tes conseils amicaux, mais c'est pas un jour-naliste spécialisé en réveillons champêtres qui va m'expliquer ce que je dois faire.

— En tout cas, moi, j'écris. Je suis pas comme les pseudo-écrivains qui méprisent tout ce qu'ils lisent dans les journaux, mais qui ont jamais sorti une ligne hors de leur beau cerveau.

— Tu verras, mon roman, quand il sortira, ce sera autre chose que ton torchon bourré de faits divers et de publicités!

— Toi, t'es un bel hypocrite! Tu fais le téteux, genre «je suis assi-dûment votre travail admirable»… Mais tout ce que tu voulais, c'était jouer au détective sur l'affaire de *L'Eggzotique*, hein!?

— Et toi, t'étais bien content que je sois là pour analyser tes données. Tu sais, quand t'avais besoin d'un cerveau et que t'en trouvais nulle part, ni à ton journal ni sur tes épaules!

— Tu parles de tes tableaux Excel, là?… Je te demande de trouver une histoire et toi, tu me ponds un tableau Excel! Ah! Il va être le fun ton roman si tu l'écris en tableau Excel!

— Il y a plus d'intelligence dans un seul de mes tableaux que dans tous tes articles réunis.

— J'arrive pas à croire que t'aies fait semblant à ce point…

— Et tout ça pour rien, pas une ligne de ma synthèse n'a été publiée! Par contre, pour les clichés et les portraits à l'eau de rose, là, il y a de la place dans ton journal.

— Que t'aies fait semblant de t'intéresser à moi alors que tu m'as toujours méprisé!

— Non, j'étais sincère. Je m'intéresse à toi quand tu fais des choses intéressantes. Je te méprise quand tu fais des choses méprisables.

— Les heures supplémentaires des fonctionnaires, c'est méprisable? La mort d'un jeune en ski-doo, c'est méprisable?

— Tu ne vas pas jusqu'au bout de tes enquêtes, t'obéis aux ordres stupides de tes chefs stupides, tu préfères vendre de l'émotion facile au lieu de faire un vrai travail d'investigation. Ça, c'est méprisable.

— Je fais ma job, c'est déjà pas si facile.

— Pas la peine de te justifier, je ne te juge pas.

— Non, c'est pas ton style…

— D'ailleurs, c'est décidé, je vais m'inspirer de toi pour un personnage de mon roman.

— Ah oui?

— Oui, c'est un journaliste brillant qui sacrifie tout – sa jeunesse, ses convictions et sa lucidité – juste pour pouvoir sortir des articles. À la fin, il devient exactement comme toi…

— Mange d'la marde!

Tao se leva en mettant son manteau et s'en alla.

Eyrolles essaya de prendre un air insouciant. Mais sa main irrépressiblement attirée par le bout de son nez trahissait une nervosité manifeste. Il regarda Tao, tête biaise, contourner le comptoir, se faufiler dans l'entrée et partir sans payer. Arrivé à la porte, le journaliste fit demi-tour et revint à la table en jetant un dernier regard, oblique, à Eyrolles.

— Estie de fendant !

Puis il récupéra la valisette, qu'il avait oubliée. Et il repartit, toujours oblique, mais pour de bon cette fois.

* * *

Eyrolles reprit rapidement contenance en ouvrant *Le Journal de Montréal* devant lui. Parfois, sa main gauche venait martyriser la croûte sur son nez, puis elle se reposait sagement sur la table. Tout le reste de sa physionomie semblait lire paisiblement. Mais il ne lisait pas. Pas vraiment, en tout cas. Ses yeux se posaient sur la page et glissaient pour la centième fois sur le portrait de Reggie sans que les phrases pénètrent dans son cerveau. À peine commençait-il à déchiffrer quelques mots qu'une foule de critiques hostiles huaient en lui, criaient que c'était pourri, indigne, répugnant, et l'empêchaient d'aller jusqu'au bout de la ligne. Alors, il regardait le journal sans le voir et refaisait sa discussion avec Tao. Il la réécrivait plus à son goût. Il corrigeait la faiblesse de certaines de ses répliques. Rendait celles de son interlocuteur de plus en plus superficielles et ridicules. Il prenait même un malin plaisir à lui faire dire des choses outrancières dont il n'avait absolument pas été question. Et il en ressentait une obscure jouissance. Ah ! Ah ! se disait-il. Tao n'est qu'un être vil, un vendu, un parasite… Soudain, sa main dérapa de son nez. Sa croûte tomba sur le journal grand ouvert comme un point sur le « i » de *L'Eggzotique*. Au même instant, une illumination jaillit dans le cerveau d'Antoine Eyrolles. Il ouvrit son carnet et se mit à écrire. Il avait enfin une véritable inspiration pour son roman.

* * *

Tao se rendit directement au *Journal*. Le dictionnaire des synonymes des injures était en train de défiler intégralement entre ses dents sans qu'il parvienne à trouver un mot suffisamment fort pour décrire ce… ce…

Il ouvrit son ordinateur afin d'organiser sa journée et commença par lire ses courriels professionnels. Mais la discussion avec Eyrolles continuait de l'obnubiler et il regardait défiler les en-têtes de messages sans les lire. Il ne comprenait toujours pas pourquoi Eyrolles s'obstinait ainsi sur cette affaire. Comme s'il n'y avait pas des centaines de milliers d'autres sujets susceptibles d'être approfondis. Pourquoi celui-là ? En tout cas, il ne supportait plus ses airs supérieurs. Dès qu'Eyrolles ouvrait la bouche, c'était pour formuler une critique ou un reproche : il y avait toujours quelque chose qui n'allait pas avec lui ! Et quand il ne parlait pas, c'est-à-dire la plupart du temps, eh ben… c'était encore pire ! Tao se sentait constamment observé, examiné, jugé. Ah ! Il était bien content de ne plus l'avoir dans son chemin, il allait pouvoir respirer un peu…

Sa main droite se figea et le défilement de la fenêtre s'interrompit. Un message datant du mercredi 18 décembre s'afficha à l'écran. Il faisait partie de ces dizaines de réactions de lecteurs qui parvenaient tous les jours à info@lejournaldemontreal.com et qu'il ne lisait jamais.

---

le mercredi 18 décembre à 23:47,
anonymus99999998@gmail.com a écrit :

Bonjour,
j'écris pour avoir un renseignement.
Je travaille dans un restaurant et j'ai découvert que les patrons crossent quotidiennement leurs employés depuis de longs mois ou même des années. J'ai des preuves incontestables.
Je veux faire un scandale, si possible la une du Journal de Montréal, ou au moins un article.

Merci de me contacter le plus vite possible. Sinon je le proposerai à quelqu'un d'autre.

Malgré lui, Tao ne pouvait s'empêcher d'être intrigué. Non pas qu'il rapprochait ce message de quelque affaire limpide et classée que ce soit. Pantoute! Ce message était intrigant. Voilà tout.

Il l'observa de plus près. L'expéditeur utilisait une adresse courriel créée pour l'occasion qui ne révélait pas son identité. Il regarda vers le plafond en fronçant les sourcils. Non, il n'avait souvenir d'aucune histoire de patrons crosseurs dans les médias depuis le 18 décembre. Il vérifia rapidement sur Internet, et ne trouva rien. De toute façon, à part *Le Journal* et les gratuits, les quotidiens n'auraient sûrement pas relayé ce genre d'information. Par acquit de conscience, il écrivit une réponse rapide.

Votre cas nous intéresse. Vous pouvez m'appeler ou m'écrire quand vous voulez.

Tao Bilodeau

tao.bilodeau@lejournaldemontreal.com
438-667-6927

Puis il organisa sa journée.

* * *

Eyrolles regarda son carnet d'un air préoccupé. Il se demandait ce qu'il allait faire avec tout cet argent… Oui, parce que entre le Goncourt et l'adaptation au cinéma, ça allait générer beaucoup de revenus. Beaucoup trop. Surtout pour quelqu'un comme lui, qui avait des goûts simples et un train de vie modeste. Bon, il s'achèterait probablement un appartement à Chambéry. Non pas qu'il soit attiré par la propriété. Non, vraiment pas. Mais ça lui éviterait d'avoir des comptes à rendre à un propriétaire. Au moins, il serait chez lui. Et puis, il lui faudrait un petit pied-à-terre à la campagne, pour respirer l'air pur de temps en temps, entre deux grosses affaires. D'ailleurs, c'était décidé: il ne travaillerait plus que de manière bénévole et pour des causes louables. Le reste du temps, il voyagerait et il écrirait. À cet effet, il lui faudrait impérativement un chalet au Québec, au bord d'un lac. Oui, parce que son premier roman – son coup d'essai, son coup de maître! – avait été écrit à Montréal... Après tout, ça faisait seulement trois propriétés. Ce n'était pas non plus excessif, pour un multimillionnaire. Quant à la maison pour ses parents, elle ne serait pas à son nom à lui et, de toute façon, il en allait de son honneur: c'était irrévocable. Pour terminer et pour qu'il n'y ait pas de jaloux, il ne lui resterait plus qu'à offrir une ferme à son frère. Ce vieux bourru serait certainement touché du geste. Et lui, ça le tranquilliserait de savoir que, quoi qu'il arrive, il aurait toujours un toit au-dessus de la tête... Après, promis, finies les dépenses!

Toute cette générosité ouvrit l'appétit d'Antoine Eyrolles. Il dévora son hambourgeois «effiloché de canard à l'érable et canneberges, laitue et crème de chèvre», puis termina le sandwich à peine entamé de Tao: on n'allait quand même pas gâcher de la nourriture ni se laisser abattre par une petite escarmouche. Eyrolles gonfla les poumons. Pour la première fois, il éprouvait un sentiment de satisfaction en songeant à ce qu'il avait écrit. Il avait esquissé un embryon de scénario et jeté des bouts de dialogues mettant en scène un jeune journaliste opportuniste et un vieux détective empreint de sagesse. Il y avait une histoire sordide dans un studio de yoga. La gérante s'était fait assassiner. Il fallait investiguer chez les clients, les sensuelles profs de yoga et le mari de la gérante qui avait fait fortune en créant des studios partout dans le monde. Le détective et le journaliste menaient des enquêtes parallèles, mais des quêtes diamétralement opposées: le journaliste cherchait à faire du sensationnel, de l'émotion facile. Tandis que le vieux sage détective cherchait la Vérité. Chaque fois qu'ils se croisaient, les échanges fusaient, le jeunot en prenait pour son compte! Eyrolles lui cherchait encore un nom. Il avait tout d'abord pensé à «Théo» (trop proche de «Tao»), puis à «Tchang». Mais il s'était souvenu par la suite que «Tchang» était déjà pris par le sympathique ami de Tintin. Impossible! Il avait alors opté pour «Mathéo». «Mathéo», ça lui semblait bien. Il devait y avoir des millions de «Mathéo» dans le monde. Au moins, on ne pourrait reconnaître personne.

Le téléphone d'Eyrolles sonna. JB lui proposait sans trop y croire de faire une randonnée en raquettes hors de la ville. Antoine réfléchit. Ça faisait plusieurs jours qu'il refusait à peu près toutes les sorties auxquelles JB l'invitait. Mais cette fois, il avait sérieusement avancé sur son roman et il méritait bien un peu de détente. Pendant une fraction de seconde, il pensa à l'affaire de *L'Eggzotique*. Aussitôt, cette pensée provoqua un nœud de sensations désagréables dans son ventre. Il la repoussa loin de lui et accepta l'invitation de JB d'un OK-j'arrive-tout-de-suite foudroyant, puis il raccrocha et demanda les additions séparées.

Il posa la somme qu'il devait sur son addition, devant lui, en incluant un pourboire normal. Puis il s'installa à la place de Tao et ouvrit soigneusement *Le Journal de Montréal* à la page où se trouvait son article. Juste en dessous de sa photo, il plaça l'addition du journaliste et l'argent correspondant en prenant bien soin de ne pas ajouter un sou de pourboire. Puis il s'en alla.

* * *

Quand il revint de sa pénible entrevue sur le jeune décédé en moto-neige, Tao se rendit directement au *Journal*. Il était fatigué, mais la perspective de tout ce qu'il avait encore à faire le maintenait dans une sorte d'éveil artificiel. Les Guru aidaient aussi, bien sûr. Il ouvrit la valisette et sortit avec effort la montagne de photocopies de feuilles de paye. Puis il se lança en soupirant dans la fastidieuse analyse. Son téléphone émit un petit « ploc » signalant l'arrivée d'un nouveau courriel. Il ne parvint pas à s'empêcher de jeter un œil périphérique. Ça disait « tout est réglé maintenant, merci quand même ». Cela piqua sa curiosité. Qu'est-ce qui pouvait bien être réglé ? Il saisit le téléphone, fit danser son pouce sur l'écran et comprit. C'était anonymus99999998, le justicier anonyme qui voulait faire un scandale. Et qui, maintenant, ne voulait plus ! Bon.

Il se remit à sa paperasse. Laborieusement. Mais il se demandait toujours ce qui avait bien pu être réglé. Taboire ! C'était don ben chien de teaser le monde de même ! De dire « je veux faire un scandale » et de se taire juste après, tsé ! C'était comme les gars qui arrivaient en disant : « Tu sais-tu quoi, j'ai une histoire incroyable, un truc de malade mental !... »

Et juste après: «Ah, non, désolé, en fait, j'ai pas le droit de le dire...»
Estie! Tao avait envie de savoir! Il reprit son téléphone et répondit au justicier anonyme:

> Je prépare actuellement un dossier sur la restauration et j'aimerais beaucoup te rencontrer quand même, de manière anonyme. Tu peux me contacter anytime.

Puis il se remit à sa montagne. Il essaya de la gravir, page par page, patiemment. Phrase par phrase. Mot par mot... Mais ça ne voulait pas. Il pensait encore à ce justicier anonyme, à ce scandale présumé, et vérifiait toutes les trente secondes qu'il n'avait pas eu de réponse. Le courriel avait inoculé une drôle d'idée à Tao. C'était comme une bulle qui s'était formée dans son cerveau et qui ne voulait plus en sortir. Au contraire, elle grossissait en absorbant tout ce qui se trouvait à proximité. Et la petite bulle de curiosité se transforma bientôt en un abcès de doute. Puis en véritable ballon de baudruche, gonflé d'angoisse et filant à toute allure vers l'inconnu.

Tao tassa la montagne. Pour échapper à l'angoisse, sa méthode, c'était le travail. Quand il avait peur de mal traiter un sujet, il travaillait dessus – toute la nuit s'il le fallait – jusqu'à ce qu'il soit enfin sûr de lui à deux cents pour cent et que l'angoisse s'en aille. Et pour cette bulle grandissante dans sa tête, pour ce dénonciateur anonyme qui venait ébrécher ses certitudes et propager le doute, Tao ne voyait plus qu'une chose à faire.

Il se jeta sur son ordinateur et rechercha les courriels d'Eyrolles. Il retrouva celui du 24 décembre avec en pièce jointe tous les tableaux Excel, qui n'étaient même pas des tableaux Excel, mais un format libre qu'il fallait se faire chier à convertir. Il se fit chier à convertir le calvaire de fichier libre en fichiers XLS et ouvrit la feuille intitulée «Employés - Intégral». À l'onglet «Anciens», il regarda la colonne «serveur» et fit des copiés-collés de toutes leurs adresses courriel. Enfin, il écrivit un message collectif aux neuf anciens serveurs de *L'Eggzotique* tous en copie cachée pour leur proposer des entrevues dans le cadre d'un dossier qu'il préparait sur la restauration. C'était la première fois qu'il mentait aussi outrageusement. Il fut étonné que ce soit si facile. Il faut dire qu'il avait eu un bon professeur.

Samedi 28 décembre

Antoine et JB prirent place au bout de la file d'attente. Autant l'un que l'autre était surpris par sa longueur. Ça partait de Saint-Zotique et ça remontait Boyer quasiment jusqu'au parc Saint-Édouard. Régulièrement, un petit jeune aux cheveux gominés longeait la file à contre-courant avec un plateau fumant. Il ménageait la patience des clients en prodiguant d'une main des chocolats chauds et en assurant de l'autre que ça ne serait pas long. Puis il rentrait au chaud, son plateau sous le bras, et la file d'attente ainsi abreuvée de promesses et de cacao poursuivait docilement sa lente progression vers la porte dans le matin glacé.

JB avait du mal à croire qu'il n'y avait qu'un quart d'heure d'attente comme le petit jeune l'avait prétendu. Il avait proposé d'aller ailleurs, mais Antoine avait opposé un refus farouche, sans doute en raison de ses recherches pour son roman. Il tenait à tout prix à bruncher à *L'Eggzotique*, quitte à se congeler sur le trottoir pendant une éternité. Le pire, c'est qu'il avait mystérieusement décidé de délaisser la doudoune jaune. Il avait donc remis sa vieille veste inutile et trouée. Malgré le bonnet enfoncé sur sa tête et en dépit de ses affirmations, il devait se geler.

Eyrolles ne se gelait pas. Ou plutôt, il ne se rendait pas compte qu'il se gelait. Il était tellement content d'aller enfin manger à *L'Eggzotique* que tout lui paraissait exquis et qu'il en oubliait complètement le froid. La balade de la veille en raquettes lui avait ouvert le corps et l'esprit. Comme à chaque fois qu'il sortait de la ville pour prendre l'air, il s'était rendu compte à quel point c'était salvateur. Comme chaque fois, il s'était répété qu'il devrait le faire plus souvent. Et comme chaque fois, il ne sortirait probablement pas durant les six prochains mois. La balade avait aussi été bénéfique pour sa relation avec JB. En partant juste tous les deux, entre gars, ils avaient pu retrouver leur vieille complicité, réinvestir leur terrain de jeu commun et ranimer leur admiration réciproque. Privilège des amitiés anciennes, ils avaient alterné longs silences et longues discussions avec un plaisir égal.

Enfin, ça avait fait du bien à Eyrolles de mettre provisoirement de côté son obsession pour l'histoire de *L'Eggzotique*. Même quand il s'était retrouvé seul dans sa chambre, il n'avait pas fouiné dans son dossier sur *L'Eggzotique*, il n'avait pas procrastiné sur le blogue de Félix Agiloux, il n'avait pas harcelé son moteur de recherche avec des questions existentielles… Il n'avait même pas réécouté les entrevues de Tao, qu'il avait pourtant copiées, à portée d'oreille, sur son téléphone. Non, il avait laissé les idées se décanter toutes seules. Et le matin, il avait pu tout repenser avec une fraîcheur renouvelée. Grâce à cette fraîcheur, il avait compris une chose essentielle, une chose qu'il aurait dû faire depuis le début : il devait éprouver les lieux, il devait aller à *L'Eggzotique*.

Après une grosse demi-heure à attendre dehors, ils purent enfin attendre à l'intérieur. Puis une table se libéra. Mais elle n'était pas au goût d'Antoine et il fallut encore patienter cinq bonnes minutes avant que la table où il voulait à tout prix manger soit disponible. Il faisait très chaud et le vacarme était assourdissant. Des enfants criaient, leurs parents criaient pour leur dire de se taire, leurs voisins criaient pour s'entendre, les haut-parleurs criaient des chansons de Noël pour masquer les cris des clients… Eyrolles, qui voulait rester incognito, était servi : JB et lui étaient complètement noyés dans la masse.

Une serveuse vint prendre leur commande. Eyrolles connaissait cette voix. Il l'avait entendue dans les enregistrements de Tao. Il reconnaissait le son chaud, la mélodie grave, l'accent québécois, léger, mais indubitable… C'était Odile qui les servait. Elle nota leur commande très professionnellement, avec courtoisie, mais sans excès de chaleur, comme si elle pensait à autre chose en même temps. Puis elle repartit aussi sec vers d'autres aventures.

Ils étaient assis à la table située dans le coin sud-est du restaurant. Dos à la salle, Antoine faisait face aux deux baies vitrées, l'une donnant sur Saint-Zotique l'autre, sur Boyer. JB avait du mal à comprendre pourquoi c'était précisément celui qui voyait le moins bien qui avait tenu à avoir le meilleur panorama. Lui, au contraire, était assis dos à la fenêtre, contre le calorifère, et le seul paysage qui s'offrait à ses yeux, c'était la salle bondée du restaurant.

En attendant que leurs assiettes arrivent, Antoine lui demanda de lui décrire le personnel présent. JB n'eut pas de mal à distinguer les employés des clients et pas seulement à cause de leur tenue. C'était simple : les clients se déplaçaient d'un pas paisible et digestif, pour aller aux toilettes ou pour aller payer, alors que les employés, eux, passaient leur temps à courir.

JB décrivit, un par un, tous les membres du personnel qu'il apercevait. Antoine Eyrolles écoutait avec une attention maximale. Dans son cerveau, tous les bruits, la musique, les cris stridents et les rires puissants s'étaient complètement éteints. Seule subsistait la voix de JB à laquelle il superposait mentalement la grille de son tableau Excel contenant le nom et la description des employés.

— À 2 heures : fille de taille moyenne, cheveux châtains, lunettes… Gros cul, pas de seins…

— Est-ce qu'elle sert des assiettes ?

— Pas présentement, mais je l'ai vue en servir tout à l'heure.

— OK, je vois…

Antoine voyait Claire.

— Elle te semble comment ?

— Stressée : elle a des rides de peur…

— C'est quoi ça, des « rides de peur » ?

Claire avait moins de trente ans. Ça paraissait un peu tôt à Antoine pour les rides.

— Je sais pas comment dire. C'est comme si elle avait souvent peur, et que son visage gardait en mémoire cette expression. L'expression d'un animal traqué…

Antoine se demanda si la description était fidèle à la réalité ou si l'observateur ne prenait pas son rôle un peu trop au sérieux.

— OK, très bien. Tu vois d'autres employés ?

— Oui, susurra JB sur un ton confidentiel.

— Parfait, je t'écoute.

— À midi : gars… moins de vingt ans… regard fixe… tête d'assassin…

— Il ressemble à quoi ?

— Petit, trapu, barbu, peau brune et cheveux bruns avec la coupe de Ronaldo…

— La coupe de qui ?

— Ronaldo, le joueur de foot.

Ça correspondait aux caractéristiques de Gabriel, le busboy.

— Ah ? Mais c'est pas celui qui nous servait des chocolats chauds dehors ?

— Si.

— Ah ! T'aurais pu commencer par ça…

— Attention : nouvelle cible détectée… à 4 heures…

— Hum, hum…

— C'est un gars. Plus âgé. Pas de tablier, mais…

— Ah ?…

C'était peut-être Réal…

— Il est âgé comment ?

— Je dirais la quarantaine. Je l'ai pas vu servir d'assiettes.

La quarantaine ? Ce n'était pas Réal.

— Il fait quoi ?

— Passe dans les tables, parle aux clients, regarde l'écran à la caisse… Il a l'air de…

Une lueur de bonheur éclaira le visage d'Eyrolles.

— Mais bien sûr, qu'on est cons : c'est Mike !

— Mike ?… Tu veux dire le grand, l'unique, Mike Medeiros : ton héros ? railla JB.

— Exactement ! Mon héros, mon gourou, mon idole !… Ah ben, dis, j'aurais pas pensé qu'un gars qui a plein d'argent et dont la femme vient de mourir viendrait travailler un samedi matin !

— J'avoue ! Moi, à sa place, je serais resté dans mon lit avec ma maîtresse.

— Toi, tu serais encore en train de te lamenter sur la tombe de la défunte !

— En tout cas, il a pas l'air effondré. Il est en train de plaisanter avec notre serveuse et un gars de la cuisine en tapant des trucs sur l'écran.

— Tu vois la cuisine d'ici ?

— Je la devine. J'arrive parfois à apercevoir des visages, à travers le passe-plat. Mais je pourrais pas être plus précis que « deux yeux, une bouche, un nez ».

— Bon. Et tu vois pas d'autres employés ?

— Négatif. Aucune cible détectée… Hé bé… en fait, si : il y a notre serveuse, mais, elle, tu l'as vue toi-même.

— Tu peux me la décrire quand même ?

— Jeune femme, brune, pas très grande, un peu forte, mais jolie, avec des beaux yeux. A l'air énergique. Dégage une grande détermination…

— OK.

Ça correspondait peu ou prou à ce qu'il avait imaginé d'Odile, surtout pour les yeux.

— Ah !… Et il y a aussi un gars que j'avais pas encore vu. Il vient de sortir des cuisines.

— Un cuisinier ?

— Je sais pas… Non, il est habillé comme les autres. Et il est en train d'installer des tasses propres sur une table qui vient de se libérer.

— Il ressemble à quoi ?

— Grand. Blond. Mou.

— Mou ? Je croyais qu'on pouvait pas faire ce métier quand on était mou.

— Ben, il a l'air efficace. Mais, corporellement, il est mou. Il est même mou du regard.

— Mou du regard…

Eyrolles se dit que son handicap le privait de bien des subtilités de la physionomie humaine. Du haut de sa vigie, JB sonna l'alerte.

— Ah ! Et ce que je vois là, j'ai comme l'impression que c'est notre serveuse et nos assiettes !

Après une demi-heure d'attente sur le trottoir et une demi-heure d'attente à l'intérieur, le repas arriva enfin. Odile avait tout apporté en une seule fois : les assiettes, les à-côtés, le pain, le sirop, le ketchup et la mayo. Pour cela, elle avait utilisé ses deux mains, ses dix doigts et les

quarante poches de son tablier. Il n'y avait aucune erreur, il ne manquait rien et elle était déjà en train de servir d'autres clients alors que
résonnait encore l'écho de son «bon appétit».

Les deux acolytes mirent à profit un silence amical pour ingurgiter
un maximum de calories en un minimum de temps. Depuis une
semaine qu'Antoine était à Montréal, ça avait été son principal hobby et
son plus grand bonheur : il avait pris presque tous les matins son petit-
déjeuner au restaurant. Et il avait changé tous les matins de restaurant.
Il commençait donc à avoir une certaine expérience du deux-œufs-
bacon-crêpe-on-the-side-extra-sirop-d'érable. Il était en mesure d'évaluer la nourriture de *L'Eggzotique* par rapport à des références précises.
Et il la plaça dans le peloton de tête de son comparatif. Ce n'est pas qu'il
y avait quoi que ce soit d'exceptionnel. Non, mais c'était bon, ce qui
était suffisamment rare pour être remarqué.

C'était en particulier la meilleure crêpe qu'il dégustait jusqu'à présent. Imbibée de sirop d'érable et garnie de bleuets, chaque bouchée
provoquait des ondes de plaisir dans toute la bouche. Mais dès que la
bouchée était avalée, le plaisir s'atténuait et Eyrolles s'empressait de le
renouveler d'une fourchette fébrile. Il avait du mal à comprendre pourquoi les autres restaurants n'étaient pas capables de faire de bonnes
crêpes. Et pourquoi il y avait toujours un problème, soit les œufs trop
cuits, soit les patates trop crues, soit le bacon trop sec... Est-ce que
c'était si compliqué à faire ?

Il repensa à Malek et à sa description de la restauration. Peut-être
était-il juste compliqué d'avoir un restaurant tout court. Peut-être
que l'éternelle rotation du personnel entraînait une éternelle rotation
de la qualité de la nourriture. Mais, dans ce cas, comment faisait
L'Eggzotique ?...

— Est-ce que c'est à votre goût, messieurs ?

— C'est excellent ! Merci beaucoup, répondit Eyrolles, la bouche
pleine de crêpe et de plaisir.

JB n'avait pas besoin de lui dire qu'il venait de parler à son héros,
son gourou, son idole. Il venait de parler à Mike Medeiros.

Mike les remercia et s'en alla vérifier que tout allait bien aux tables voisines en laissant derrière lui une traînée parfumée. Selon la langue maternelle des clients, il parlait tantôt français, tantôt anglais, tantôt espagnol. Il resta un peu plus longtemps auprès d'une table d'habitués qui lui exprimaient leurs condoléances. Il répondit avec beaucoup de simplicité et de sincérité. On sentait palpiter en lui une émotion qu'il ne cherchait pas à exagérer ni à mettre en scène. Et, sans percevoir tous les mots, Eyrolles entendit le son de sa voix dire que oui, c'était très dur, mais que la vie continuait et qu'il fallait aller de l'avant. Medeiros remercia les clients pour leur fidélité et il partit un peu plus loin, dans un endroit où sa voix, définitivement recouverte par le brouhaha, devenait hors de portée.

S'il n'entendait plus sa voix, Eyrolles pouvait cependant sentir son parfum. Il fit une pause dans son processus d'ingestion et se concentra sur cette odeur. Elle lui rappelait quelqu'un. Elle lui rappelait aussi quelque chose. C'était un parfum viril et frais. Ça sentait le dynamisme, la douche tonique, le rasoir matinal. Ça sentait l'homme qui se lève tôt pour aller travailler. Ça sentait bon. Eyrolles s'emplit les naseaux des derniers effluves. Ça lui rappelait le boulot… Ah, tiens, voilà : c'était le parfum de Véronèse, un de ses collègues à Chambéry, un jeune, qu'il aimait bien. Il éprouva une nostalgie fugace. Il se rendit compte qu'il aimait travailler. Il aimait sentir son organisme se mettre en branle pour affronter les défis du jour, quels qu'ils soient. Ça lui manquait presque…

— Allô ? Allô ?

Eyrolles se demanda depuis combien de temps son vis-à-vis essayait de lui parler. Il ressentit une pincée de culpabilité. Déjà que JB n'était pas particulièrement friand de brunchs… Le pauvre ! Il lui avait même avoué qu'il ne comprenait pas comment les gens pouvaient attendre pendant une heure pour manger quelque chose qu'ils auraient très bien pu faire tout seuls chez eux. Eyrolles, au contraire, ne voyait pas l'intérêt de s'emmerder à faire chez soi ce que l'on pouvait tranquillement se faire servir ailleurs. Mais il savait que JB l'avait accompagné pour lui faire plaisir, par pure amitié. Il fit donc un effort pour rester attentif et sociable jusqu'à la dernière bouchée. Puis il demanda l'addition et se servit de ce prétexte pour aller gambader aux quatre coins du restaurant en exploration. Il testa les toilettes, les plaça dans le bas de son comparatif, posa une question innocente à Gabriel, faillit rentrer en collision avec Claire sans qu'elle s'en aperçoive, puis il se dirigea vers l'ordinateur, où se trouvait Odile. Le prix du repas se situait dans la moitié supérieure du comparatif. Néanmoins, il avait passé un bon moment et il avait bien mangé. Il laissa donc un bon pourboire. Puis il revint à sa table et proposa de partir. JB contempla une dernière fois l'intérieur du restaurant en finissant son café, puis il prit un air songeur.

— C'est quand même fou de se dire que, juste là, sous nos yeux, il y a eu un meurtre !

Eyrolles remit sa veste et son bonnet.

— Oui. Et c'est encore plus fou de se dire que peut-être, juste là, sous nos yeux, il y a le meurtrier.

* * *

C'était le premier jour de congé de Tao en trois semaines et il dormit d'une traite jusqu'à 11 heures. Comme tous les matins, la première chose qu'il fit en se réveillant fut d'allumer la télé en face de son lit. Tandis qu'elle déversait un flot ininterrompu de nouvelles, il consulta ses nouveaux courriels. En une nuit, il en avait reçu douze. Son premier constat, ce fut l'absence de message d'Eyrolles. Et il se dit tant mieux. Deuxième constat, pas l'ombre d'une réponse du justicier anonyme. Et il se dit tant pis. Il sélectionna neuf messages divers et les marqua comme lus sans les lire. Puis il cocha une petite étoile devant le nom de sa mère et devant le rappel de la banque pour se signifier de les lire plus tard. Enfin, il lut le message de Jade Tremblay.

Parmi tous les anciens serveurs de *L'Eggzotique*, elle était pour l'instant la seule à avoir répondu à son invitation. Elle était d'accord pour une entrevue et elle donnait son numéro de téléphone. Elle glissait en passant qu'elle ne travaillait plus dans la restauration, mais qu'elle possédait une longue expérience dans ce milieu et qu'elle avait plein de choses à dire. Tao l'appela immédiatement. Il convint d'un rendez-vous avec elle dans l'après-midi. Puis il réécrivit un message un peu plus insistant au dénonciateur anonyme.

La télé poursuivait ses lamentations dans son coin, comme une vieille grincheuse qui radote. Tao jeta un œil sur son compte Facebook en l'écoutant d'une oreille. Puis il effectua son pèlerinage habituel sur les réseaux sociaux et les blogues.

Enfin, il sortit de sa couette et ouvrit les rideaux sur un soleil radieux.

★ ★ ★

Antoine et JB sortirent sans se presser de *L'Eggzotique*. La file devant le restaurant avait diminué de moitié, mais l'attente officielle annoncée par le jeune busboy demeurait inchangée. «Ce ne sera pas long, Madame. Maximum un quart d'heure. Est-ce que vous voulez un petit chocolat chaud pour patienter?» La panse pleine et pesante, le cerveau dévolu à la digestion, les deux compères stationnèrent devant l'entrée le temps de finir de s'habiller et de décider de la suite des événements. JB avait promis à Marie-Ève d'aller patiner avec elle au parc Lafontaine et proposa à Antoine de les accompagner.

Celui-ci avait... comment dire?... il en avait vraiment envie, oui, mais il s'était fait mal à la cheville, et il ne voulait pas les déranger, pour une fois qu'ils étaient en amoureux, en plus, avec ses problèmes de vue, hein, d'ailleurs il ne savait pas patiner et, de toute façon, pas de chance, il avait rendez-vous chez le coiffeur. JB croyait se souvenir qu'Antoine détestait aller chez le coiffeur. En tout cas, sa coiffure romantico-chaotique trahissait une absence flagrante d'intérêt pour les peignes. Il le regarda, étonné.

— T'as pris rendez-vous chez un coiffeur?

— Oui. Juste là.

Eyrolles désignait un local à moitié vide, vieillot à souhait, qui jouxtait *L'Eggzotique* et dans lequel une tête d'orignal empaillée était affublée d'un bonnet de père Noël avec des lampions. Peint en jaune pisseux sur la vitre embuée, on pouvait lire « Coiffure Jean-Jacques ».

— Tu vas vraiment te faire couper les cheveux ici ?

— Non, pas les cheveux, la barbe. Je vais me faire tailler la barbe. C'est l'un des meilleurs barbiers de Montréal. Ils font ça à l'ancienne. Tu devrais essayer un de ces quatre, il paraît que c'est incroyable !

Le glabre et chauve JB n'était pas près de laisser un poil dans ce salon miteux. Il abandonna Antoine sans regret et le laissa aller tout seul chez le coiffeur-barbier-empailleur en lui souhaitant d'en sortir indemne.

Entre *L'Eggzotique* et *Coiffure Jean-Jacques*, sous la lucarne donnant sur la cuisine du restaurant, il y avait les poubelles : trois ou quatre conteneurs béants que le froid rendait inodores. Et à côté de ces poubelles se trouvait une porte de service utilisée par les employés du restaurant. Deux d'entre eux étaient justement en train de fumer leur cigarette sur le pas de la porte.

Eyrolles reconnut clairement un accent latino et un accent maghrébin, l'un comme l'autre mâtiné de québécois. Il se tint aux aguets et fit semblant de réajuster sa veste pour profiter plus longtemps de la scène… Le contraste entre l'entrée officielle et la sortie de service du restaurant était remarquable. À l'entrée, de jeunes employés gominés roucoulaient des politesses en français international ; à la sortie, des vieux immigrés au tablier sale mastiquaient leurs jurons au milieu des poubelles. Eyrolles finit de reboutonner sa veste et se mit en marche d'un pas lent. Il entendit clairement l'accent maghrébin dire « Je suis sûr que c'est pas elle. Sérieusement, c'est pas possible. » À ce moment-là, il ne se trouvait plus qu'à quelques pas d'eux et l'accent latino répliqua « Une personne fine de même, ça cache quelque chose… », puis « Tabarnouche, y fait frette!» À ce mot, les deux employés jetèrent leur mégot et s'engouffrèrent dans la porte de service. Eyrolles s'arrêta devant les poubelles, comme un spectateur qui attend le rappel...

Mais il n'y eut pas de rappel. Le spectacle était fini et Eyrolles dut trouver tout seul un sens à cette histoire. Il compulsa ses fiches dans sa tête. Le latino pouvait être Raul, ou Kiko. Mais le Maghrébin, c'était assurément Brahim. Quant à «elle», la «personne fine de même» qui «cache quelque chose», Antoine Eyrolles ne put s'empêcher de penser qu'il s'agissait de Reggie. Conclusion: Brahim était sûr que ce n'était pas Reggie...

Mais que ce n'était pas Reggie qui avait quoi?

✳ ✳ ✳

«Bonjour, je m'appelle Tao Bilodeau... Je suis journaliste au *Journal de Montréal* et j'aimerais vous rencontrer à propos de... Aucun problème, on peut faire ça par téléphone si vous préférez... Non, ce ne sera pas long et... Je vous promets que... Oui... Écoutez, je vous assure que... Rien de ce que vous... Non, je... Allô?... Allô?...»

Le ratio était autour de un pour cent: pour cent demandes d'entrevue, une seule s'avérait fructueuse. Ça signifiait donc que si Tao avait besoin de dix citations pour un article, il devait faire mille demandes. Ça pouvait paraître dur. Mais le principal, c'était d'en être conscient et de ne surtout pas en faire une affaire personnelle.

Après une année à se faire poser des lapins, claquer la porte au nez et insulter quotidiennement, Tao était immunisé. Ce genre de désagréments faisait partie du travail et ne méritait pas plus d'attention qu'une tache de peinture sur la blouse d'un peintre en bâtiment.

Ces derniers mois, il avait progressé considérablement sur deux aspects. Premièrement, il savait se faire plus persuasif. Il arrivait à faire parler des gens qui n'en avaient pas envie et il conduisait les bavards à en dire plus qu'ils ne l'auraient souhaité. Deuxièmement, il avait gagné en persévérance. Il était désormais capable d'insister inlassablement jusqu'à ce qu'il obtienne un résultat.

La personne ne répondait pas à un courriel ? Tao lui passait un coup de téléphone. Elle ne répondait pas à son téléphone ? Tao frappait à sa porte. Elle ne répondait pas à sa porte ? Tao frappait à la porte du voisin… Quand une personne se tait, son voisin a toujours quelque chose à dire.

* * *

Contrairement à la fois précédente, le salon était désert. C'était idéal pour être pris immédiatement. Mais ça l'était moins pour récolter des ragots. Il y avait un seul et unique client, étendu sur l'un des deux fauteuils en cuir. Sur l'autre, le coiffeur assis nonchalamment faisait la discussion au client à qui sa femme coupait des boucles grisonnantes. En voyant Eyrolles entrer, le coiffeur se leva à contrecœur. Il le fit asseoir sur le fauteuil encore chaud et lui enfila la blouse de circonstance. À côté, sa femme jouait des ciseaux en jetant des petits coups d'œil. Ce nouveau client, avec ses lunettes de soleil, lui disait quelque chose.

Eyrolles se la joua finaud. Il ne s'empressa pas de sortir les milliards de questions qui lui brûlaient les lèvres comme il l'avait prévu. Il les laissa brûler, l'air de rien, et fit confiance à la réputation capillicultrice… si tout allait bien, ça ne serait qu'une question de temps : dans cinq minutes, il aurait les réponses avant de poser les questions.

Quinze minutes plus tard, il avait le poil lisse et il connaissait la météo de la décennie passée par cœur. Mais toujours rien sur *L'Eggzotique*. Il décida donc de forcer un peu le destin.

— Je viens de manger au restaurant à côté, *L'Eggzotique*. C'était très bon.

— Ah oui, c'est bon ! dit le coiffeur.

La coiffeuse confirma.

— Oh oui, c'est très bon !

— Je comprends pourquoi il y a tant de monde.

— Ah oui, y a toujours du monde ! approuva le coiffeur.

La coiffeuse confirma.

— Oh oui, c'est toujours achalandé, surtout les fins de semaine !

— Oui, oui.

Eyrolles entendit le subtil grésillement du néon au plafonnier, entrecoupé de temps à autre par le bruit des ciseaux à côté. Le coiffeur était en train de lui appliquer un parfum après-rasage nauséabond. Il comprit que son temps était compté. Et il passa la vitesse supérieure.

— En fait, j'avais entendu parler du restaurant parce que mon neveu travaillait ici avant. Vous l'avez peut-être connu, il s'appelle Félix. Félix Aligout.

Le coiffeur regarda le plafond en réfléchissant profondément.

— Félix, Félix… C'en était-tu un avec des moustaches ?

— Non, ça, c'était Étienne, le waiter du *P'tit Buck*, corrigea sa femme.

— Ah oui, Étienne ! Y était fin, lui…

— Oh, oui, y était fin !

— Non, reprit Eyrolles, Félix, lui, il est plutôt… euh… comment dire ?…

La seule chose qu'il savait de lui, c'était qu'il écrivait un blogue. Mais ça ne lui parut pas en mesure de raviver la mémoire des coiffeurs.

— Y est-tu grand ?

— Euh, oui, assez grand, enfin… je dirais, moyen-grand. De taille moyenne, quoi…

— Non, Jean-Guy, tu confonds, le grand, c'était Phil, lui qui travaillait au *IGA*.

«Jean-Guy»?... Comment ça, «Jean-Guy»?... Par quel vice diabolique le coiffeur de *Coiffure Jean-Jacques* pouvait-il s'appeler Jean-Guy? Eyrolles était en plein naufrage dans un océan de prénoms à aucun desquels il ne parvenait à se raccrocher. Et maintenant, voilà qu'un Jean-Guy surprise venait reléguer Jean-Jacques au rang de mirage. Jean-Jacques, une valeur sûre, une marque, écrite de manière tangible sur une devanture, Jean-Jacques, un patronyme franc et fier, appris par cœur par Eyrolles lors de ses premières visites, gravé au fer rouge dans sa mémoire récalcitrante. Jean-Jacques n'était plus. On ne pouvait être sûr de rien en ce bas monde!

— Ah oui, c'est ça: Phil. Y était grand, lui, poursuivit donc Jean-Guy.

— Oh, oui, y était grand! Ç'avait pas d'bon sens comme y était grand! confirma sa femme.

— Y était-tu gros, alors?

— Mais voyons don, Jean-Guy, ça se demande pas des affaires de même! Pis çui qu'était gros, tu sais bien, c'était... Comment qu'y s'appelle?

Eyrolles s'efforça de garder son calme.

— Non, Félix, il est très... euh, il est très... ben, il est très... normal.

— Bah non, j'vois pas c'est qui, d'abord.

— Non, désolée.

— Pourtant, il a travaillé assez longtemps au restaurant. Mais il est parti il y a...

— Aaaah ben oui, ça y est, Félix, un Français, hein?

— Oui, oui, c'est ça, c'est mon neveu français, s'enhardit Eyrolles dans un ultime espoir.

— Mais oui, ça y est, je vois très bien. Tu sais, Jocelyne, le Français, là, lui qui fumait ses cigarettes devant le salon, on le voyait tout le temps. Mais ça fait un boutte qu'on l'a pas vu.

— Mais non, Jean-Guy, ça, c'était Mathieu. Mathieu le Français. Oui, ça fait un boutte qu'on l'a pas vu. Y fa trop frette déhors, y doit fumer ses cigarettes en dedans.

Eyrolles jeta l'éponge. Le client d'à côté intervint.

— Moi, je l'ai vu Mathieu, y a pas long.

Eyrolles sentit une porte s'ouvrir.

— Et je peux vous dire qu'y avait pas l'air de filer ben ben. Y était au *Coco Gallo*, là. J'y ai vu parce qu'y était assis à la table du coin, à la fenêtre, et je passais devant pour aller chez ma fille, tsé, ma grande, Denise, elle qui habite sur Christophe-Colomb. Mais lui, y m'a pas vu parce qu'y avait des larmes plein la face.

— Ben voyons! Y braillait-tu?

— Oh oui, y braillait!

— Ah ouain?… Ça fait assez drôle d'imaginer un grand gars comme ça en train de brailler!

— Oh, oui, lui aussi y était grand, mais pas comme Phil.

Eyrolles s'adressa au client d'un air désinvolte.

— C'est vrai qu'on a du mal à l'imaginer en train de pleurer… Je le connais un peu, Mathieu: c'était un ami de mon neveu. Ça remonte à quand votre histoire?

— Attends voir… Gard', c'est facile parce que c'est le jour où que Denise elle avait son party de Noël de la job. Faque c'était pas cette semaine, c'était la semaine d'avant. Oui, c'était le vendredi de la semaine dernière…

— Ah! C'est récent, alors. J'espère qu'il a pas de problèmes, conclut Eyrolles d'un ton paternel.

Il était venu pêcher le Félix, la Claire ou le Brahim; il avait attrapé un Mathieu. Ce n'était pas vraiment ce qu'il cherchait, mais au moins, cette fois-ci, il ne repartait pas bredouille. L'honneur halieutique était sauf. Il sortit pimpant et odorant des mains de Jean-Guy – le coiffeur de *Coiffure Jean-Jacques*! – et mit le cap, un bloc plus loin, sur le *Coco Gallo*.

Il y avait un peu d'attente, mais moins qu'à *L'Eggzotique* deux heures plus tôt. Il s'inséra dans la file, l'air soucieux, patienta un bon quart d'heure dehors, puis à nouveau dix minutes dedans. Il attendait que se libère la table du coin, la table qu'avait occupée Mathieu une semaine auparavant. Il commanda un café et un pain doré. Il se fit violence encore une éternité, jusqu'à ce que la serveuse lui apporte son assiette, avant de lui poser la question.

Il sortit du *Coco Gallo* deux minutes plus tard en laissant un large pourboire et un pain doré vaguement picoré. Au bout du compte, il avait attendu près de trois quarts d'heure pour une information qui tenait en une phrase, quelques mots seulement. Mais ça en avait valu la peine. Par contre, il avait complètement épuisé son capital patience, et il marchait à grandes enjambées afin d'arriver le plus vite possible chez Marie-Ève et JB.

La serveuse du *Coco Gallo* avait travaillé le vendredi de la semaine précédente – le jour du crime – et elle se souvenait d'avoir servi un jeune homme qui avait l'air triste. Un Français. Il avait passé un long moment au téléphone, et elle était venue lui proposer du café plusieurs fois sans qu'il prenne conscience de sa présence. Quand elle lui avait apporté l'addition, elle s'était aperçue qu'il pleurait... Il était parti aux alentours de 2 heures et quelques. Elle était sûre de l'heure: c'était l'un de ses derniers clients et elle était partie à 2 heures 30. Juste avant de s'en aller, Eyrolles avait demandé une dernière faveur à la serveuse.

— Qu'est-ce qu'on voit par la fenêtre?

— Qu'est-ce qu'on voit?

— Oui, est-ce que vous pouvez me dire tout ce que vous voyez d'ici ?

— Bon, je vois des chars, des gens qui marchent, je vois la rue Christophe-Colomb, le spa en face… Pis… de l'autre côté, y a le magasin de copies, le centre de beauté… Au fond, on voit le monde qui attend devant l'entrée de *L'Eggzotique*… Pis…

— Merci beaucoup.

∗ ∗ ∗

Tao regarda Jade Tremblay s'en aller en sentant des émotions contradictoires qui s'agitaient en lui. Il réalisa en se retrouvant seul que l'ancienne serveuse de *L'Eggzotique* l'avait sacrément remué…

Contrairement à Eyrolles, qui mettait quinze phrases pour exprimer une idée, et encore, quand il exprimait une idée, c'était qu'il voulait dire le contraire… bref, contrairement à Eyrolles, Jade parlait la même langue que Tao. Ils s'étaient immédiatement compris. Parfaitement entendus. Ils avaient communiqué sans la moindre ambiguïté, sans méprise, sans effort. Tao avait même parlé de lui, ce qui d'habitude ne lui arrivait jamais pendant les entrevues. Lorsque Jade l'avait interrogé sur son prénom, il lui avait expliqué tout naturellement que « Tao » était un pseudonyme, un nom de plume. Que c'était en hommage à un autre Tao, un gars qu'il avait rencontré pendant son voyage en Asie. Jade aussi était allée en Asie ! Alors Tao s'était fait une joie d'évoquer ce fameux voyage, purgatif et fondateur, qui lui avait permis de faire le deuil de son père et de trouver sa vocation de journaliste. Enfin, Tao avait parlé de son vrai prénom, William, qu'il détestait. Et il s'était arrêté juste avant d'aborder le dossier « Francis ».

Il était incapable d'expliquer de manière rationnelle pourquoi Jade et lui s'étaient si bien compris. Peut-être parce qu'ils avaient à peu près le même âge, peut-être parce qu'elle était homosexuelle, elle aussi, peut-être parce qu'ils avaient les mêmes goûts vestimentaires tous les deux… Et peut-être pas. Il connaissait pas mal d'homosexuels de son âge qui s'habillaient comme lui et avec qui il ne s'entendait pas aussi bien. Voire pas du tout. C'était donc autre chose. Peut-être les hormones… Peut-être les gènes… Il ne savait pas, mais, en tout cas, il était triste de la voir partir comme ça. Il aurait aimé rester avec elle. Il était peut-être en train de laisser partir sa meilleure amie.

Et ce qui le rendait bizarre, enfin, c'était ce qu'elle lui avait dit à son tour. Elle avait dû porter ça longtemps en elle, comme à bout de bras, parce qu'une fois qu'elle avait commencé à parler, tout était sorti d'une traite. Il en était resté abasourdi. Elle avait lâché du stock. Du méchant stock! Et du stock qui n'était pas sans conséquence.

La première conséquence, c'était qu'avec le témoignage de Jade, il tenait un article. Ça ne faisait aucun doute. Mais il n'y avait pas d'urgence. Tao pouvait se le garder pour plus tard. Pour un jour de disette. Ou pour une grande enquête: avec un peu de patience et de recherches, le simple article pouvait se transformer en gros dossier…

La deuxième conséquence, c'était qu'Eyrolles avait raison. Il avait raison de penser qu'il fallait chercher du côté des anciens.

La troisième conséquence, c'était qu'il allait devoir rencontrer à nouveau les employés de *L'Eggzotique*, anciens comme actuels.

La dernière conséquence, enfin, celle qui le rendait peut-être le plus mal à l'aise, c'était que… Oui, la plongeuse était peut-être bien innocente.

✳ ✳ ✳

Eyrolles ouvrit violemment la porte de l'appartement, il se rua à l'intérieur sans enlever ses bottes, ni son bonnet, ni sa veste, ni rien. Ce n'est qu'après être arrivé dans sa chambre et avoir ouvert son ordinateur qu'il retira ses gants, parce qu'ils l'empêchaient de taper sur le clavier. C'était officiel, son capital patience avait été mis à sec et il n'était plus capable de tolérer le moindre ralentissement. Il savait que Mathieu se trouvait à proximité de *L'Eggzotique* au moment du crime et il voulait savoir pourquoi il ne l'avait pas su plus tôt. Il ouvrit son tableau Excel nommé «synthèse employés», regarda la ligne «Mathieu», la colonne «Alibi». Au croisement des deux se pavanait un beau «oui». Putain!… Qu'est-ce que ce «oui» foutait là alors que Mathieu avait été vu dans le quartier par deux témoins juste avant que Carmen Medeiros se fasse poignarder?! Il fouilla frénétiquement dans les documents de Tao, s'énerva parce que c'était mal écrit et qu'avec sa loupe il avait du mal à lire. Puis il exhuma enfin une feuille et la scruta à toute vitesse. Dans la déposition de la police, il était indiqué que Mathieu Camaret était parti de Montréal le vendredi 20 décembre à 13 heures 30 avec trois covoitureurs en direction de Tadoussac, où il était arrivé le soir même. Eyrolles resta un instant sans rien faire puis il balança toutes les feuilles dans les airs et gémit un long «putain» lancinant en voix de fausset. Les feuilles tombèrent un peu partout dans la chambre. Quand le silence et les feuilles furent complètement retombés, il conclut, très doucement cette fois-ci, avec un petit «merde».

Il tâcha de se calmer en pensant à des techniques de yoga. Ujjayi. Sa respiration se fit plus lente et plus bruyante. Après quelques cycles d'inspiration-expiration, il eut une idée. Il allait faire appel à son meilleur indic, le délateur zélé, le roi du potin, le concierge universel à qui nulle donnée, la plus intime soit-elle, n'échappe: Facebook.

Il tapa Mathieu Camaret dans la zone de recherche du site. Deux jeunes hommes musclés et souriants apparurent. L'un d'entre eux était en train de faire du voilier en Martinique, il cliqua sur l'autre. L'autre Mathieu Camaret était un «Homme», actuellement à «Tadoussac», il travaillait à «Woofing Auberge de Jeunesse», avait travaillé à «Eggzotique», habitait à «Montréal» et sa situation était «célibataire». Eyrolles se dit qu'il y avait comme une petite chance qu'il s'agisse du bon Mathieu Camaret. Il poursuivit sa lente et bruyante respiration de yogi et demanda à son fidèle concierge universel si, par hasard, il n'aurait pas deux ou trois informations supplémentaires sur Mathieu Camaret. Ça tombait bien: justement, le concierge en avait.

Il commença par lui montrer quelques photos de lui: portrait souriant, portrait faussement en colère, portrait en dormant, portrait bourré, portrait enfant, portrait récent, portrait seul, portrait accompagné. Ensuite, il lui donna un aperçu de ses nombreux amis.

Après quoi vinrent les lieux qu'il appréciait et où il était allé. Puis ses sportifs préférés, ses films, ses livres, ses émissions de télé, ses jeux préférés... Enfin, il y avait un florilège de choses diverses que Mathieu Camaret aimait, parmi lesquelles, le site de covoiturage CoVoit.org. Non, vraiment, ça ne faisait aucun doute, ce concierge-là était de loin le meilleur de l'ouest !

Eyrolles se dirigea à grands clics sur ledit site de covoiturage. Il dut créer un compte et prendre le temps de comprendre comment l'interface fonctionnait. Puis il chercha les départs pour Tadoussac. Il y en avait un pour le lendemain dans lequel il restait deux places. Il afficha le calendrier et cliqua sur le vendredi 20 décembre. Il y avait eu trois départs le 20 décembre : l'un à 7 heures 30 du matin, l'autre à 9 heures et le dernier à 13 heures 30. Il choisit le dernier et découvrit avec un léger frisson que l'automobiliste s'appelait « Mat38 ». Le véhicule était de type « minivan » et les réservations étaient « terminées ». Il sélectionna « Mat38 ». Il n'y avait à peu près aucune information dans le profil, mais un lien conduisait à ses « dernières évaluations ». Clic. Trois commentaires s'affichèrent concernant le trajet du vendredi.

Le premier, posté le soir même du trajet, donnait quatre étoiles sur cinq et disait sobrement « OK ».

Le second avait été écrit le lendemain en fin d'après-midi, ne donnait que trois étoiles, mais compensait en disant : « En retard au départ, mais à l'heure à l'arrivée ! »

Le dernier, enfin, datait également du lendemain après-midi, mais il donnait uniquement deux étoiles en s'indignant : « Plus d'une heure de retard au rendez-vous !!! »

Eyrolles retourna à la page précédente et vérifia les modalités du rendez-vous. Il s'agissait bien de « 13 heures 30 » à « Métro Jean-Talon ». Il fit un rapide calcul mental. Le métro Jean-Talon était à moins de cinq minutes de route de *L'Eggzotique*.

13 heures 30 + « plus de 1 heure !!! » - 5 minutes = ...

CQFD.

Mathieu était à proximité de *L'Eggzotique* jusqu'à 14 heures 25, au moins.

Il reprit son tableau Excel, suivit la ligne « Mathieu » jusqu'à la case « Alibi » et remplaça le « oui », par un « non ». Quand il appuya sur « Entrée », le nom de « Mathieu » changea de style et apparut soudain en gras.

Eyrolles ne respirait plus du tout comme un yogi. Pourtant, son capital patience n'était pas remonté d'un poil. Il aurait voulu se téléporter à Tadoussac dans la seconde. Il sentit qu'il s'était subrepticement métamorphosé en Eyrolles-la-vérole et que désormais, une seule chose – impérieuse, vitale, suprême – importait : retrouver Mathieu. Il reprit son ordinateur, fit basculer la fenêtre, retomba sur le site de covoiturage, revint à la page du trajet du lendemain pour Tadoussac, et cliqua sur « réserver ».

Il avait déjà donné ses coordonnées bancaires et venait de recevoir un message de confirmation quand JB pénétra dans la chambre en ahanant.

— Boudu con ! Tout va bien ?!… La porte était grande ouverte et il y a des traces de pas dans le salon… Qu'est-ce qui s'est passé ?

Antoine était assis par terre devant son ordinateur avec ses bottes boueuses, sa veste trouée et son bonnet sur la tête, au milieu d'un océan de feuilles éparpillées dans toute la chambre.

— Je… Je suis désolé, j'ai eu… une violente inspiration.

Comme JB restait muet, la bouche entrouverte, et le regardait d'un air médusé, Antoine essaya de l'apaiser.

— JB, ça te dirait d'aller à Tadoussac avec moi demain ? Il reste une place…

Dimanche 29 décembre

Tao se leva tôt, plein d'énergie, alluma sa télé, son ordinateur, ouvrit ses rideaux. Sa journée de congé, la veille, l'avait regonflé. Il avait fait le plein de sommeil et d'ardeur. Et il pouvait enfin avoir des idées claires, ce qui ne lui était pas arrivé depuis une éternité. Il décida d'aller en avance au *Journal*.

Il partit à pied sous un beau ciel bleu. La ville entière vibrait d'une même énergie. Elle interprétait une chorégraphie maintes fois répétée, maîtrisée sur le bout des doigts : le Prélude au Travail. Tao se coula dans le flot. Il profita du trajet pour s'acheter un café et pour prémâcher son article dans sa tête. Après ça, il n'aurait plus qu'à s'asseoir et à écrire.

Au *Journal*, ce n'était pas forcément bien vu d'être au bureau. « Le bureau d'un journaliste, c'est le terrain. » Tao l'avait entendu suffisamment souvent pour ne venir qu'en cas d'obligation absolue. Mais chaque fois qu'il pénétrait dans la salle de rédaction, il était envahi par les mêmes sentiments : le bonheur et la fierté.

Il s'assit devant une longue table près d'un calorifère et sortit son matériel. Téléphone à gauche, café à droite, et, entre les deux, son ordinateur : la Sainte Trinité. Puis il se mit à écrire.

Qui, quand, quoi, où, comment, pourquoi. Tao avait acquis un savoir-faire incontestable depuis qu'il travaillait au *Journal*. Une efficacité, une concision. Une clarté dans sa manière de s'exprimer qui avait fini par s'imposer aussi dans sa manière de réfléchir.

Sujet, verbe, complément. Ses doigts pianotaient avec assurance. Quand on dispose de trois cents mots pour relater un événement, on n'a pas la place de parler pour ne rien dire. On doit hiérarchiser les informations. Élaguer les phrases. On trace une ligne droite entre les faits et le lecteur.

Et quand on travaille constamment dans l'urgence, on apprend à écrire vite. À réfléchir vite. Et à agir. Sans revenir en arrière. Il mesurait le chemin qu'il avait parcouru depuis ses débuts au *Journal*. À vrai dire, il y avait plus appris en quelques mois que pendant ses trois longues années d'études.

On pouvait bien critiquer *Le Journal de Montréal,* Tao s'en foutait. D'accord, il devait se montrer docile. D'accord, il ne pouvait pas toujours écrire ce qu'il voulait. Mais, quoi qu'on dise, ici au moins on travaillait. Parmi ses anciens camarades – parmi tous les contempteurs professionnels du *Journal* –, combien étaient devenus journalistes ? Aucun ! Ils avaient tous bifurqué vers la publicité ou la communication. Est-ce qu'ils étaient moins dociles là-bas, plus libres de ce qu'ils faisaient ?

Tao, lui, avait persévéré. Il savait qu'il y avait peu de places, et il avait tout fait pour mériter la sienne, aussi inconfortable soit-elle. Il avait dû faire ses preuves. On l'avait envoyé sur tous les fronts, à toutes les heures de la journée et de la nuit. Il avait appris à se montrer flexible, mais rigoureux, opiniâtre, mais charmeur. Et après neuf mois de missions partout au Québec, neuf mois d'urgence, neuf mois d'articles quotidiens, il avait le sentiment d'avoir réussi sa probation.

Désormais, il comprenait les rouages. Il sentait les bons articles. Il savait susciter les informations. Et il écrivait aussi naturellement qu'il respirait. Désormais, il savait également qu'il aimait ce métier plus que tout. Il aimait le rythme trépidant de l'actualité. C'était comme un feuilleton qui existait depuis la nuit des temps et qui ne s'arrêterait jamais. Un feuilleton qu'il participait à écrire… Mais surtout, il ne se lassait pas de rencontrer toujours de nouvelles personnes, de découvrir sans cesse de nouveaux horizons. Ça lui donnait enfin le sentiment de vivre, de s'imbiber du monde. Comme lors de son voyage en Asie. Oui, le journalisme, c'était un voyage permanent. Et Tao ne savait jamais à l'avance où le voyage le conduirait.

* * *

Bizarrement, ça ne lui avait pas dit, au Djibi, d'aller à Tadoussac. Quand on a des enfants, on ne peut pas décider de partir, comme ça, du jour au lendemain, à huit cents bornes, boudu con! Antoine lui avait fait remarquer que justement il n'avait pas les enfants jusqu'à la fin de la semaine suivante. Mais non, impossible : JB avait son boulot, il avait Marie-Ève, et il ne pouvait tout simplement pas mener la vie de bohème d'un gamin de vingt ans. Antoine Eyrolles, bohémien de vingt ans, n'avait pas insisté.

Il regardait par la vitre de la voiture et il sentait grandir une onde de plaisir et de libération à mesure qu'il s'éloignait de la ville. Ce n'était pourtant pas un spectacle spécialement réjouissant. Il eut tout d'abord droit à un interminable défilé de centres commerciaux qui s'enchaînaient les uns aux autres, inlassablement. Partout du béton, du pratique, de l'efficace, des empilements de rectangles recouverts de panneaux lumineux et de slogans racoleurs. Pas une goutte de vie, pas une trace de beauté. Même la neige semblait avoir perdu sa candeur et son enchantement dans ce paysage grisâtre.

Puis, les centres commerciaux s'espacèrent peu à peu pour laisser place à une longue route rectiligne bordée d'arbres. À intervalles réguliers toutefois, un condensé de civilisation jaillissait soudain, comme une piqûre de rappel, et une poignée d'entrepôts venait se jucher sur une terre défrichée au milieu de rien. Juste de quoi ravitailler les hommes en café et leur monture en essence. Et pour ce faire, toujours les mêmes enseignes : *Tim Hortons*, *McDonald's*, *Petro-Canada*... Dans l'ordre ou le désordre, tel était le tiercé gagnant. Au bout d'un moment, Eyrolles se demanda s'il n'aurait pas eu droit à plus de variété en Corée du Nord. À chaque nouvelle étape, c'était les mêmes décorations normalisées, les mêmes menus standards, la même absence de surprise ou de nouveauté. Il était possible de faire des centaines de kilomètres et de retrouver à l'identique ce que l'on avait chez soi.

L'affaire de *L'Eggzotique* lui revenait régulièrement à l'esprit. Pour la centième fois, il passait les différents éléments du dossier en revue. L'homme descendait peut-être du singe, mais Eyrolles, lui, se sentait plus proche du ruminant. Il avait besoin de penser, penser encore et repenser encore les choses avant de les comprendre vraiment. Il devait ruminer interminablement les mêmes réflexions avant de les rendre digestes et de pouvoir enfin les assimiler.

Et justement, avec le recul, les événements prenaient soudain une perspective nouvelle. La digestion semblait imminente. Il songea aux entrevues avec Tao, à Reggie, à Claire, aux coupures de presse, aux procès-verbaux, à Mike, aux commérages chez *Coiffure Jean-Jacques*, à Mathieu... Il planta sa main sur sa tempe droite et se concentra intensément. Puis son visage se décomposa tout à coup, ses sourcils s'incrustèrent en haut de son front et son poing se serra violemment.

Bon sang, mais c'est... Bien sûr!!! Il avait enfin compris. Évidemment!...

Jean-Jacques: c'était le nom de l'orignal!

Il repensa à la physionomie affable de l'animal empaillé dans le salon de coiffure et écarta les derniers doutes possibles: cet orignal avait incontestablement une tête à s'appeler Jean-Jacques!

＊ ＊ ＊

Tao était au *Journal* depuis trois bonnes heures quand son boss arriva en tétant son café, les paupières vacillantes. Il lui laissa une petite demi-heure, le temps de se réveiller avec la lecture de ses courriels et des comptes rendus sportifs. Puis il lui envoya son article en guettant sa réaction du coin de l'œil. Il n'était pas inquiet. Au contraire, il l'avait écrit dans le plus pur style *Journal de Montréal*, il savait que ça

passerait sans problème. Il attendit de voir une infime lueur d'approbation traverser le visage inerte de son chef. Après quoi, il vint lui
proposer son sujet.

Oui, concédèrent les paupières vacillantes en se levant mollement,
le *Journal* pourrait être intéressé par l'idée d'une série sur des restau-
rants-voyous. D'une part, il serait assez facile de trouver des dysfonc-
tionnements dans n'importe quel boui-boui à kebabs ou à burgers
halal. Ils pullulaient à tout bout de champ et souvent au mépris des
réglementations élémentaires. Le visage ridé s'orna d'une moue de
dégoût. D'autre part, le restaurant était une institution : tout le monde
(tous les lecteurs du *Journal*) allait au restaurant. C'était donc un sujet
susceptible de toucher tout le monde (tous les lecteurs). La bouche
lasse sourit presque. En revanche, il fallait se focaliser avant tout sur
les cas dans lesquels le client (le lecteur) était victime plutôt que l'employé (qui n'est pas forcément lecteur). Par exemple, les problèmes
d'hygiène. Ou alors les cas où le restaurateur n'émettait pas de facture
et gardait dans sa poche les taxes payées par les clients. Comme si on
ne payait pas déjà assez de taxes ! Ça, ça susciterait l'indignation (et les
ventes) ! Pendant une fraction de seconde, toute la physionomie du
chef fut secouée d'un spasme nerveux. Puis elle revint – affligée et
fourbue – à la normale. Bref, si Tao voulait faire un article sur un
employé floué, pourquoi pas, mais il faudrait que ce soit vraiment
spectaculaire.

Tao dit « oui, oui » d'abord, « merci beaucoup » ensuite, et il réfléchit après. Est-ce que son cas était vraiment spectaculaire ? Oui, il
l'était. Mais s'il attendait encore, ça pourrait le devenir davantage : qui
vole un œuf vole un bœuf… De toute façon, ce qu'il voulait dans l'immédiat, il l'avait obtenu : un alibi pour mener son enquête.

* * *

À mesure qu'elle s'éloignait des villes et de leurs codes, la route per-
dait de sa raideur. Elle avait la tête ailleurs, regardait le paysage et en
oubliait de se tenir droite. Elle esquissa des courbes légères, puis de

plus en plus prononcées. Dans un même temps, le fleuve se mit à s'étirer comme s'il se réveillait lentement et qu'il abandonnait un lit défait pour aller jouer dans la mer. Peu à peu, tout sembla sujet à une émancipation jouissive. La route devenait toujours plus imprévisible, montant soudainement pour replonger de plus belle, traversant de sombres forêts d'où jaillissait parfois la tache claire d'un lac gelé. Et Eyrolles se laissa littéralement contaminer par ce mouvement libérateur. D'abord, il observa ses pensées se dénouer toutes seules. Puis il se mit à fourmiller d'envies et de projets. Bientôt, il ne tint plus en place : dans son rétroviseur, le conducteur de la voiture le vit gigoter sur la banquette arrière comme un enfant qui part en colonies de vacances.

Quand ils arrivèrent à Baie-Sainte-Catherine pour prendre le traversier, il était en pleine exaltation et il était persuadé d'avoir changé de continent. Huit cents bornes, JB avait un peu exagéré. C'était moins que ça. Mais ça paraissait dix fois plus ! Tout lui semblait différent. Les odeurs, l'air, l'humidité, le vent, le froid… Il bondit sur le pont supérieur du bateau et s'accouda au bastingage. À côté de lui, un père de famille faisait la visite guidée de la côte à ses deux enfants. Les enfants avaient envie de rentrer dans la voiture, mais Eyrolles était captivé. Lorsque le père annonça un iceberg, il tourna promptement la tête et vit en effet une grosse tache, fluctuante. Puis un phoque fut signalé et il vit en effet une petite tache, fluctuante. Le père commentait, Eyrolles regardait, dans la mauvaise direction, ébahi. Mais, à son grand désespoir, les enfants avaient vraiment trop froid et leur père dut avorter la visite guidée pour les raccompagner dans la voiture. Lui, il ne se dégonfla pas et poursuivit avec ses propres commentaires. Dans la tache fugace, à bâbord, il devina un castor. Dans celle droit devant, un béluga. Puis un autre, à tribord. Encore un ! Et puis une famille entière. Cent bélugas qui sautaient dans les airs !… Et là-bas, de l'autre côté, est-ce que ce n'était pas ?… Mais si ! Une baleine ! Et là, un cachalot ! Là-bas, un ours ! Un carcajou ! Un grizzly !!!… Eyrolles jubilait, zigzaguant d'un bout à l'autre du pont, regardant de toutes parts avec émerveillement. Une fois de l'autre côté du fjord, il aperçut un truc bizarre et il se demanda s'ils étaient encore loin du pôle Nord…

L'auberge se trouvait deux cents mètres après l'arrivée du traversier. Deux cents mètres plus près du pôle.

* * *

confirm eggzo-OK
mails resa-OK
proposition J^al^-OK
rdv ecoquartier-OK
tel maman-OK...

La liste des choses à faire était presque intégralement rayée. Une seule ligne avait échappé au trait horizontal. Tao regarda son téléphone. Il n'avait toujours pas de réponse du Redresseur de Torts anonyme. Il fallait frapper plus fort. Il opta pour le bluff et l'intimidation. Ce n'était pas dans ses manières habituelles et il dut faire un petit effort. Il écrivit même un brouillon et utilisa deux fois le dictionnaire.

à 17:49, tao.bilodeau@lejournaldemontreal.com a écrit :

Dissimuler des informations relatives à des activités criminelles est passible de poursuites pouvant aller jusqu'à de l'emprisonnement dans le cas d'un homicide.
Je ne sais pas ce que tu sais. Mais je peux te dénoncer et la police finira tôt ou tard par te retrouver.
Si tu me dis ce que tu sais, je te promets un respect absolu de ton anonymat et de la confidentialité de nos échanges conformément à la loi sur le respect des sources dans le journalisme.
Si c'est la police qui te retrouve, je te promets de faire un article sur toi et sur ta tentative de dissimulation.

À toi de choisir.

* * *

Il était plus de 6 heures quand Eyrolles entra dans l'auberge. Il régnait une ambiance douillette et studieuse. Deux personnes lisaient sur des canapés, deux autres jouaient silencieusement aux échecs, un barbu faisait un solitaire sur l'un des ordinateurs communs. Eyrolles eut le temps de faire un tour dans le salon et de savourer le doux fumet émanant de la cuisine avant que quelqu'un vienne s'occuper de lui.

On lui expliqua le fonctionnement de l'auberge, les bottes dans l'entrée, la buanderie en bas, le déjeuner du matin, la balade de Coco l'après-midi, le coup de main pour la vaisselle le soir et la literie dans la chute à draps en partant. Il réussit à obtenir une chambre pour lui tout seul, mais il fut prévenu qu'il faudrait la partager le soir du 31.

La large bâtisse en bois comprenait également une cuisine collective et un bar qui partageait l'entrée de l'auberge, mais qui se trouvait dans un bâtiment mitoyen. Eyrolles emprunta le large escalier central et monta vers sa chambre, à l'étage. Les capacités d'hébergement semblaient importantes. Mais la période était creuse et l'activité, au ralenti. Il régnait même une intimité qui donnait à la maisonnée un côté familial. Il y avait quatre lits dans sa chambre. Il déposa ses affaires sur l'un et se déposa lui-même sur un autre. Il entendit distinctement la corne de brume du traversier suivie d'un lointain fracas métallique. Le voyage l'avait fatigué. Mais il ne voulait pas s'endormir, juste s'étendre un peu.

Il mit ses écouteurs et écouta pour la centième fois les enregistrements des entrevues de Tao. Il choisit son préféré, celui avec Reggie, et appuya sur «lecture». Aussitôt, la voix rocailleuse se mit à parler. Toussoter. Rire nerveusement. Mentir et faire des confidences, alternativement. Il connaissait la plupart des répliques par cœur et n'écoutait plus les paroles depuis longtemps. Il écoutait la musique.

Ce qui ressortait à l'écoute de cette voix, c'était la gentillesse. Une gentillesse profonde, inaliénable. Mais une gentillesse contrariée. Comme si elle n'avait pas les moyens de s'exprimer… Eyrolles entendit le galop du chat sur le plancher. Puis à nouveau la voix, à nouveau la musique. Malgré le contexte de l'entrevue, il décelait une forme de gaieté dans le timbre de Reggie. Une joie naïve et sincère, ainsi qu'une grande authenticité. Mais la gaieté de Reggie était assombrie par quelque chose. Elle sonnait comme une petite fille qui n'ose pas se laisser aller complètement à son entrain. Une petite fille qui rit, mais qui jette en même temps un regard craintif au-dessus de son épaule pour voir si elle n'est pas sur le point de prendre une gifle.

Plus Eyrolles écoutait la voix, mieux il distinguait l'ombre. L'ombre de la gifle et l'ombre de celui qui la donne. Il écouta, écouta, jusqu'à ne plus entendre la voix. En ne distinguant plus que l'ombre, il reconnaîtrait peut-être enfin à qui elle appartenait.

* * *

à 18:17, anonymus99999998@gmail.com a écrit :

Je suis à la campagne. Je reviens à Montréal le 1er janvier. On peut se voir à mon retour.

Tao avait reçu la réponse du chevalier anonyme pendant qu'il était en entrevue avec Alex, le chef cuistot, et son cerveau avait alors dû se scinder en deux. Une partie écoutait Alex dire du mal de ses collègues en ayant l'air de faire des compliments, l'autre partie analysait ce bref message. Celui-ci le plongeait dans un mélange de satisfaction et de circonspection. Il se pouvait qu'Anonymus essaie de jouer la montre, de répondre au bluff par le bluff en donnant un rendez-vous trois jours plus tard. Mais pour quoi faire, d'abord?... Préparer ses arrières? Se renseigner sur les menaces de Tao? Quitter le territoire?... Il était aussi très possible qu'il dise simplement la vérité. Après tout, beaucoup de monde – d'ailleurs même Alex – partait de Montréal pour le jour de l'An. C'était donc crédible.

L'interlocuteur de Tao acheva son long catalogue de récriminations contre les serveurs en disant qu'il savait que ce n'était pas facile pour eux et qu'il les adorait. Puis il attendit la suite en tripotant nerveusement son téléphone. Tao fit une pause, tripota lui aussi son téléphone par mimétisme, et reprit consciencieusement la liste de ses questions à l'endroit où il s'était arrêté. Quand Alex lui dit qu'il n'avait pas souvenir de problèmes avec des anciens employés, Tao se fit plus insistant. Plus persuasif. Et il fut récompensé de cet effort par une confirmation de ce que Brahim lui avait confié – à demi-mot – une heure plus tôt. Avec même quelques médisances supplémentaires.

* * *

Quand Eyrolles descendit de sa chambre, le fumet s'était épaissi, c'était déjà l'heure du souper. Ça tombait bien, les deux mille kilomètres d'expédition jusqu'au pôle Nord lui avaient creusé l'appétit. Les tables avaient été disposées en L pour accueillir les quinze personnes présentes. Employés, bénévoles et clients mangeaient la même soupe à la même table.

Il s'assit à côté de trois jeunes – une Québécoise et un couple de Français – et en face de deux vieux – un couple de Belges. À côté d'eux, fourchette à la main, patientait Coco, un gars de l'auberge qui s'occupait entre autres de la promenade et de la soupe quotidiennes. Dédé, le patron, devisait en fauteuil roulant entre Coco et Geneviève, la bénévole qui avait accueilli Eyrolles à son arrivée. Enfin, l'extrémité du L était monopolisée par une famille de cinq personnes toutes plus françaises les unes que les autres. À l'autre bout de la table, il restait juste une chaise vide.

La soupe arriva sur une table à roulettes, précédée par des grincements timides et suivie par une odeur veloutée. Une subtile nuance de tabac s'y mêlait. La table à roulettes s'arrêta et la personne qui la poussait annonça fièrement le début du repas. Derrière ses lunettes, Eyrolles n'eut pas besoin d'ouvrir les yeux. Au son de cette voix assurée, contente d'elle-même, à cet accent lyonnais verni de québécois, à cette lourdeur confiante du pas qui s'était arrêté près de lui, il sut qu'il avait trouvé Mathieu.

* * *

Tao avait réussi à rencontrer une bonne partie des employés actuels de *L'Eggzotique*, seuls Gabriel, Jonathan et Sandra n'avaient pas répondu à ses invitations. Il avait profité de leur sortie progressive du travail pour les écouter les uns après les autres. Avec l'assassinat de Carmen et le suicide de Reggie, le contexte était très particulier et avait provoqué des réactions opposées. Soit, à l'instar de Claire, Alex ou Kiko, ses interlocuteurs s'étaient ouverts avec une rare sincérité et avaient dit tout ce qu'ils savaient sans la moindre retenue. Soit, comme Odile ou Brahim, ils s'étaient refermés comme des huîtres.

Néanmoins, Tao avait pu faire émerger des caractéristiques récurrentes dans le fonctionnement actuel de *L'Eggzotique*. Il avait, par exemple, remarqué que le départ d'un employé s'accompagnait à peu près toujours de problèmes. Et, bizarrement, les autres employés ne parlaient jamais de ces problèmes entre eux. Ça restait toujours dans le bureau, entre les boss et l'ex-employé. Tout ce qu'on savait c'était que celui-ci devait revenir plusieurs fois au restaurant pour récupérer sa dernière paye. Car chaque fois qu'il apparaissait, les boss disparaissaient. Ou alors ils étaient occupés. Ou alors l'imprimante ne marchait plus et ils n'avaient pas pu imprimer la paye. Dans tous les cas, il devait revenir. Plus tard. Et revenir encore. Et encore. Jusqu'à ce qu'il se lasse et qu'il abandonne sa dernière paye. Ou qu'il fasse des complications.

Il y avait eu deux « complications » dans les dernières semaines. La première concernait un plongeur qui travaillait les fins de semaine. Il s'appelait Eduardo, venait de République dominicaine et ne parlait ni anglais ni français. La communication avec le reste de l'équipe avait donc été très limitée. Seuls les patrons, tous les deux également polyglottes, et Kiko, qui était colombien, allaient au-delà du « un café por favor » qu'il quémandait deux fois par jour. Eduardo avait travaillé plusieurs mois à *L'Eggzotique*. Et, du jour au lendemain, il n'y avait plus eu de « un café por favor » : il avait été remplacé. Carmen avait laissé entendre qu'il « volait du pain ». Et on n'avait pas cherché plus loin.

Quand on l'avait vu repasser une ou deux semaines plus tard, et que les patrons étaient brusquement allés s'enfermer dans le bureau pour passer des appels professionnels, on s'était douté que lui aussi venait chercher de l'argent. Et qu'il était quand même un peu gonflé d'ailleurs, après avoir volé du pain, d'oser revenir demander sa paye. Mais on ne s'était pas douté qu'au bout de sa troisième visite infructueuse, au lieu de repartir à jamais comme les autres, il se mettrait à crier en espagnol dans le restaurant en pleine heure de pointe. C'était Carmen qui travaillait ce jour-là et elle était sortie du bureau comme un diable de sa boîte pour y retourner aussitôt avec Eduardo. Quelques minutes plus tard, celui-ci était sorti avec son argent et son air mauvais. C'était à ce moment-là qu'il avait lâché son injure avec dans la même phrase les mots « Carmen » et « muerte ». Toute la cuisine l'avait clairement entendu. Et Odile aussi. Puis il s'en était allé et il n'était jamais revenu depuis. En tout cas, on ne l'avait jamais revu.

Tao savait qu'une bonne partie des employés de *L'Eggzotique*, et des restaurants montréalais d'une manière générale, étaient des précaires. Beaucoup d'immigrés, particulièrement en cuisine, là où on ne les voit pas, avec des visas plus ou moins à jour, une maîtrise du français et de l'anglais plus ou moins catastrophique et une connaissance des droits du travail plus ou moins nulle. Pour un Eduardo qui osait crier, combien se taisaient de peur d'attirer l'attention ? Et que se passait-il quand un travailleur précaire devait se taire et laisser une injustice bouillir au fond de lui sans avoir la possibilité de la réparer ?…

Mais la deuxième complication tracassait encore plus Tao. Et c'était une situation où la personne n'avait aucun problème pour s'exprimer.

$$* * *$$

— Faque c'est ça, une fois que j'ai fait assez d'argent avec la cueillette, je pars en road trip sur la côte et je descends jusqu'à ce que la van lâche. Ce sera peut-être à L.A., ce sera peut-être au Mexique. Pis si la van roule toujours, je la donnerai à un paysan au Salvador, et après je continuerai en backpack parce que ça passe pas par voie routière…

Eyrolles avait remarqué que les Français installés au Québec avaient globalement deux façons de s'adapter à la langue. Soit ils demeuraient complètement imperméables et, comme JB, se contentaient d'intégrer dans leur vocabulaire quelques mots ou quelques expressions locales qu'ils prononçaient avec leur accent d'origine même après quinze ans d'expatriation. Soit, au bout de quinze jours, ils parlaient comme des Québécois. Mathieu appartenait apparemment à une catégorie intermédiaire. Son accent lyonnais ressortait malgré lui à chaque coin de phrase. Mais il avait pris des intonations québécoises qui lui donnaient des mouvances inattendues. Et surtout, il prenait une jubilation évidente à parler sans cesse de « sa » van, et de « sa » job, et à bien montrer qu'il connaissait la langue locale sur le boutte des doigts.

À table, une séparation générationnelle s'était opérée naturellement. Eyrolles, qui se prétendait entre deux âges, était donc aussi entre deux conversations. Il badinait avec les vieux d'un air décontracté. Mais en même temps, il écoutait de toutes ses forces ce que disait Mathieu. Celui-ci était en grande discussion avec les trois jeunes, ou plutôt en grand monologue devant les deux filles, qui ponctuaient tour à tour ses récits de « trop bien » et de « c'est don ben hot ».

Eyrolles connaissait l'onglet Mathieu de son tableau Excel par cœur. Il pouvait donc s'adonner en toute liberté au jeu des sept différences entre Mathieu-Excel et Mathieu-le-vrai. Grâce à son concierge universel, élu récemment meilleur investigateur de tous les temps, il avait pu ajouter plein de nouvelles cellules avant de partir, plein de miel dans sa ruche. Et la ruche était formelle : Mathieu était arrivé au mois de juillet au Québec, juste après avoir obtenu sa licence d'éducateur sportif à l'université de Grenoble. Il était donc au Canada depuis moins de six mois. À l'entendre, on avait pourtant l'impression qu'il y avait toujours vécu. Il savait tout sur tout et n'éprouvait absolument aucun scrupule à expliquer à la Québécoise comment fonctionnait son propre pays. Qu'il s'agisse d'une question de météo, de sport, de géographie ou de la répartition des forces cinétiques des barrages hydroélectriques, Mathieu délivrait en moins de trente secondes une réponse exhaustive et définitive.

Eyrolles était mi-séduit, mi-insupporté. Il sentait que quelque chose sonnait faux chez Mathieu. Qu'il en faisait trop. Mais ce qui l'énervait le plus, c'était d'être incapable de savoir si ce qu'il disait était vrai ou faux. Parce que lui, que ce soit en météo, en sport, en géographie ou en barrage, il n'y connaissait rien.

Les vieux Belges demandèrent à Eyrolles ce qu'il venait faire à Tadoussac. Il leur resservit son histoire de roman en prenant soin de ne pas être trop précis. La coupe de cheveux romantico-désinvolte et les lunettes de rock star firent le reste. Mathieu entendit la discussion et renchérit aussitôt.

— Ah ouais, tu écris un roman? C'est cool, moi aussi je vais faire un carnet de voyage. Sous forme de blogue : à chaque lieu, une histoire et une photo…

— Trop bien!…

— C'est don ben hot!

— Oui… C'est une bonne idée… Je serais curieux de lire ça…

En effet, Eyrolles aurait été bien curieux de lire le carnet de voyage de Mathieu. Oh oui! Hélas, l'écrivain-voyageur n'avait prévu de commencer à publier son magistral blogue qu'à partir du moment où il serait vraiment sur la route. C'était donc pour plus tard… «Plus tard» : Eyrolles n'y connaissait peut-être rien dans la plupart des domaines, mais il savait reconnaître les écrivains de salon, ceux qui sont capables de parler pendant des années de ce qu'ils n'écriront jamais. Et il reconnut là l'un de ses pairs.

Mathieu partit dans la cuisine préparer le dessert, ce qui donna à Eyrolles l'impulsion d'aller faire la vaisselle des assiettes et des couverts. Les deux vieux le rejoignirent et ils divisèrent la tâche en trois :

un laveur, un rinceur et un sécheur-rangeur. Eyrolles hérita du poste intermédiaire et laissait couler un filet d'eau continu sur la vaisselle mousseuse en écoutant Mathieu parler de son rôle à l'auberge. Là encore, il donnait l'impression d'y travailler depuis des années, de l'avoir fondée avec Dédé, d'avoir planté lui-même chaque clou de la grande bâtisse.

Il était nourri et logé à l'auberge en échange de quelques heures de travail quotidiennes. Ça pouvait être du bricolage, du nettoyage, de la manutention, ou, comme ce soir, du service. D'ailleurs, ça ne le changeait pas trop. Il avait été serveur.

— Ah oui, serveur?

Eyrolles avait pris l'air le plus naturel qu'il avait pu, mais il s'était mis de l'eau plein la manche à cause de l'émotion. Il fit comme si de rien n'était et passa l'assiette propre au sécheur-rangeur.

— Et tu travaillais dans quel restaurant?

— Oh, j'ai travaillé à plein de places différentes. C'était le fun, mais au bout d'un moment, j'ai été tanné. J'ai eu envie de voyager, de prendre l'air… C'est comme ça… Bon, je vais m'en fumer une petite avant le dessert.

✳ ✳ ✳

Parmi tous ceux qui avaient évoqué la deuxième «complication» à Tao, Claire avait été de loin celle qui avait été la plus précise, la plus diserte, la plus incisive. Par contre, elle n'avait pas été la plus amicale. Pourtant, à l'origine, c'était son ami, Mathieu, non?…

Oui et non. En fait, Mathieu était l'ami de sa sœur. La grande. C'est elle qui avait demandé à Claire si elle pouvait héberger Mathieu quand il arriverait à Montréal. Et c'est pour elle que Claire avait dû supporter la vaisselle sale de Mathieu, la musique forte de Mathieu, l'absence totale de respect des autres de Mathieu et surtout les grands discours sur le respect des autres de ce branleur prétentieux. Il avait mis un mois et demi à se trouver un appartement. Et encore, lui, il n'avait rien fait, c'est son ami Rémi qui s'était occupé de tout. De toute façon, tout lui tombait toujours tout cuit dans le bec. Les apparts, les filles, les jobs. Oui, même la job à *L'Eggzotique*, c'est Claire qui la lui avait trouvée ! Elle s'en était mordu les doigts après. Mais sur ce coup, elle ne pouvait s'en prendre qu'à elle-même.

Au boulot, comme à la maison, Mathieu n'en foutait pas une. Pour parler aux clients, ça, il était bon. Il était même capable de parler pendant des heures. Mais pour nettoyer le restaurant à la fin de la journée, il n'y avait plus personne. Pas de chance, c'est lui qui faisait la fermeture. Du coup, Claire et Odile se retrouvaient avec un restaurant dégueulasse le lendemain matin. Monsieur était trop fatigué d'avoir parlé aux clients pour nettoyer à la fin de son service, alors elles devaient le faire, elles, avant l'ouverture des portes, à 6 heures du matin !

L'une et l'autre avaient rapidement détesté Mathieu. Mais les patrons, eux, l'aimaient bien. Du moins au début. Mike aimait Mathieu parce que les clients l'aimaient et que Mike aimait les clients. Carmen l'aimait, elle, parce qu'elle aimait les gars, surtout quand ils étaient jeunes et beaux. Ce n'est pas que Claire trouvait Mathieu beau. Au contraire, il la dégoûtait avec ses grosses lèvres et tout… Mais les autres, sa sœur, ses copines, sa boss, elles, le trouvaient beau. En tout cas, beau ou pas, ça avait commencé à mal tourner avec les histoires de visa. D'ailleurs, là, Claire avait vraiment été à deux doigts de lui dire ses quatre vérités.

Pour tous les immigrants, la problématique du visa était centrale et Claire n'avait pas échappé à la règle. Ses démarches pour obtenir le sien avaient été longues et fastidieuses. Et stressantes aussi. Parce que sans visa, elle aurait dû quitter son travail. Et surtout, sans visa, elle aurait dû quitter son chéri, québécois, et leurs projets d'installation. Elle avait donc passé des heures à lire des informations sur le site de l'Immigration, puis des heures à écouter des agents du même site lui donner des informations contradictoires, puis à nouveau des heures à découvrir sur les forums des informations encore différentes, mais souvent plus fiables. À force de patience et d'obstination, elle avait fini par recevoir son visa.

Lorsque celui de Mathieu avait été sur le point d'expirer, il avait commencé à s'inquiéter mollement et à se renseigner auprès de Claire. Elle lui avait expliqué ses péripéties et, naturellement, Mathieu s'était dit qu'il lui suffisait de faire la même chose qu'elle puisqu'ils travaillaient au même endroit. Mais ce n'était pas si simple. Le visa de Claire était destiné aux jeunes qui validaient leurs études par un travail à l'étranger. Elle, avec son diplôme en tourisme et communication, ça passait encore. Par contre, valider des études d'éducateur sportif avec un travail de serveur, c'était difficile à justifier. Mais, comme d'habitude, Mathieu s'en foutait. Il avait pris tout le dossier de Claire. Il avait juste changé le nom et la date de naissance, et hop, il s'était attendu à recevoir son visa avec les félicitations du jury.

Claire avait été horripilée d'imaginer que Mathieu allait peut-être obtenir son visa avec si peu d'effort alors qu'elle, elle avait dépensé tant d'énergie. Ça lui aurait semblé la pire injustice. Et elle avait été bien contente quand Carmen avait dit à Mathieu que *L'Eggzotique* n'était pas «l'ambassade de France». Manière de lui dire qu'elle ne voulait pas signer le justificatif indispensable de l'employeur. Mathieu n'avait pas l'habitude de se faire refuser quelque chose. Et c'était à partir de là que ses relations avec les boss s'étaient tendues et qu'il avait décidé de quitter le restaurant. Après, il avait pété sa coche. Comme un enfant gâté qui n'a pas eu son joujou.

Tao relut ses notes. Le pétage de coche s'était passé le jeudi 19 décembre. Le lendemain, Carmen était morte. Certes, il n'y avait pas d'histoire de « muerte » là-dedans. Par contre, le calendrier restait assez troublant. Et suffisamment troublant pour que le journaliste passe par-dessus son amour-propre et qu'après avoir longuement mûri sa décision, il compose le numéro de téléphone d'Antoine Eyrolles.

* * *

Le début de la conversation fut assez balbutiant. Eyrolles avait la bouche pleine et son téléphone captait mal, ce qui ne facilitait pas la communication. Mais surtout, c'était leurs premiers mots depuis leur dispute. La dernière fois qu'ils s'étaient parlé, ça n'avait pas été pour s'échanger des politesses ou des recettes de cuisine. Leurs retrouvailles étaient donc teintées d'une certaine maladresse.

— Euh, je voulais t'informer que j'avais du nouveau sur l'affaire de *L'Eggzotique*, articula bien fort Tao. Je sais pas si ça t'intéresse... euh...

— Eh bien, euh... oui, tout m'intéresse! répondit Eyrolles en avalant sa bouchée.

— Bon, alors parfait...

— Il s'est passé quelque chose de nouveau?

— Non, pas vraiment. Mais... en fait, j'ai plusieurs informations. Euh... Je sais pas trop par quoi commencer...

— Comme tu veux, je t'écoute.

— OK. Alors voilà. J'ai appris qu'il y avait eu des troubles à *L'Eggzotique*, juste avant les faits.

— Ah bon?

— Oui: une altercation entre les patrons et un ancien serveur.

— Ça a été violent?

— Non, pas spécialement violent, mais... vu le contexte, c'est quand même préoccupant.

— Oui, c'est sûr.

— Surtout que là, c'est arrivé la veille du meurtre.

— Qu'est-ce qui s'est passé exactement?

— Un ancien serveur est revenu au restaurant et il a été très agressif avec Carmen.

— Ah oui ?

— Il l'a même insultée. Ensuite, il a littéralement disparu du paysage. Et depuis, pas de nouvelle.

— Et il s'appelle comment cet ancien employé ?

— Il s'appelle Mathieu...

— Mathieu Camaret ? chuchota Eyrolles.

— Oui, c'est ça. T'en as entendu parler ?

— Devine qui est en face de moi.

Eyrolles se tut et Tao entendit derrière une voix masculine à l'accent composite. Ça lui fit un drôle d'effet. Eyrolles reprit la parole et le son de sa voix couvrit celle en arrière-plan. Finalement, ils avaient pas mal de choses à se dire tous les deux. Mais chaque fois qu'un bref silence s'établissait, Tao pouvait entendre cette même voix, au loin, toujours composite, toujours en train de parler. Mathieu se leva finalement, pour débarrasser. Il était aussi bruyant qu'inefficace, et ne prenait jamais plus de deux assiettes à la fois. Eyrolles repensa brièvement à la serveuse – Odile – qui l'avait servi à *L'Eggzotique* et qui était capable de transporter une cuisine complète entre ses dix doigts. Mathieu disparut dans la cuisine et Eyrolles en profita pour parler plus librement à Tao. Il lui fit d'abord une synthèse de ses découvertes. Puis il lui parla de ses premières impressions sur Mathieu. De l'irritation qu'il provoquait. Et de sa confiance en lui qui semblait trop grande pour être complètement crédible.

À son tour, Tao raconta à Eyrolles tout ce qu'il savait. Ou presque. Il ne mentionna pas l'histoire du message anonyme. Ni son rendez-vous avec Jade, sa nouvelle-meilleure-amie-potentielle-ancienne-serveuse-explosive. Ça, il le gardait précieusement pour lui. Il avait encore besoin d'approfondir. Et puis ça lui apprendrait, à Eyrolles, à tout savoir mieux que tout le monde !

— Alors je ne suis plus un estie de fendant ? demanda Eyrolles au moment de raccrocher.

— Oui, mais t'es un estie de fendant qui a de l'intuition.

Eyrolles prit ça comme un compliment. Après avoir raccroché, il fit un petit tour l'air de rien pour savoir où était passé Mathieu. Il le retrouva au bar en train de pérorer devant Sétrobien et Sédonbin-hotte. Il posa sa veste sur une table vide, à proximité. Puis il alla au comptoir commander une bière. La serveuse lui donna simultané-ment la pinte et le prix. Au moment où il sortait son portefeuille pour payer, elle ajouta sèchement : « Et n'oubliez pas le pourboire. »

Il la regarda, stupéfait, bredouilla un brouillon de réplique fou-droyante qui trébucha sur sa langue. Et il n'oublia pas le pourboire. Puis il retourna à sa table afin de noyer son offense dans le houblon. Il entendit alors Mathieu parler d'une fête qui se préparait. Puis son téléphone se mit à vibrer. C'était un message de Tao.

Fais attention quand même :-/

Lundi 30 décembre

Eyrolles ne savait pas exactement ce qu'il cherchait. Il sentait juste qu'il y avait quelque chose à trouver. Il gardait constamment Mathieu dans son radar et se tenait prêt à ferrer la première prise qui se présenterait sous sa ligne.

La matinée s'était déroulée dans la bonne humeur et la convivialité. Les quinze personnes du souper étaient descendues les unes après les autres, parfois en pyjama, prendre leur déjeuner. Geneviève était arrivée la première dans la cuisine et en était ressortie la dernière. Elle avait préparé le café, sorti les confitures et la pâte à crêpes puis elle était restée pour donner les consignes concernant l'utilisation de la cuisinière à gaz et des grosses poêles en fonte. Chacun était passé sous son regard bienveillant. Et, petit à petit, le café avait irradié les organismes, les paupières s'étaient faites plus légères, les langues, plus déliées, et tout ce petit monde avait fini par se réveiller. Dédé s'occupait désormais de ses affaires dans le bureau, Coco jouait au solitaire sur l'ordinateur et Mathieu fumait dehors en expliquant la vie locale à un gars du coin.

En fin de matinée, Eyrolles avait rejoint les Belges pour faire la balade de la presqu'île. C'était une petite boucle facile et sympathique qui offrait quelques points de vue revigorants sur l'entrée du fjord. Eyrolles regrettait juste le côté «visite de musée» du parcours et l'allure clopin-clopante de ses guides. Tout le chemin était parfaitement balisé, impeccablement sécurisé, équipé d'escaliers et de traverses en bois. Mais en plus, il était jalonné de panneaux explicatifs devant chacun desquels Clopin et Clopante faisaient des pauses exclamatives de trois quarts d'heure alors qu'Eyrolles était incapable d'en lire le moindre mot et qu'il devait attendre sur place en se gelant les orteils. «Mon Dieu, la vue est bête!» résuma Clopante en guise de conclusion. Et ce n'était pas Eyrolles qui aurait dit le contraire.

bête (Belgique): extraordinaire
bête (Fr): stupide
bête (Qc): méchant, de mauvaise humeur

Ils rentrèrent juste à temps pour un nouveau festin préparé par Coco, servi par Geneviève, dévoré par Eyrolles et commenté par Mathieu, chacun au sommet de ses talents. Puis toute la petite communauté accusa le coup et le rythme se fit soudain digestif et somnolent.

Le jeune trio se retrouva dans les canapés pour évoquer leur programme des jours à venir. Mathieu les rejoignit peu après en toussotant sa dernière bouffée de cigarette. Il s'affala dans la chaise berçante, les pieds sur la table basse, et leur prodigua des conseils avisés du haut de ses dix jours d'expérience dans la région. Il agrémentait le tout d'anecdotes fabuleuses et de boutades désopilantes. D'ailleurs, quand il se redressa en bougonnant pour imiter Coco, tout le monde rit aux éclats. Tout le monde sauf Eyrolles. Car au même moment, son radar s'était mis à sonner. En effet, il y avait eu un bruit sourd – un bruit de chute – au milieu des rires. Et de là où il se trouvait, il avait même réussi à distinguer une forme sombre tomber de la chaise berçante sur le sol. Ça pouvait être un paquet de cigarettes, ou bien un portefeuille. Quelque chose comme ça. En bon prédateur, Eyrolles feignit de regarder ailleurs, caché dans la brousse de son journal en bâillant de temps à autre. Mais dès que les jeunes se levèrent et que le terrain fut dégagé, il fondit sur sa proie.

L'objet était froid, rectangulaire, sentait le tabac froid et semblait à moitié recouvert de caoutchouc (d'où le bruit sourd). Il était déjà au fond de sa poche, lorsque Eyrolles comprit qu'il s'agissait d'un téléphone. Il posa le journal sur la table basse, s'efforça de garder un pas tranquille et monta droit dans sa chambre. Une fois à l'intérieur, il ferma promptement la porte et examina son larcin.

* * *

Mathieu sortit du bureau de Dédé d'un pas vif.

— Mais où est-ce que je l'ai foutu, ce con ? dit-il en soulevant le journal posé sur la table basse.

— Il est pas en train de charger dans ta chambre ?

— Non, je m'en suis servi tantôt, quand j'étais dehors…

— Ben, va voir dehors, d'abord.

Mathieu mit ses bottes en maugréant.

* * *

L'écran était grand, mais Eyrolles était quand même obligé d'enlever ses lunettes et de le coller contre son visage pour réussir à y voir quelque chose sans sa loupe. Ça puait la cigarette et ça montrait un coucher de soleil informe. Mais surtout, ça demandait un code. Eyrolles pria pour que Mathieu fasse partie de la moitié de la population mondiale qui utilise sa date de naissance comme code secret. Il composa *1, 9, 8, 8*… Le téléphone émit une légère vibration et afficha en gros : code invalide. Raté. Il était sûr que Mathieu était de quatre-vingt-huit. Il essaya néanmoins les années voisines, au cas où. Sans plus de succès. Eyrolles garda son calme et décida d'essayer plutôt avec le jour et le mois de naissance. Mais là, il eut un doute. Était-ce le 7 ou le 17 octobre ? Il essaya *0710*. Puis *1710*. Puis *1007*, puis *1017*, puis il rentra des chiffres au hasard… Toujours rien, merde ! Il posa le téléphone et alluma son ordinateur d'un geste exaspéré. Puis il vérifia les dates de Mathieu dans ses tableaux Excel.

17 juillet ! Putain !!… Il repoussa l'ordinateur et se précipita sur le téléphone pour composer le code magique. Mais… code invalide… ce

n'était toujours pas ça! Il l'essaya dans tous les sens, avec toutes les permutations possibles, avec ou sans l'année… En vain: le coucher de soleil restait impassible, le code restait invalide.

Eyrolles n'en revenait pas: il tenait dans sa main une mine d'informations, il tenait peut-être même la clé de l'affaire. Mais il n'y avait pas accès. Il regarda l'écran d'un air hostile. Sans y croire, sans même y penser, il laissa son index dessiner une forme à l'écran. *7, 4, 1, 5, 3, 6, 9*: un M… les chiffres disparurent et le téléphone se déverrouilla.

* * *

Mathieu enleva ses bottes en parlant tout seul.

— Tabarnouche! Ça commence à me soûler!

— Qu'est-ce qui t'arrive encore? demanda Coco, qui passait par là.

— J'ai perdu mon cell.

— Vous autres, avec vos cells! Vous êtes pas capables de vivre cinq minutes sans?

— Je suis capable! Mais je veux juste le retrouver, dit Mathieu, dépité.

— Bon. C'est quand la dernière fois que tu t'en es servi?

— C'était dehors, tantôt. Mais je viens d'aller voir. Il y est pas. C'est à cause de ce pantalon, dès que je le mets, je perds quelque chose… à cause de ces putains de poches.

Mathieu se remit à fouiner près de la table basse. Coco l'observait avec un regard amusé se mettre à quatre pattes pour scruter sous le canapé.

— T'as-tu essayé d'appeler ton numéro?

* * *

La première chose que fit Eyrolles, le visage toujours collé à l'écran, fut d'aller voir les appels passés. Ce n'était pas exactement la même ergonomie que son propre téléphone et il s'en voulut d'être moins rapide que d'habitude. Mais après quelques hésitations, il réussit à faire défiler la date jusqu'au vendredi 20 décembre. Un appel avait été effectué à 13 heures 54 et avait duré plus de vingt minutes. Il nota le nom du contact, «Isa Bourgoin». Il essaya de voir le numéro de téléphone, mais tout ce qu'il obtint, ce fut un retour au menu principal avec le droit de tout recommencer à zéro. Il avait dû appuyer sur le mauvais bouton. Il pesta et refit défiler jusqu'au 20 décembre. Il aperçut qu'un peu plus tôt, le matin, il y avait eu un appel avec «Mike». Il y avait ensuite deux appels manqués provenant de numéros inconnus. Puis «Isa Bourgoin». Et après, plus rien jusqu'au «Rémi» reçu en début de soirée. Il revint sur «Isa Bourgoin», mais, rien à faire, il n'arrivait pas à voir son numéro…

Le pouce d'Eyrolles tambourina sur le bouton «raccrocher» pour sortir du menu. Puis il fit comparaître les textos. Il commençait à être plus adroit. Pendant que les dates et les noms des contacts correspondants défilaient, une partie de son cerveau s'alluma en remarquant quelque chose. Mais il n'avait pas le temps de réfléchir : il voulait d'abord voir la correspondance de Mathieu le jour du crime. Il reviendrait plus tard à ce quelque chose remarquable. Il arriva rapidement au 20 décembre. Il y avait un texto, reçu le matin d'un numéro inconnu. Mais le nom de «Mike» apparaissait à nouveau, juste au-dessus, et Eyrolles ne résista pas à la tentation de le lire, même si le message datait de la veille. Il le sélectionna et appuya sur «valider». Mike écrivait simplement : «Il faut qu'on parle. Appelle-moi.» Bon. Il quitta le message, revint à la liste, redéroula jusqu'au 20 décembre. Il se demanda un instant s'il n'avait pas appuyé à nouveau sur le mauvais bouton parce qu'au lieu de faire défiler les dates, l'écran devint tout blanc. Puis les mots «Auberge» et «Tadou» s'affichèrent en gros sous les sourcils froncés d'Eyrolles. Et presque instantanément, une musique disco se mit à tonitruer de l'appareil.

« *ha, ha, ha, ha, stayin' alive, stayin' alive…* »

* * *

— Ah, je crois que je l'entends par là! dit Mathieu en sortant du bureau avec Coco.

— J'entends rien, moi. Elle ressemble à quoi, ta sonnerie?

— Attends, chut…

Ils se figèrent tous les deux au milieu du salon. Puis Mathieu se mit soudain en mouvement.

— Par là! s'écria-t-il en s'élançant vers la cage d'escalier.

* * *

Eyrolles plongea le téléphone sous son pull pour étouffer le vacarme. Mais l'appareil vibrait contre sa poitrine comme dans une caisse de résonance et il avait l'impression que toute l'auberge n'entendait que ça. Sans réfléchir, il se rua hors de sa chambre. Il partit vers la gauche, à l'opposé de l'escalier central où tout convergeait. Il avançait à grandes enjambées, sans rien voir devant. Heureusement, le couloir semblait désert. Par contre, l'appareil continuait à hurler dans sa poitrine. Eyrolles le couvait de tout son torse, et marchait de plus en plus vite. Mais soudain une porte s'ouvrit droit devant lui, d'où s'échappa une voix indistincte. Eyrolles fit brutalement demi-tour et repartit aussi sec dans le sens inverse. Derrière lui, la voix – d'homme – était accompagnée de pas lourds. Eyrolles accéléra. Il courait presque. Il tenait sa main droite sous son pull, et sa main gauche devant lui, en guise de pare-chocs. Enfin, la sonnerie s'arrêta. Eyrolles souffla. Il ralentit et tendit l'oreille. Derrière aussi, la voix et les pas semblaient s'être tus. Il s'arrêta un instant, pour vérifier. Il régnait un silence angoissant, parsemé de bruits sourds et distants. Il s'entendit haleter comme un asthmatique. Il savait que le répit serait de courte durée.

Tôt ou tard, le téléphone sonnerait à nouveau. Il fallait donc faire vite. Très vite… Il décida d'aller au bout du bâtiment. Ses jambes le propulsèrent droit devant. Il y avait une sortie de secours tout au bout. Une fois dehors, il pourrait reprendre son inspection. Mais en attendant, vite… Ce téléphone était trop précieux pour être abandonné… Vite, vite avant que… «*ha, ha, ha, ha*»… La musique disco repartit de plus belle. «*stayin' alive…*» Eyrolles était en plein milieu du bâtiment, entre l'allée centrale et la salle de bain. Il entendit une exclamation un peu plus loin, devant lui. Et au même moment, il sentit des pas derrière. Pas le temps de tergiverser. Il ouvrit la porte du couloir et, d'un geste désespéré, il jeta le téléphone du haut de l'escalier.

Alors qu'il s'attendait à un bruit de fracas métallique, il entendit un ultime «*stayin' alive…*» Puis la porte du bas s'ouvrit brusquement et la voix de Mathieu rugit: «Par ici!» Eyrolles se recroquevilla, dans son coin, comme un enfant puni. Il ne bougea plus d'un pouce et, la tête dans les genoux, il se contenta d'écouter.

— Mais qu'est-ce qu'il fout là?!…

— Tu l'as retrouvé?

— Je comprends pas. Il était dans la chute à draps.

— Dans la chute à draps?

— Ben oui, il était posé, au-dessus…

— C'est pas toi qui l'as mis là?

— Ben non! Et je vois vraiment pas comment il a pu y arriver!

— Ah! T'es encore allé te fourrer dans de beaux draps, toé!

— Non, mais franchement, je comprends pas… Qu'est-ce qu'il fout là, ce con?!

La porte du bas se referma et les voix de Mathieu et Coco s'éloignèrent. Eyrolles attendit que leur son disparaisse complètement et que le silence remplisse intégralement la cage d'escalier. Puis il se dit qu'il pourrait peut-être recommencer à respirer.

* * *

Il était revenu à pas de loup dans sa chambre pour réfléchir à ce qui venait de se passer et avait fermé soigneusement sa porte pour emprisonner le bruit de son cœur battant. Il resta quelque temps, les mains sur le visage, sans rien faire d'autre que respirer l'odeur de tabac dont ses doigts s'étaient imprégnés. Quand il fut un peu plus calme, il sortit son carnet et son crayon. Il ouvrit le carnet à une nouvelle page et écrivit avec application.

Il y avait trois informations à retenir. La première – la principale, celle qu'il avait recherchée –, c'était que la personne à qui Mathieu téléphonait au *Coco Gallo* juste avant le crime s'appelait Isa Bourgoin. La prochaine étape consisterait à retrouver cette Isa Bourgoin (demander au concierge universel) et à déterminer le contenu de leur discussion.

La deuxième information, c'était que Mathieu avait été en contact avec Mike le jour du crime (contact téléphonique), mais aussi le jour précédent (texto). Qu'est-ce qu'ils pouvaient bien avoir à se dire tous les deux, alors que Mathieu ne travaillait plus à *L'Eggzotique* et qu'il s'apprêtait à partir de Montréal ? À élucider.

Enfin, il avait remarqué quelque chose d'intéressant en faisant défiler les appels reçus. Le seul problème, c'est qu'avec toutes ces émotions, il ne savait plus de quoi il s'agissait… Il se creusa la tête, déroula le film de ce qui venait de se passer… Mais, rien à faire, il ne s'en souvenait pas. Il fallait espérer que ça lui reviendrait bientôt. Il arracha la feuille.

Tout en haut de la page suivante, il écrivit « Mathieu Camaret ». Puis il alluma son ordinateur et il recopia dans le carnet toutes les informations essentielles contenues dans le tableau. Il s'en voulait âprement de ne pas avoir retenu sa date de naissance et d'avoir perdu de précieuses secondes à cause de ça. Quoiqu'il arrive par la suite, il ne voulait plus dépendre d'un ordinateur pour ce type de données.

Trois minutes plus tard, il arracha la feuille avec un grand soupir de soulagement: tout l'état civil de Mathieu était gravé dans sa mémoire ad vitam æternam. Après quoi, il décida de s'atteler à l'information numéro un: Isa Bourgoin.

Il reprit son ordinateur et appela son concierge universel. Aussitôt, celui-ci lui livra huit Isabelle Bourgoin. Mais aucune d'entre elles n'était amie avec Mathieu. De son côté, Mathieu était ami avec cinq Isabelle, mais aucune ne s'appelait Bourgoin. Ce n'était donc pas une amie Facebook de Mathieu… Pourtant il était resté vingt minutes au téléphone avec elle, et il avait son nom dans son répertoire téléphonique. Et elle lui avait tiré des larmes de crocodile!… C'était peut-être un contact professionnel (psy? médecin? prof?). Ou alors une amie qui n'avait pas de compte Facebook. Ou encore… Bourgoin était son nom de jeune fille!

Il chercha une Isa mariée, qui se serait appelée Bourgoin ou, au contraire, une Isa Bourgoin qui aurait perdu son nom de jeune fille en se mariant. Mais ça ne donnait rien non plus. Il se dit alors qu'«Isa» était peut-être le diminutif d'un prénom autre qu'«Isabelle». Il chercha toutes les Isabella, les Isadora, les Élisabeth, les noms composés, les noms décomposés. Il fit même une simple recherche – contrôle F – sur la page Facebook de Mathieu avec le mot «isa». Il trouva des «fa**isa**nt», des «suff**isa**nt», des «soi-d**isa**nt», ainsi que des «v**isa**ge», des «nu**isa**nce», des «organ**isa**teur» et même quelques «pla**isa**ntin». Mais personne susceptible de lui dire ce qui s'était raconté au téléphone le vendredi 20 décembre au *Coco Gallo*.

Il allait essayer autre chose lorsqu'on frappa à sa porte. Il sentit tous ses muscles se raidir. Dans un même mouvement, il dit «oui» d'un air dégagé et il referma précipitamment son ordinateur. Deux têtes apparurent l'une au-dessus de l'autre dans l'ouverture de la porte. C'était Clopin et Clopante.

Les deux Belges l'informaient que c'était l'heure de la balade avec Coco à laquelle Eyrolles avait dit vouloir prendre part. C'est vrai qu'il l'avait dit, la veille, quand Mathieu en avait fait l'éloge. Mais désormais, Eyrolles-la-vérole avait autre chose à foutre que cette putain de promenade avec Coco et les Clopin-Clopante ! Il avait déjà gambadé à la presqu'île le matin, ça lui suffisait. Maintenant, il voulait rester avec Isa Bourgoin jusqu'à ce qu'il la retrouve ou que mort s'ensuive. Il voulait savoir qui c'était, il voulait lui parler, il voulait l'entendre, il voulait… En même temps, il sentait bien qu'il commençait à surchauffer. Un peu d'air frais lui ferait le plus grand bien.

* * *

Dédé avait dit : « Y a qu'à suivre les traces de Coco et après c'est tiguidou. » Sauf qu'avec ces immenses raquettes sur ces tout petits sentiers, justement, ce n'était pas facile de les suivre, les traces de Coco. Le début sur le lac gelé avait été un jeu d'enfant. La principale difficulté pour Eyrolles avait été de se débarrasser du nom du lac et des calembours qu'il provoquait dans son esprit. *Le lac de l'Anse à l'Eau…* Ça lui faisait toujours ça, à Eyrolles, quand son cerveau surchauffait. Au bout d'un moment, il calait et restait bloqué sur des calembours stupides qui se répétaient tout seuls, en boucle, au rythme de ce qu'il était en train de faire. Rythme de la mastication s'il mangeait, rythme de la brosse à dents s'il se lavait les dents, rythme de la pluie s'il pleuvait… Rythme de ses pas, en l'occurrence. Et il n'avait réussi à se défaire de « l'anse à l'Eau lança l'eau sale aux lents salauds » que longtemps après la sortie du lac, alors que Coco arpentait déjà ses sentiers de trappeurs et que, lui, il peinait à suivre la trace de Coco. Et encore, le cerveau fumant d'Eyrolles avait échangé les pénibles calembours contre la phrase de Dédé, qui tournait en boucle à la place. « Y a qu'à suivre les traces de Coco et après c'est tiguidou. » Désormais, c'est elle qui avait la jouissance exclusive de sa boîte crânienne où elle ricochait à l'infini entre ses halètements. Au moins, cette phrase-là ne suscitait aucun jeu de mots. C'était déjà ça. C'était plus reposant. C'était tiguidou… Les traces de Coco, c'était tiguidou. Les traces… Tiguidou. Tiguidou…

— Tiguidou !!!

Eyrolles s'arrêta sur place et, devant lui, les Clopin-Clopante se retournèrent simultanément pour comprendre à quoi était dû ce cri désespéré. Loin devant, Coco avait lui aussi entendu mugir cet animal inconnu de la forêt boréale. Il se renseigna, de loin, auprès des vieux Belges.

— Quessé qui s'passe, là ? Ça va-tu ?

— Ben, je sais pas trop, informa Clopin.

— C'est Antoine. Je crois qu'il téléphone, précisa Clopante.

— Oh ! Vous autres et vos maudits cells ! ! On peut-tu vivre cinq minutes sans qu'un ostie de téléphone se mette à sonner ?… Tant pis : moi, j'attends pas après un crisse de cellulaire.

Et Coco se remit en route. Les vieux hésitaient entre la poursuite du guide et l'attente du traînard. Celui-ci avait enlevé son gant droit pour pianoter sur son téléphone et tentait maintenant de le glisser sous son bonnet pour mieux entendre.

— Allô, Tao ?… Oui… Écoute, j'ai pas le temps d'expliquer. Il faut que tu retrouves le chat… Tiguidou, le chat de Reggie… Oui. Quand tu l'auras trouvé, regarde dans son collier, il y a un truc qui se dévisse pour mettre le nom et l'adresse… Non… Non, mais je suis sûr qu'il y a quelque chose dedans… OK ?… Écoute, faut que j'y aille. On se rappelle.

Clopin et Clopante, qui avaient tout entendu, cachaient mal une certaine perplexité. Mais Eyrolles rangea son téléphone et leur annonça que tout allait bien avec un grand sourire. Alors, ils reprirent leur ascension comme si de rien n'était. Et Eyrolles les suivit, le pas vif et l'esprit aux aguets. Il ne pensait enfin plus aux calembours.

* * *

Finalement, il ne regrettait pas d'être allé faire la balade de Coco. Et pas seulement pour l'illumination à propos de Tiguidou. Non, ça lui avait fait un bien fou de se dépenser un peu dans la nature. Ah ! C'était autre chose que la sortie clopin-clopante à la presqu'île ! Coco, lui, n'empruntait pas des sentiers battus, balisés et gribouillés de panneaux sans intérêt. Avec lui, ça caracolait ! La montée, surtout, à travers les passages de trappeurs – qui n'avait de passages que le nom – avait été salutaire. Malgré les branches dans la gueule, les pieds qui glissaient et le cul par terre, ça lui avait vidé la tête. Et maintenant, il était prêt à la remplir à nouveau.

Par contre, il avait perdu des points auprès de Coco à cause de son malencontreux coup de téléphone. Il essaya donc d'en regagner en lui offrant à boire au bar de l'auberge. Il se dirigea au comptoir et retomba sur la serveuse de la veille, celle qui lui avait si subtilement rappelé son devoir de pourboire. Il n'arrivait pas à savoir ce qui l'énervait le plus entre passer pour un ignorant ou pour un radin. Mais, en toute franchise, il avait aussi du mal à comprendre pourquoi il fallait donner un dollar de pourboire à quelqu'un qui se contentait de décapsuler une bouteille de bière au comptoir. Autant il mesurait le travail d'une serveuse de restaurant, autant il ne voyait pas le mérite du décapsulage de bière. Et ça le démangeait fortement de ne pas donner de pourboire. Ceci dit, la décapsuleuse avait quelque chose qui lui plaisait. En quelques mots désagréables, elle l'avait charmé : il avait senti tout le potentiel d'une histoire merdico-sentimentale comme il en avait la spécialité. Il lui laissa deux dollars de pourboire pour ces deux bières admirablement décapsulées et il partit vers Coco se mettre provisoirement à l'abri des mélodrames.

Dès la première gorgée, celui-ci devint doux comme un agneau. Eyrolles comprit vite qu'il était aussi gentil que bougon. Puis aussi intéressant que gentil. C'était une mémoire ambulante de la région. Il en connaissait le moindre recoin, la moindre anecdote, mais ne faisait aucun effort pour s'en prévaloir. Tout l'opposé de Mathieu... Ah ! Mathieu... Eyrolles essaya de le questionner subtilement à son propos. Mais Coco n'avait pas grand-chose à en dire ni à en penser. Contrairement au procureur-vacancier, il n'avait pas l'air de traquer les vices cachés de ses semblables. Il râlait, certes, il bougonnait même à tout bout de champ. Mais, au fond, il était résolument ouvert, sociable et généreux. D'ailleurs, pour travailler comme il le faisait de manière quasi bénévole depuis quinze ans, il fallait l'être.

Coco finit sa bière et, après un dernier grognement, il partit, comme tous les soirs, concocter le repas. La théorie eyrollienne de la générosité des cuisiniers semblait se confirmer une nouvelle fois. Il profita du départ de Coco pour retourner au comptoir. Pour un modique dollar de pourboire, il entendit le doux bruit d'un décapsulage suivi d'un aride «merci». Puis il se tourna en direction du billard où jouait Mathieu. Depuis quelques minutes, il entendait ses exclamations sporadiques, ses «tabarnouche» dépités, ses «vas-y, vas-y, vas-y» crescendo, ses «yihaa» victorieux qui permettaient de connaître en direct l'avancée de la partie sans avoir besoin de la regarder.

Tout en suivant distraitement les commentaires sportifs, Eyrolles sortit son téléphone. Celui-ci avait vibré désespérément pendant la discussion avec Coco. Et, pour une fois, la décence l'avait emporté sur la curiosité. Mais maintenant que ce n'était plus indécent, il laissa libre cours à la curiosité tout en gardant une oreille sur Mathieu.

Il avait reçu un courriel de Tao. Celui-ci s'était révélé un investigateur encore plus efficace que son informateur habituel, le concierge universel : il avait déjà retrouvé le chat. C'était Odile qui l'avait recueilli chez elle. Elle avait laissé Tao venir voir Tiguidou, lui tripoter la gorge et dévisser le pendentif de son collier. Résultat : Eyrolles avait raison. Il y avait bien un mot dans le collier. Par contre, selon Tao, ça s'adressait sûrement au chat. Ou alors à Odile. En tout cas, le message n'apportait pas grand-chose. Il l'avait recopié quand même in extenso, fautes d'orthographe incluses, en se doutant qu'Eyrolles l'aurait de toute façon demandé tôt ou tard.

> *tes une bonne persone*
> *je te souètte une belle vie, tu mérite*
> *je t'aime comme si que t'été ma propre fille*
> *Reggie*

Tao ajoutait en post-scriptum qu'il ne serait pas trop joignable jusqu'au lendemain : il partait en région mener une grande enquête sur les réveillons champêtres.

Eyrolles relut le message de Reggie en marmonnant. Il se le dit avec sa voix à elle et en essayant d'imaginer à qui ça pouvait s'adresser. Ce qui était sûr, c'est que ce n'était pas adressé au chat. Tao avait été efficace, d'accord, mais sur ce coup-là, il manquait de clairvoyance. Certes, Reggie leur avait dit que son chat était comme sa fille. Sa «fifille» même. Mais elle ne pouvait pas dire à son chat qu'elle était une «bonne personne». Ça ne marchait pas. Trop de Guru, Tao avait le cerveau embrouillé…

Eyrolles essaya de penser à Odile… Mouais… Peut-être… Pourquoi pas?… Mais… La fréquence des exclamations autour de la table de billard attira soudain son attention. Il y avait manifestement un gros enjeu. Mathieu, qui était largement mené, avait amorcé une remontée fulgurante qu'il ponctuait d'interjections et d'images variées. Il annonça une boule ainsi qu'un trou, se mit en position, tira… «Et BIM!!! Dans ton cul!» cria-t-il en brandissant son arme. Désormais, il ne lui restait plus qu'une boule pleine à rentrer. Mais elle devait être délicate à tirer, car il tourna longuement autour de la table en émettant tout un tas de considérations toutes plus spirituelles les unes que les autres. Puis un silence précaire s'installa pendant quelques secondes et il se décida enfin à frapper. Le son des boules entrechoquées fut immédiatement suivi par une longue répétition de «allez, allez», comme si Mathieu cherchait à pousser sa boule dans une certaine direction en déplaçant les molécules d'air avec ses cordes vocales. Le coup sembla bien parti. Mais, sur sa trajectoire, la boule blanche rencontra la noire. Et, tandis que la boule pleine poursuivait son petit bonhomme de chemin sans se presser, la noire plongea droit dans le trou. Échec. Mathieu, surpris en plein vol, éclata: «Vieille pute!!!»

Les personnes assises au comptoir se retournèrent, d'abord surprises, puis amusées. Mais dans les oreilles d'Eyrolles, cela fit l'effet du tonnerre, d'un choc subsonique, d'un éclatement de tympans. Il agrippa son verre de toutes ses forces et ne parvint plus à défaire l'étreinte de ses doigts. Là encore, une théorie eyrollienne venait de se confirmer: sur le coup de l'émotion, c'était bien la langue maternelle qui reprenait le dessus. Échec et mat.

* * *

Eyrolles sentit le contrecoup de la déflagration pendant tout le repas. Il n'osait plus penser. Il était si perturbé que, quand on lui demanda si son roman avançait, il dit la vérité. « Non, pas du tout. Ça n'a pas avancé d'un poil. » Plus grave encore, il toucha à peine à la soupe aux pois de Coco, et pas du tout au petit salé. Il n'alla pas non plus faire la vaisselle, même quand Mathieu se dirigea vers la cuisine.

Il y avait plus de monde que le premier soir, ce qui donnait un côté moins intime, moins familial au souper. Au lieu de leur disposition regroupée de la veille, en L, les tables étaient placées les unes à côté des autres, dans une grande enfilade qui coinçait Eyrolles en sandwich entre Clopin et Clopante, aux antipodes de Mathieu et de son harem. Il commençait à se sentir perdu au milieu de tous ces gens. « Et encore, t'as rien vu, lui dit Dédé, demain on sera plus de deux cents ! »

Après le repas, Eyrolles ne fit pas long feu. Il se réfugia dès qu'il put dans sa chambre pour appeler Tao et le tenir au courant de sa découverte. Mais, comme prévu, Tao n'était pas joignable. Eyrolles laissa donc un message vocal. Au moment où il allait raccrocher, il ressentit un vide oppressant. C'était étrange d'annoncer un tel scoop dans un silence aussi complet. Eyrolles avait la sensation de jeter un lingot d'or au milieu de l'océan. Il attendait un retour, une réponse. Il aurait voulu en discuter, partager des analyses, faire des hypothèses. Avant tout, il crevait d'envie de s'exprimer, tout court. Mais non. Rien. Il entendit « bip », et ce fut tout.

En désespoir de cause, il fit le dialogue avec Tao, tout seul, dans sa tête.

— Tao, j'ai découvert que Mathieu disait « vieille pute » quand il s'énerve.

— Non, pas possible ?! Tu veux dire que c'est donc lui qui...

— Non, moi, je ne veux rien dire. Ce sont les faits qui parlent.

— Et qu'est-ce que tu comptes faire maintenant ?

— Maintenant, il nous faut des preuves, des aveux. On sait qu'on marche dans la bonne direction. Mais il faut aller plus loin.

— Alors il faut continuer à enquêter?

— Oui, et il faut commencer par retrouver cette Isa Bourgoin.

— Je vais mobiliser toutes les ressources du *Journal*. Je mets aussi l'AFP et Reuters sur le coup.

— Il faut également déterminer ce que Mike vient faire là-dedans.

— Pas de problème, boss. Je vais demander à mon contact policier tous les dossiers criminels touchant de près ou de loin à *L'Eggzotique*…

Ce Tao virtuel était un ange: docile, efficace, enthousiaste… Il était beaucoup plus coopératif que le vrai! Eyrolles décida de l'embaucher. Avec le concierge universel. À eux trois, quelle équipe! Eyrolles se sentait un peu mieux. Cette conversation imaginaire lui avait remonté le moral. Il prit quelques carreaux de chocolat au lait pour achever de se réconforter. Mais ça ne suffit pas pour balayer complètement son malaise. Son antipathie instinctive à l'égard de Mathieu s'était désormais transformée en méfiance teintée de frayeur. Et il passa la soirée à entendre des bruits suspects ou à voir des ombres bouger dans le noir.

Son enquête tricéphale sur Isa Bourgoin souffrit de cette ambiance tendue. Le concierge universel pédalait dans la choucroute. Et le Tao virtuel avait beau souscrire à tout ce qu'Eyrolles disait, ça n'empêchait pas celui-ci de s'emmêler dans un monceau de données inutiles, un enchevêtrement de fenêtres, de liens, d'onglets, de recherches éparses, de réponses infinies… Eyrolles termina la soirée avec des torticolis de la tête aux pieds, mais sans la moindre information supplémentaire.

Quand il décida enfin d'abandonner et d'aller se coucher, il se sentait tout fébrile. Et il regretta soudain qu'il n'y ait pas une petite inscription au-dessus de son lit. Un petit «fais de beaux rêves, princesse», par exemple. Ça, ça lui aurait plu. Un simple «bonne nuit» aurait suffi à l'apaiser… Mais non, rien. Il était seul et sans secours. À l'autre bout du monde, à deux doigts du pôle, dans un monde hostile et dépourvu de toute chaleur. Et pas un compagnon de chambrée pour détendre l'atmosphère à l'aide d'une blague stupide ou d'un petit pet... Un bon ronflement aurait fait l'affaire ! Tiens, il regrettait même qu'il n'y ait pas ces bons vieux Clopin et Clopante avec lui dans la chambre. Il les aurait bien vus, chacun dans un lit superposé... Il aurait bien vu quelqu'un dans son lit aussi. Et il regrettait qu'il n'y ait pas une décapsuleuse, avec des mots acerbes sur ses lèvres moelleuses. Il regrettait qu'il n'y ait pas une prof de yoga à la voix suave et aux mains douces...

Il regrettait.

Et il finit par s'endormir, tout seul avec ses regrets dans la grande chambre frémissante aux bruits de l'hiver.

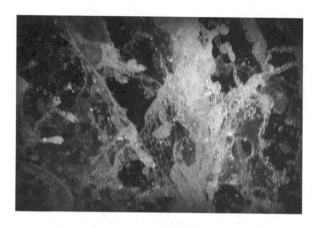

Mardi 31 décembre

Au son lointain et étouffé du traversier, Eyrolles se douta qu'il neigeait. Il sortit de son lit, s'approcha de la fenêtre en plissant les yeux et ne distingua qu'un grand écran uniforme. La pièce était frigorifique. Il enfila un gilet en polaire et descendit. Dans la cuisine, Geneviève, fidèle au poste, prodiguait les mêmes consignes que la veille aux néophytes qui ne les avaient pas encore entendues. Eyrolles passa devant eux, armé d'une poêle en fonte, en se faisant l'impression d'être un vétéran. Il engloutit ses deux crêpes et ses trois cafés à la table de Clopin-Clopante, qui n'avaient pas dérogé à leur café-tartines. Ils lui proposèrent cordialement de se joindre à eux pour leur excursion du jour, une ferme où l'on pouvait voir des loups, des orignaux et même des buffles. Mais c'était un tout autre type de faune qu'Eyrolles avait prévu d'observer. Et il déclina l'invitation tout aussi cordialement.

Il avait remarqué que Sédonbenhotte – la jeune Québécoise – manquait à l'appel matinal et que le trio de jeunes était incomplet. Il avait cédé sa poêle au duo restant, et le petit couple s'était à moitié engueulé pour savoir qui ferait les crêpes et qui ferait les tartines. Sédonbenhotte arriva longtemps après la guerre – crêpes, tartines et engueulade étaient déjà en cours de digestion – suivie de près par Mathieu. Ses amis lui demandèrent si elle avait bien dormi et elle répondit « pas pire » avant d'éclater d'un rire suggestif. Mathieu ajouta quelque chose d'inaudible et elle rit à nouveau, un peu moins fort cette fois, avant de partir dans la cuisine.

Tout compte fait, Eyrolles s'était peut-être inquiété pour rien. Mathieu avait mieux à faire la nuit que de poignarder des romanciers aveugles et stériles. Il remonta dans sa chambre et appela Tao. Celui-ci était de retour à la civilisation, enfin prêt à entendre les derniers scoops d'Eyrolles.

— T'as écouté tes messages? J'ai entendu Mathieu crier «vieille pute»!

— Ah oui? répondit nonchalamment Tao.

— Quoi? C'est tout ce que ça te fait?!

— Qu'est-ce que tu veux que ça me fasse?

— T'es au courant de ce qui a été entendu le jour du crime?

— Oui, et alors?

— Et alors… Et alors!… C'est peut-être lui le coupable!

— Si tous les gens qui disent «vieille pute» sont coupables, il reste plus beaucoup d'innocents. Surtout en France. On entend ça à chaque coin de rue.

— Euh… je sais pas à quels coins de rue t'es allé, mais…

— Non, mais ce que je veux dire, c'est que ça n'a rien de distinctif. N'importe qui pourrait dire ça.

— Oui, mais justement, Mathieu n'est pas n'importe qui. Il est lié au resto, il y a travaillé, c'est un proche. En plus, tu m'as dit qu'il avait injurié Carmen la veille! Ça fait beaucoup d'éléments qui plaident contre lui.

— Peut-être, mais ça prouve pas qu'il est coupable. Il peut très bien avoir dit «vieille pute» à Carmen sans l'avoir poignardée.

— Euh… oui, d'accord… mais…

— Il a très bien pu se trouver avec l'assassin, sans pour autant tuer lui-même.

— Mais dans ce cas, il connaît au moins l'identité de l'assassin.

— Il a aussi pu dire « vieille pute » avant que l'assassin commette le crime et sans le croiser.

— Bon. T'es en train de me dire que pour toi ça n'apporte rien de savoir que Mathieu dit ce genre de choses ?

— Je dis pas que ça n'apporte rien. Je dis juste que c'était pas la peine d'aller jusqu'à Tadoussac pour savoir ça. On pouvait se douter qu'un Français de vingt-cinq ans dise des injures françaises quand il s'énerve.

Eyrolles soupira.

— J'avoue, concéda-t-il malgré lui.

L'idée qu'il avait fait tout ce trajet pour rien effleura ses pensées. Il la chassa aussitôt en changeant de sujet.

— En tout cas, je sais avec qui il parlait au *Coco Gallo*.

— Ah oui, comment tu le sais ?

— J'ai regardé sur son téléphone.

— Tu lui as volé son téléphone ?

— Non, au contraire. Il l'avait perdu, et c'est moi qui l'ai retrouvé. Et, au passage, j'ai regardé vite fait dedans.

— Le hasard fait bien les choses ! Et alors ?

— Et alors, il parlait avec une fille.

— Ah ?

— Une fille qui s'appelle Isa Bourgoin.

— C'est qui ?

— Je sais pas encore, mais je cherche…

— Attends… C'est Isa, comme Isabelle ?

— Oui, si tu veux.

— Isabelle « Bourgoin » ?

— Oui, c'est ça…

— Ah, c'est drôle !

— Quoi ? Tu la connais ?

— Non. Mais je connais une Isabelle et je connais un Bourgoin.

— Comment ça ?

— Bourgoin, ça te dit rien ?

— Ben non…

— Ça te rappelle pas quelque chose ?

Le cerveau d'Eyrolles moulina.

— Ben… non. Je connais personne qui…

— Allez, t'es sûr ?

— Oui, je suis sûr, sinon je te demanderais pas, finit par s'énerver Eyrolles. Ça fait une journée que je fouine partout et j'ai toujours rien trouvé !

— Allez, réfléchis un peu. C'est pas moi le Français ici. Bourgoin, ça te dit vraiment rien ?

— Mais non !… Je connais la ville, Bourgoin-Jallieu, mais…

Un éclair illumina son esprit. Isa Bourgoin. Mais quel crétin !… Isa. Bourgoin. Non, mais quel profond crétin ! Comment avait-il fait pour ne pas y penser ?

— Bon, ben, y a plus qu'à rechercher toutes les Isabelle de Bourgoin-Jallieu, lâcha Eyrolles, humilié.

— Ça me paraît pas indispensable. D'autant plus qu'elle habite à Grenoble. Ce sont ses parents qui vivent à Bourgoin.

— De… de quoi tu parles ?… Tu la connais ?

Eyrolles ne comprenait plus rien. Mais d'où il sortait ça ?… Tao répondit le plus simplement du monde.

— Je parle d'Isabelle Gaillard, la meilleure amie de Mathieu, qui est aussi la grande sœur de Claire Gaillard, la serveuse de *L'Eggzotique*.

✳ ✳ ✳

Après avoir raccroché, Eyrolles dirigea toute sa vexation hargneuse sur son concierge pourtant modèle et universel. Il le somma de lui raconter tout ce qu'il savait concernant Isabelle Gaillard. Et que ça saute ! Isabelle Gaillard, native de Bourgoin-Jallieu, vivant à Grenoble, c'était pas compliqué, bordel ! Sans broncher, le concierge lui montra aussitôt des photos – dont un certain nombre qu'il avait déjà vues où elle figurait aux côtés de Mathieu –, il lui donna des nouvelles de sa santé, de son humeur, de ses coups de gueule et lui apprit qu'elle passait le Nouvel An dans un chalet perdu, en Haute-Savoie, où même les concierges les plus universels n'avaient pas accès. « Pas de réseau pendant trois jours, vais-je survivre ??? Retour vendredi, s'il y a un retour !… » annonçait-elle dans un essaim de smileys.

Enfin, le concierge fournit un numéro de téléphone portable. Sans un merci pour son subalterne, Eyrolles le composa aussitôt. Il devait être l'heure de l'apéritif dans le chalet perdu et il tomba sur le répondeur. La voix ressemblait à celle de Claire, du moins dans certaines intonations. Mais elle était plus grave. Plus assurée. Le message d'accueil se voulait humoristique et désinvolte. Eyrolles l'écouta deux fois. Mais à aucun moment, il n'esquissa l'ombre d'un début de rictus. Et il raccrocha les deux fois sans laisser de message. Pas pour l'instant…

Il sentait qu'une clé de l'énigme se trouvait dans cette discussion, lacrymogène, entre Mathieu et Isa à quelques minutes du crime. Mais il ne voulait pas gâcher ses chances en montrant trop ouvertement son intérêt. Il devait d'abord en apprendre plus sur elle, comprendre comment la faire parler. Et il enrageait de se savoir si loin et si impuissant. Ah, s'il avait été là-bas!… Il se consola en ajoutant une ligne au nom d'Isabelle Gaillard dans ses tableaux Excel.

Il avait vraiment besoin d'y voir plus clair. Il ouvrit son carnet à la première page vide et écrivit en majuscules « LES FAITS ». Puis il consigna tout ce qu'il savait sans essayer de hiérarchiser ni de juger, en empilant les informations les unes au-dessus des autres.

Carmen s'est fait poignarder entre 14 h 15 et 14 h 30.

Le couteau a été découvert dans le lave-vaisselle.

372 $ ont été volés puis retrouvés chez Reggie.

Mathieu était au téléphone entre 14 h et 14 h 20 avec Isabelle Gaillard.

Odile, Claire et Jonathan n'ont pas d'alibi.

Sandra, Raul et Brahim n'ont pas d'alibi.

Mathieu n'a plus d'alibi.

Mathieu s'est disputé avec Carmen la veille du crime.

On a entendu crier « vieille pute » au moment du crime.

Il s'arrêta là. La méthode lui paraissait implacable : il suffisait d'écrire les faits à mesure qu'ils se présentaient. Ensuite, il n'y avait plus qu'à les relier. C'était un peu comme ces jeux pour les enfants dans lesquels on fait apparaître le dessin d'un lapin en reliant des points portant des numéros. Sauf que là, en reliant les faits, on faisait apparaître un assassin.

* * *

Eyrolles resta enfermé dans sa chambre la plus grande partie de la journée. Dehors, il neigeait sans discontinuer. Il n'avait pas la moindre envie de sortir. Pas envie d'avoir froid. L'hiver était trop compliqué dans ce pays. Le moindre mouvement demandait une quantité d'énergie disproportionnée. Il n'avait pas envie de devoir mettre tout son attirail, sa doudoune, ses bottes, ses gants, son bonnet… puis de devoir tout enlever en rentrant ! Il voulait juste rester en jogging dans sa chambre à poursuivre son enquête sur *L'Eggzotique*. Vers midi, il abandonna celle-ci le temps de descendre manger et de refaire le plein de caféine. Puis il remonta directement et se replongea dans ses recherches. Pour être plus précis, il replongea à l'horizontale, dans son lit douillet, où les réflexions s'entremêlèrent aux souvenirs, la voix de Reggie, aux sons lointains du traversier, et les faits réels, aux rêves les plus absurdes.

La porte de la chambre s'ouvrit et trois personnes entrèrent, précédées par des rires gutturaux en guise d'avertissement. Eyrolles se redressa d'un bond. Deux gars et une fille dirent « allô », posèrent leurs affaires et repartirent. Lui qui voulait des compagnons de chambrée, il allait être servi. Les trois autres lits de la chambre étaient désormais chacun recouverts d'un sac à dos et d'une ou plusieurs bouteilles d'alcool fort. Depuis deux jours qu'il vivait seul dans la chambre, Eyrolles avait commencé à prendre ses aises. Il se leva en bâillant et décida de faire un brin de ménage. Il mit son linge sale dans un sac en plastique, poussa sa valise dans un coin, ramassa quelques emballages vides de chocolat, des feuilles de carnet froissées, des mouchoirs sales. Au moment de tout jeter à la poubelle, le spectre terrifiant de Marie-Ève surgit en lui criant que, malheureux !, le papier et le carton devaient aller au recyclage. Il obéit donc docilement, ne jeta que les mouchoirs à la poubelle et déposa le reste dans le bac vert situé devant la porte de la chambre, dans le couloir.

Puis il sortit enfin de son antre, et il s'aperçut alors qu'un certain nombre de choses avaient changé pendant qu'il « travaillait ». En fait, toute l'auberge était en ébullition. Ce qu'on lui avait dit était donc vrai… Depuis qu'il était arrivé, il n'avait pas arrêté d'entendre parler du « méchant gros party du jour de l'An ». Pourtant, l'information s'était contentée de rebondir contre ses tympans. Elle n'était pas allée plus loin. Mais, dorénavant, il n'avait plus d'autre choix que d'en être pleinement conscient: on était le 31 décembre, et il y aurait le soir même un «méchant gros party du jour de l'An».

À l'étage, c'était un gigantesque remue-ménage. On entendait s'entrechoquer des bruits de bouteilles, des pas précipités, des rires, des cris. Quand il descendit, il vit que c'était encore dix fois pire en bas. Une longue file d'attente s'était formée devant l'accueil, où Geneviève inscrivait un par un les nouveaux arrivants. Tous les bénévoles étaient réquisitionnés, aidés par de nouvelles recrues, déplaçant des tables, replaçant les chaises, accrochant des câbles et des haut-parleurs. Dans la cuisine, Coco était déjà aux fourneaux… Après avoir suscité quelques «'scuzez», «chaud devant», «pardon» et autres «tassez-vous de d'là», Eyrolles sentit que sa place était résolument ailleurs. Il décida de fuir le tumulte et de sortir.

Dehors, seuls les flocons s'agitaient. C'était donc une agitation silencieuse. Mais ô combien efficace! Il était déjà tombé une copieuse couche de neige, dans laquelle Eyrolles s'enfonçait à chacun de ses pas en apposant le tampon de ses semelles cramponnées. Bientôt, deux sillons parallèles se creusèrent en direction du village. On pouvait y lire «made in canada – 11», une feuille d'érable en guise de paraphe.

Eyrolles marcha longtemps. La quantité de neige au sol l'obligeait à avancer au ralenti. Il marcha sur les quais, il marcha sur la plage, sur la route, sur le chemin. Mais il marcha avant tout dans ses pensées. Dans ses pensées confuses, enchevêtrées, désorganisées, où il s'enlisait profondément et ne ressortait qu'à grand-peine. Il cheminait pas à pas, un pied après l'autre, sans voir que la lune sortait son nez des nuages, sans voir les lumières intermittentes des phares ni celles, festives, du *Café du Quai*. Il cheminait sans rien voir. Il cheminait dans le noir.

Il réalisa qu'il aurait bien besoin d'un événement extérieur, d'un coup de pouce du destin. Peut-être que ce soir, l'alcool et la fête provoqueraient le petit quelque chose qui lui manquait. À cette pensée, il sentit une étincelle d'ardeur se rallumer dans sa poitrine. Et il eut tout à coup envie d'être à l'auberge.

Mais il fallait d'abord rebrousser chemin. Couper par la plage, revenir sur le quai, retraverser le village. Alors il remit les pieds, à l'envers, dans ses pas. Et il marcha. La progression fut plus facile avec la neige tassée. Et dans ses pensées aussi, le cheminement parut tout à coup plus fluide. Les idées se placèrent, créant de l'espace pour de nouvelles réflexions, des sentiments se dénouèrent et une sensation de plaisir apparut. Après une demi-heure de marche soutenue et de pensées fertiles, il reconnut le carrefour du lac, synonyme d'arrivée imminente. Quand il regagna l'auberge, la neige s'était arrêtée de tomber. La nuit regardait la scène d'en haut, comme une foule, dans le noir, où pétillent les regards. Le spectacle pouvait commencer.

✳ ✳ ✳

Eyrolles ouvrit la porte et eut un choc. Comparée au premier soir, où le salon ressemblait à un cocon douillet et où l'activité la plus violente était le jeu d'échecs, l'auberge s'était transformée de manière radicale. Il y avait des tables absolument partout. Et des êtres humains qui grouillaient entre chaque table. La cohue était plus dense et plus difficile à traverser que la neige fraîche. Eyrolles avait soif. Il entreprit de se verser un verre d'eau à la cuisine. Hélas, l'accès était strictement prohibé à toute personne ne travaillant pas pour Coco ! Il passa son chemin et eut alors le choix entre une file d'attente pour aller aux toilettes et une file d'attente pour aller au bar. Tant qu'à faire, il choisit celle qui menait le plus près de sa chère décapsuleuse, même s'il se rendait compte que c'était également le plus sûr moyen de se retrouver dans l'autre file d'attente quelques minutes plus tard.

Il y avait trois serveurs au bar et il fut servi par un décapsuleur. Un décapsuleur charmant, d'ailleurs. Courtois, souriant, avenant. Mais Eyrolles aurait quand même préféré le décapsulage aride et ingrat de sa collègue. Il commanda une pinte de rousse et commença à la siroter en essayant de regarder autour de lui. Mais le bar était bondé. Eyrolles était sans arrêt poussé d'un côté ou de l'autre pour laisser passer un nouveau soiffard. Il ne reconnaissait personne et, de toute façon, il y avait trop de monde et trop de mouvement : il ne distinguait absolument rien. Il décida de s'extirper du comptoir et il se retrouva éjecté sur la terrasse extérieure.

Il y avait encore plus de monde dehors que dedans. Mais l'espace était plus grand, donc la densité plus raisonnable. Il réussit même à entendre la grande gueule de Mathieu à travers le brouhaha. Comme s'il risquait de passer inaperçu, celui-ci avait mis un bonnet de père Noël. Un grand bonnet avec des lampions qui clignotent… C'était le même bonnet que celui de Jean-Jacques, l'orignal du salon de coiffure éponyme ! Clignotant à tue-tête, Mathieu était en train de jouer sur la patinoire fraîchement déneigée avec une vingtaine d'autres personnes tandis qu'un nombre équivalent de spectateurs les encourageaient en buvant. Le nom du jeu était « hockey-bottines » et parut suffisamment explicite à Eyrolles pour qu'il s'abstienne de demander des précisions supplémentaires. Il arrivait à imaginer où se trouvait la rondelle en fonction des flux migratoires sur la patinoire que confirmaient avec un léger décalage les commentaires de Mathieu. Tout le monde criait, mais Eyrolles n'entendait que lui. Lui : ce clignotement erratique et beuglant. Mathieu avait l'air d'être déjà dans un état d'ébriété avancé. Et ça ne s'arrangea pas avec le temps : l'ébriété continua d'avancer avec la soirée, voire un peu plus vite…

Mathieu commença à perdre sa maigre inhibition à l'apéro en faisant un strip-tease sur la glace. Il perdit son bonnet à lampions pendant le hors-d'œuvre en imitant le guitariste de Metallica. Il perdit son téléphone après le phoque braisé en dansant avec Coco pour le remercier du festin. Il perdit sa voix entre le plat principal et le dessert en gueulant le plus fort « c'est à bâbord qu'on gueule le plus fort ». La perte de conscience fut estimée par Eyrolles aux alentours de 22 heures 30, alors qu'après avoir longuement bégayé, il échoua sur les genoux d'un grand barbu en murmurant mystérieusement « j'arrive ! ».

Eyrolles le regardait arriver, en plaisantant avec Geneviève, la bénévole. Celle-ci n'était pas spécialement surprise. Elle lui confia que c'était déjà la troisième fois qu'il «arrivait» de la sorte. Il était même arrivé, le jour de son arrivée. Le jour de son arrivée?... Eyrolles ne put s'empêcher de faire un rapide calcul et d'ajouter, dans sa tête, «le jour du crime». Il fit semblant de s'inquiéter auprès de Geneviève. Est-ce que Mathieu allait bien? Est-ce qu'il avait des problèmes? Est-ce qu'il buvait pour oublier quelque chose? Selon Geneviève, il ne tenait pas bien l'alcool et il ne savait pas boire, voilà tout. Après ça, il allait dormir pendant douze heures et ça irait mieux le lendemain.

Sédonbenhotte avait suivi l'échappée malheureuse de Mathieu à la manière d'une voiture-balai. Elle avait redressé les chaises renversées, s'était excusée auprès des pieds écrasés, avait payé les pots cassés et avait récupéré ce qui pouvait encore l'être: le bonnet, le téléphone et, pour finir, le corps. Ça enrageait Eyrolles, qui en aurait bien profité pour opérer une fouille complète et un interrogatoire sous hypnose éthylique. Trop tard. Décidément, encore une fois, une infirmière lui cassait ses plans...

Il déversa son amertume auprès de Geneviève.

— Mais quand même, pour elle, c'est pas très respectueux, compatit-il en montrant Sédonbenhotte.

— Non. Mais, de toute façon, elle s'en va demain. Alors, demain, ça en sera une autre.

— Ah oui, il est comme ça? Une différente tous les soirs?

— Disons... un soir sur deux.

— Bon. Tant que tout le monde y trouve son compte...

— Ouain. J'imagine que ça lui fait du bien. Il m'a dit qu'il sortait d'une histoire difficile. Il est en peine d'amour, le pauvre p'tit.

Le nom «Isa Bourgoin» s'afficha en gros dans la tête d'Eyrolles.

— Ah! C'est pour ça qu'il est parti de France?

— Non, je crois pas. C'est avec une fille de Montréal.

Geneviève tendit le joint qu'elle venait d'allumer à Eyrolles. Celui-ci le prit sans trop réfléchir. Ça faisait un certain temps qu'il n'avait pas fumé. Mais la fumette, c'est comme le vélo…

— Et avec toi, il a pas essayé ?

— Essayé quoi ?

— Ben, essayé de passer la nuit avec toi.

Geneviève rigola.

— Euh… non. Avec moi, il a pas essayé. Je pense qu'il est plus observateur que toi.

— Comment ça ?

— T'es pas vite, toi, hein ?

— Pas vite, quoi ?

— T'as pas remarqué ?

— J'imagine que non…

Ce n'était pas un problème de perception. Eyrolles avait certainement perçu que Geneviève avait un petit côté masculin, qu'elle avait une coupe de cheveux à la mode dans les milieux lesbiens, et qu'elle avait même un drapeau arc-en-ciel à sa boucle d'oreille. Tout ça, il l'avait bien remarqué. Mais il ne l'avait pas interprété. Le problème, c'est qu'il était toujours le dernier à se rendre compte de ce genre de choses. Et de toutes les choses du genre « catégorie ». En plus de ne pas voir les couleurs, Eyrolles ne voyait pas les catégories. Gay, hétéro, riche, pauvre, noir, arabe, juif, prolo, aristo… Il pouvait parler des heures avec une personne sans être capable de la rattacher à telle ou telle tribu. Et la raison principale de cette incapacité était peut-être tout simplement qu'il s'en foutait. Oui, il s'en foutait royalement. Il s'en foutait à un point tel que ça n'existait plus pour lui.

L'avantage, c'est qu'il pouvait parler avec n'importe qui sans être envahi d'une tonne de préjugés. Ça lui donnait aussi une vision moins partiale que ses collègues sur bon nombre d'affaires. De la même manière que ses problèmes de vue amélioraient l'acuité de ses autres sens, ce handicap le rendait aussi plus sensible à des détails qui étaient négligés par les gens normaux.

L'inconvénient, c'est qu'il lui avait fallu près de quarante ans pour être enfin capable de repérer les femmes infirmières. Et, accessoirement, qu'il passait souvent pour un con.

— Mais non, tu passes pas pour un con!... Par contre, passe-moi le joint, ça fait une heure que tu l'as.

Et justement, ça commençait à faire son petit effet. Il se rappela – un peu tard – que l'herbe était forte au Québec. Rapidement, son cerveau se mit à fonctionner différemment. Geneviève avait dû rentrer préparer une «surprise» et Eyrolles en profita pour divaguer à sa guise. Il se promena nonchalamment de groupe en groupe, avec un sourire d'aise collé aux lèvres. Une voix proche fit remarquer que le ciel était parfaitement découvert et qu'on voyait plein d'étoiles. Alors Eyrolles resta deux bonnes minutes le menton en l'air à contempler la voûte étoilée avec ses lunettes de soleil. Le pire, c'est qu'il trouvait ça très beau.

Il observa ensuite la partie de hockey-bottines qui sévissait sur la patinoire. Chaque équipe était constituée d'une trentaine de personnes. C'était du grand n'importe quoi. Mais Eyrolles contemplait toujours, béat d'admiration, comme il l'avait fait avec le ciel étoilé. Ses réflexions passaient du coq à l'âne en passant par tout le reste du zoo. Et, de fil en aiguille, il finit par retomber fatalement sur Mathieu. Il se demanda où en était le pauvre garçon sans défense. Et il partit aussitôt à sa recherche. Il ne le vit nulle part, ni dehors, ni au bar, ni dans la cuisine, ni dans le salon. Mais, par contre, il repéra Sédonbenhotte en train de boire une tournée de shooters. La voie était libre.

Il laissa ses bottes dans une forêt multicolore aux effluves variés et il monta l'escalier en chaussettes. Il ne savait pas précisément quelle était la chambre de Mathieu. En revanche, il savait où se trouvaient les chambres des bénévoles. Il s'y rendit à pas feutrés. Tout était calme à l'étage. L'ambiance festive de l'extérieur parvenait comme un murmure à travers les murs et le plancher. Eyrolles ferma sans un bruit la porte du couloir derrière lui et accéda à la partie des bénévoles. L'étage semblait désert. Il n'alluma pas la lumière, qui aurait signalé sa présence sans véritablement améliorer sa piètre visibilité. Il avança à tâtons, dans l'obscurité. Il ausculta chaque porte comme s'il s'agissait d'un patient délicat atteint d'une maladie secrète. Il cherchait un ronflement, une respiration, un grincement. Soudain, il entendit quelque chose qui bougeait. Comme la vibration de quelqu'un qui se retourne sur son matelas. Il s'approcha. Une odeur de tabac s'immisça dans ses narines. Il saisit la poignée de la porte et l'ouvrit tout doucement. Tout était noir, silencieux, vide. Lorsque tout à coup…

— Aaahh!!!

Un cri aigu retentit et la lumière s'alluma.

— Mais qu'est-ce que tu fais icitte? demanda Geneviève.

— Oups… Je suis désolé… Je crois que je me suis trompé…

— Je crois aussi! dit-elle. Et je crois surtout que t'es un peu high. Tu m'as fait peur, mon tabarnak!… Tu peux pas allumer les lumières comme tout le monde?

— Les lumières, ça me sert à rien à moi.

— Ah ouais, la preuve: tu y vois tellement bien sans lumière que tu finis dans la chambre des autres!

— Désolé, je croyais que c'était la mienne.

— C'est correct. Et, de toute façon, c'est pas l'heure d'aller dans sa chambre, c'est l'heure de la surprise. Allez, descends avec moi. Je te lâche plus, maintenant. Comme ça, je suis sûre que tu vas pas finir dans la chaudière ou dans la cuve à mazout.

Eyrolles était déçu d'avoir raté son coup, d'avoir raté Mathieu. Mais il ne s'en sortait pas si mal : mieux valait passer pour un débile défoncé que de perdre sa couverture. D'ailleurs, il fallait avouer qu'il n'avait pas besoin de trop se forcer pour le rôle. Et il n'était pas au meilleur de ses capacités pour une mission aussi sensible. Peut-être valait-il mieux qu'il en aille ainsi…

En bas, tout le monde s'était rassemblé dans le salon pour célébrer le changement d'année. Eyrolles essaya de distinguer des têtes connues. Il abandonna rapidement. L'excitation et le brouhaha grossissaient à mesure qu'on approchait de minuit. Puis, enfin, on fit le décompte : « 10, 9, 8, 7, 6, 5, 4, 3, 2, 1 »…

Au moment où tout le monde cria « bonne année » à l'unisson, des dizaines de joints s'allumèrent partout dans le salon, qui se transforma instantanément en un dense brouillard parfumé. Au cas où ça manquerait encore un peu de THC dans la salle, des gens passaient partout avec des chapeaux remplis de pétards déjà roulés. Eyrolles était pris dans l'engrenage. À peine faisait-il tourner un joint, qu'un autre lui revenait dans la bouche. Il tirait machinalement sur ses lèvres et se livrait au rituel avec une voluptueuse passivité.

Quand il alla se coucher, moult bouffées plus tard, il ne fut plus question d'affichette pour souhaiter une bonne nuit ni de voisins de chambrée pour faire des beaux rêves. Il s'écroula dans son lit et tomba aussitôt dans une torpeur vacillante, entre la veille et le rêve. Et c'est dans ce fragile équilibre, dans cet entre-deux précaire, qu'il commença à cogiter et que, soudain, la Compréhension Suprême resplendit. Elle illuminait chacune de ses pensées. Il revoyait chaque protagoniste de son histoire avec une perspective nouvelle, complètement inédite, foudroyante de Vérité. Il pensa à Reggie, à Carmen, à Claire et évidemment à Mathieu. Et chaque fois, il découvrait quelque chose de nouveau et de fondamental. Il comprenait tout.

Il eut assez d'énergie pour penser qu'il fallait absolument écrire tout ça.

Mais pas assez pour le faire.

Et il s'endormit en laissant des millions de Vérités Suprêmes papillonner dans l'entre-deux puis s'envoler vers des destinations inconnues.

Mercredi 1er janvier

Le premier réveil de l'année fut désagréable. Comme à peu près tous les ans à la même date. Eyrolles avait la gorge désespérément sèche, la tête lourde, les gencives lancinantes, le ventre tordu, le dos courbaturé. Malgré lui, les « lents salauds à l'anse à l'Eau » valsaient inlassablement sur la piste de danse dévastée de son cerveau… Bref, il avait la gueule de bois. Et bientôt quarante ans.

Il s'assit péniblement sur son lit et sentit le souffle brûlant du chauffage sur ses mollets nus. Il tourna le bouton au minimum. On étouffait dans cette chambre ! Il regarda la vitre avec envie. Elle était intégralement givrée. Une brise bienfaisante se faufilait à travers une fissure de la fenêtre et apaisait son front suant. À vrai dire, c'était plus un blizzard qu'une brise. Et c'était résolument glacial ! Il fut rapidement obligé de déplacer sa tête hors d'atteinte du courant d'air et ce mouvement insignifiant déclencha un véritable raz de marée dans son crâne… Il hésita à se recoucher. Autour de lui, ça ronflait ferme. Il n'y avait plus de bouteilles d'alcool fort sur les lits, mais, par un prodigieux tour de passe-passe, leur contenu était toujours à la même place, stocké à l'horizontale dans les veines des ronfleurs. En fait, non, essayer de dormir ne servirait à rien d'autre qu'à prolonger ses souffrances. Il se leva et sortit de la chambre.

En arrivant en bas, Eyrolles fut surpris de constater que la vie de l'auberge avait repris son cours normal sans lui demander son avis. Il était plus de midi et le salon était encore en chantier, mais le gros du ménage avait déjà été fait. Il se dirigea vers la cuisine pour boire de l'eau. Il croisa Geneviève en chemin. Elle lui demanda si ça allait (mmm ?…), s'il ne s'était pas trompé de chambre (hein ?…), s'il n'avait pas fini par erreur dans celle de la serveuse (de quoi ?!…). Eyrolles marmonna quelques borborygmes inintelligibles et poursuivit sa quête vers la source d'eau sans comprendre la blague. Puis, par épisodes désordonnés, un certain nombre d'événements ayant eu lieu en présence de ladite serveuse – alias la décapsuleuse – lui revinrent en mémoire. Une scène avec des shooters alignés à perte de vue qu'elle remplissait avec autorité. Il eut un haut-le-cœur… Une scène où elle l'engueulait parce qu'il avait renversé son verre sur le billard… Une scène où ils s'étaient réconciliés et trinquaient ensemble sur la ligne de front du comptoir… Une scène où… Oups !… Est-ce qu'ils s'étaient vraiment embrassés ?… Est-ce que c'était un résidu de rêve ?… Eyrolles était incapable de se prononcer avec certitude. Et c'était probablement ça le pire. Qu'est-ce qui s'était vraiment passé ? Qu'est-ce qu'il avait raconté durant la soirée ? Quelles déclarations, quelles promesses, quels aveux avait-il laissés échapper ? Mystère, il ne s'en souvenait plus.

Après avoir bu sa citerne d'eau, il ne sut plus quoi faire. Il n'arrivait pas à parler et encore moins à écouter. Il était au milieu d'une multitude de gens qui s'activaient continuellement et le dérangeaient suprêmement. Il n'avait pas envie de café, pas envie de dormir, pas envie de réfléchir. Il n'avait envie de rien. Il regarda à l'extérieur. C'était tout blanc. Il eut envie d'aller dehors.

Il remonta dans sa chambre pour s'habiller. En ouvrant la porte, il fut submergé par une vague de chaleur et de pestilence à laquelle il avait largement contribué. Tant qu'il dormait et qu'il en faisait partie, il n'avait pas fait attention à l'intensité de l'odeur. Mais là, en venant de l'extérieur, il fut littéralement saisi à la gorge. C'était épouvantable. On distinguait un mélange audacieux d'alcool, de feu de bois, de sueur, d'odeur de pied, d'haleines rances, et d'autres éléments qu'il ne chercha pas à analyser. Il mit vite son collant et son col roulé en mérinos puis il s'enfuit avec le reste de ses affaires en refermant hermétiquement la porte derrière lui pour ne pas être poursuivi par la vague. Une fois en bas, il finit de s'habiller. Il mit trois bonnes heures à identifier ses bottes, suivies de trois autres à retrouver ses gants et sa doudoune. Puis il sortit enfin.

✳ ✳ ✳

Il faisait froid. Enfin… Froid n'était pas le mot. On ne pouvait pas désigner la sensation qu'Eyrolles était en train d'éprouver par un mot utilisé pour qualifier une soupe servie depuis un quart d'heure ou une mer printanière. Une eau froide est liquide, donc à une température supérieure à zéro degré. Alors que là… Même les yeux d'Eyrolles derrière leurs lunettes étaient pris dans les glaces gigantesques qui emprisonnaient tout son corps! Tout ce qu'on pouvait faire pour décrire cette sensation, c'était accumuler une ribambelle d'adverbes et d'adjectifs pour essayer de donner un peu de vigueur à un mot aussi faiblard.

Il faisait un putain d'ostie de froid incommensurablement glacial. Voilà. C'était déjà plus ressemblant. De peur de se statufier dans la seconde, Eyrolles démarra en trombe. Il partit au hasard, sans but. Le soleil étincelait, ricochant à l'infini sur la neige. Il ne voyait rien qu'une immense tache de lumière partout où il dirigeait son regard. Comme la veille, ses pas le menèrent à la plage. Quand il arriva sur la promenade qui surplombait la baie, son corps avait accepté de se réchauffer, par zones, mais ses extrémités, au contraire, semblaient avoir abandonné tout espoir d'agitation moléculaire. Il fit de grandes oscillations avec ses bras pour faire venir le sang au bout des doigts. La seule bonne nouvelle, c'était qu'avec tout ça, il n'avait pas d'autre solution que de sortir un peu de sa torpeur éthylique. La mauvaise, c'était que le fait d'avoir un début d'idées claires ne l'aida pas pour autant à faire des choix sensés. Et quand il arriva au bout du port, au lieu d'aller se réchauffer au *Café du Quai* ou de revenir à l'auberge, il décida de marcher encore un peu. Il se dirigea vers la boucle de la presqu'île, celle-là même qu'il avait empruntée deux jours plus tôt avec les Clopin-Clopante. À l'entrée du parcours, un panneau qu'Eyrolles dédaigna lançait un avertissement en lettres rouges: « Attention, danger! Soyez prudents aux abords des falaises. »

✳ ✳ ✳

Sur une petite scène en bois, un gars grattouillait sa guitare en chantant des textes alambiqués sur des airs mélancoliques. Face à lui, une dizaine de clients contemplaient leur ordinateur en s'interrompant parfois – lorsqu'un silence devenait trop long, par exemple – pour applaudir. Tao était bien. Il attendait depuis environ un quart d'heure au *Dépanneur Café* et buvait une infusion menthe gingembre encore bouillante par petites gorgées en regardant les formes aléatoires du givre sur la baie vitrée. Le ciel était uniformément bleu et le soleil s'écrasait de toute sa force sur son visage. Il aurait bien pris quelques louches de photons en plus. Par contre, le calorifère qui lui brûlait les pieds était parfait.

La porte du café s'ouvrit et un grand gars au visage rouge pénétra à l'intérieur. Il jeta un coup d'œil au chanteur, sur scène, puis au public et, quand il aperçut Tao, ses yeux s'arrêtèrent une seconde comme pour faire la mise au point. Au geste de la main de Tao, il comprit et s'approcha. Il enleva son écharpe, son manteau puis son bonnet en libérant une multitude de boucles blondes et indociles. Le visage était jeune, peu expressif, mais globalement agréable en dépit du nez proéminent. Tao lui tendit la main.

— Salut ! Moi, c'est Tao.

Une hésitation passa dans le visage rouge au grand nez. Puis il tendit sa main à son tour.

— Enchanté. Jonathan.

✳ ✳ ✳

Badaboum !!! Eyrolles s'était retrouvé enseveli sous cinquante centimètres de neige dès son premier pas dans le sentier. Il n'avait pas prévu que, sous son pied, se trouverait une marche d'escalier et que cette marche glacée sur laquelle se posait sa semelle hésitante allait offrir une illustration parfaite de la loi de la gravité. La force de résistance du sol qui disparaît, la force d'attraction terrestre qui reste et, résultat, le bipède se retrouve à quatre pattes. Eyrolles se releva sans encombre. Avec toute cette neige, ça avait presque été agréable de tomber. Un véritable lit de plume, se dit-il pour se réconforter. Par contre, son téléphone qu'il tenait à la main pour regarder l'heure au moment de la glissade n'y était plus. Il regarda partout. Mais avec cette quantité de neige et sa vue précaire, c'était perdu d'avance. Il s'agenouilla et balaya le sol avec ses bras en espérant sentir quelque chose de dur. Mais tout ce qu'il réussit à faire fut de se mouiller et de se refroidir davantage. Il pensa au téléphone de Mathieu. Il y avait peut-être une forme de justice à ce qu'il perde le sien à son tour… Au bout d'un moment, il sentit qu'il était en train de se réfrigérer dangereusement. Il ne pouvait pas continuer comme ça… Il abandonna ses recherches et partit en quête d'effort et de soleil afin de se réchauffer. Tant pis pour le téléphone. Il n'aurait qu'à faire comme Mathieu pour le retrouver : quand il finirait sa boucle, il reviendrait sur les lieux de la chute et il demanderait à quelqu'un de l'appeler. Restait à trouver quelqu'un qui passerait par cet endroit désert un 1er janvier.

∗ ∗ ∗

Tao n'eut même pas besoin de bluffer. Jonathan n'aspirait qu'à une seule chose : parler. Jusqu'alors, le justicier anonyme n'avait pas été bavard, mais en perdant son anonymat, il perdit sa réserve. Et il voulait « tout dire ». Avec ses boucles blondes et ses grands yeux dramatiques, il ressemblait à un héros dostoïevskien qui ploie sous le fardeau de la souffrance et de la culpabilité. Dans sa première phrase, il utilisa le mot « Eggzotique » et Tao pensa à son rédacteur en chef. Dans la deuxième, il y eut le mot « crosse » et il pensa alors à Jade Tremblay. Dans la troisième, enfin, Tao entendit le prénom « Mathieu ». Et il pensa à Antoine Eyrolles.

Selon Jonathan, Mathieu avait découvert qu'il y avait une « crosse » à *L'Eggzotique*. Il prétendait que Carmen détournait une partie de ses pourboires. Ses soupçons remontaient au début du mois de décembre.

D'abord, il n'en avait parlé à personne. Sauf à Carmen. Il lui avait dit ce qu'il avait découvert. Et il lui avait demandé d'arrêter. Ce qu'elle avait fait.

— Donc, Carmen volait vraiment les pourboires de Mathieu ?

— Attends, tu vas voir.

A priori, tout s'était arrangé. Mais, à cette même époque, Mathieu avait un visa de touriste qui allait bientôt expirer et il était employé au noir. Il était donc en pleines démarches pour obtenir un visa de travail. Il avait notamment besoin d'une lettre de la part de ses patrons, disant qu'ils avaient une offre d'emploi pour lui et qu'il était le plus compétent pour occuper ce poste. Évidemment, après ce qui venait de se passer, Carmen n'avait aucune envie de faire un tel cadeau à Mathieu et elle avait refusé de produire le document. Elle avait déclaré qu'elle ne pouvait pas signer ça, que ce n'était pas la vérité et qu'elle ne voulait pas faire un papier illégal. C'était l'argument de Carmen. Et ce n'était pas complètement faux. Mais ça avait beaucoup énervé Mathieu parce qu'elle avait accepté de le faire pour Claire pour qui ce n'était pas plus légal que pour lui. Il avait alors décidé d'arrêter de travailler à *L'Eggzotique*. Et il avait raconté l'histoire du vol de pourboires à Jonathan sous le coup de la colère.

— Est-ce que tu sais s'il en a parlé aux autres employés ? aux serveuses ?

— Je sais pas. Je crois pas. Mais c'est possible. Tout est possible…

Mathieu avait confié son secret à Jonathan lors de son dernier jour de travail, le dimanche avant le crime. Le jeudi matin suivant – la veille du crime –, il avait fait le « tour du poteau » : il était allé à la frontière des États-Unis pour sortir du sol canadien et revenir aussitôt en établissant un nouveau visa de touriste de six mois. Puis il était passé au restaurant récupérer sa dernière paye et son quatre pour cent. Mais là, ça c'était très mal passé avec Carmen. Et il était reparti furieux en la menaçant.

— Mathieu a menacé Carmen la veille du crime?

— Attends, c'est pas fini, répondit Jonathan, intarissable. Le pire, c'est ce qui s'est passé le soir même, pendant le party de départ de Mathieu.

Tao regardait les grands yeux de Jonathan s'agiter intensément dans son visage sans expression. Il ne savait pas encore ce qu'il allait lui révéler. Mais il n'avait pas besoin de lui demander s'il soupçonnait quelqu'un d'autre que Reggie pour le meurtre de Carmen. L'effroi qui passait dans son regard chaque fois qu'il prononçait le nom de Mathieu était suffisamment éloquent. Tout en continuant d'écouter attentivement Jonathan, Tao prit son téléphone et écrivit un texto à Eyrolles.

Attention!!! Mathieu = présumé coupable.

∗ ∗ ∗

Le sentier était tellement enneigé qu'il était délicat de savoir si on marchait dessus ou à côté. Seule la sensation de neige tassée sous les trente centimètres de neige fraîche indiquait qu'on était encore dans le droit chemin. Et justement, Eyrolles n'était plus vraiment sûr d'y être. Cela dit, il n'était pas inquiet. Il se souvenait du parcours simplissime, des balises, des panneaux. Et il savait qu'il lui avait fallu moins d'une demi-heure pour couvrir toute la distance. Au pire, même s'il louvoyait un peu, ça restait une presqu'île. C'était délimité d'un côté par le fjord et de l'autre par le fleuve. On pouvait difficilement s'égarer longtemps sans s'en rendre compte.

Il arriva sur une zone plus découverte. Il entendit la rumeur de l'eau et sentit un vent glacial abraser le peu de chair qui dépassait de son manteau. C'était douloureux, mais en même temps très excitant de se savoir dans des conditions aussi extrêmes. Dans la cuisine, à son réveil, il avait entendu dire qu'il faisait moins trente-deux. Moins trente-deux! Il inspira avec fierté. En plus, là, avec le facteur vent et tout, il devait faire quoi, moins trente-cinq? Moins quarante?

À l'idée qu'il randonnait par moins quarante degrés Celsius, Eyrolles eut le sentiment d'appartenir définitivement à la caste prestigieuse des explorateurs polaires. Il s'imaginait déjà en train de le raconter à ses amis savoyards. Moins quarante. Tout seul, sur la banquise. Ébloui par un soleil aveuglant. Abrasé par un... Son pied s'enfonça dans la neige sans ressentir le contact de la neige tassée. Puis il continua de s'enfoncer sans sentir le contact du manteau neigeux, ni du sol, ni de rien. Son pied s'enfonça, s'enfonça sans fin et entraîna tout son corps.

Eyrolles tombait, tout seul, ébloui, abrasé, par moins quarante degrés, et il n'avait aucune espèce d'idée de quand sa chute s'arrêterait. Ni où.

✳ ✳ ✳

Le téléphone gisait dans la neige, écran vers le ciel. Une large main gantée s'en saisit. Des lettres en caractères énormes s'étalaient sur une photo alpestre pour signaler qu'il y avait « 1 nouveau(x) message(s) de Tao ». Mathieu glissa le téléphone dans sa poche et s'élança dans l'escalier. Les premières marches conduisant à la boucle de la presqu'île étaient largement dégagées. Par contre, un mètre après, c'était facile, il n'y avait plus qu'une seule trace de pas dans le chemin. Des bottes de taille onze et fabriquées au Canada.

✳ ✳ ✳

Le pire, selon Jonathan, avait eu lieu lors du party de Mathieu, la veille de son départ, c'est-à-dire la veille du crime. Il y avait pas mal de monde, pas mal d'alcool et de choses comme ça. Quand Jonathan était arrivé, Mathieu était déjà chaud. Et Jonathan avait alors commis une erreur. Une erreur qui était peut-être à l'origine de tout. Mais avant, il fallait qu'il raconte un peu...

Mathieu lui avait expliqué le stratagème de Carmen : la patronne rentrait de fausses commandes au code de son employé ; les commandes n'existaient pas, donc Mathieu ne touchait jamais l'argent correspondant ; par contre, à la fin de son shift, il devait rendre cet argent au restaurant, comme si le client le lui avait donné. Simple et efficace...

Par nature, les pourboires sont variables. Un serveur ne peut donc jamais connaître avec précision le montant total de pourboires qu'il va gagner dans sa journée. En rentrant chez lui, tout ce que pouvait conclure Mathieu, c'était qu'il n'en avait pas gagné beaucoup, sans pour autant savoir à quoi c'était dû. Ça pouvait être lié à une erreur de sa part, à la perte d'un billet, à une faute de calcul, ou tout simplement à un manque de générosité des clients.

Mais il avait eu la puce à l'oreille un jour où il avait vu apparaître des cafés au lait sur le sommaire de ses ventes alors qu'il n'en avait pas vendu un seul. Ça l'avait intrigué. Il avait commencé à regarder tous les jours ses rapports de ventes ainsi que les cafés au lait indiqués. Et il avait alors remarqué que, quoiqu'il arrive, le rapport signalait invariablement que Mathieu avait vendu, à un moment donné, quatre cafés au lait. Tous les jours ! Mathieu savait pertinemment qu'il n'avait jamais vendu et encore moins encaissé ces quatre cafés. Ce qui signifiait que, tous les jours, Carmen rentrait une fausse commande de quatre cafés au code de Mathieu et récupérait la somme équivalente. Tous les jours, Mathieu donnait vingt dollars à Carmen. Comme ça. Pour rien...

À cette époque, Jonathan ne savait pas trop s'il devait croire Mathieu. Il connaissait la propension du serveur français à tout exagérer et à se présenter systématiquement comme une victime dès qu'il prenait part à un conflit. Mais il était quand même intrigué. Et l'histoire paraissait trop précise pour être inventée de toutes pièces. Le lendemain de ces révélations était un lundi. Jonathan faisait la fermeture. Il avait attendu que tout le monde quitte le restaurant et, une fois seul, il en avait profité pour fouiller dans l'ordinateur. À son tour, il avait regardé le rapport détaillé des ventes de Mathieu pour les derniers mois. Il y avait en effet la fameuse facture quotidienne : quatre cafés au lait, 18,36 $, souvent vers la même heure, souvent à la même table. Et, en effet, c'était bizarre.

Le jour d'après, c'était encore lui qui fermait. Il avait replongé dans l'ordinateur, en essayant de faire vite pour ne pas attirer l'attention des passants qui pouvaient le voir par la baie vitrée. Et cette fois-ci, il avait regardé le rapport des ventes des autres serveuses. Et il s'était aperçu qu'Odile et Claire avaient elles aussi des factures de 18,36 $ à leur code. Mais surtout, ce qui était plus surprenant, c'est que ces factures étaient souvent émises les unes après les autres… C'était déjà difficile d'imaginer que des clients ne consomment que des cafés au lait. Mais que trois tables de quatre clients, chacune dans la section d'un serveur différent, ne consomment que des cafés au lait, c'était absolument impossible. En fait, en trois ans de travail à l'*Eggzo*, Jonathan n'avait jamais vu une seule fois une table de quatre personnes consommer uniquement quatre cafés. C'était un resto, pas un café ; les clients venaient manger, pas boire. Pourtant, selon l'ordinateur, cela arrivait tous les jours. Même plusieurs fois par jour. Et à quelques minutes d'intervalle seulement !…

Mathieu avait raison. Plus que raison. Jonathan ne s'était pas arrêté là dans ses recherches. Le jour suivant, le mercredi donc, il avait fait une copie de tous les dossiers de l'ordinateur sur une clé USB. L'ordinateur était vieux et la copie était lente. En attendant qu'elle s'achève, il avait vu passer plusieurs fois Reggie, dehors, tantôt faisant ses courses, tantôt parlant avec des voisins. Il avait également vu Claire, qui habitait dans le quartier. Et chaque fois, il avait fait semblant de s'affairer, de remettre des ustensiles par-ci, de laver un objet quelconque par-là. Mais sa présence tardive au restaurant devenait de plus ou plus suspecte, et il avait été vraiment soulagé, lorsque la copie s'était enfin terminée, de pouvoir rentrer chez lui. Il avait alors transféré toutes les données de la clé et il avait pu les trier tranquillement sur son ordinateur. Peu à peu, il avait ainsi réussi à avoir une idée plus précise de ce qui se tramait.

À la fin de la soirée, il avait pu établir que chaque serveur se faisait voler environ vingt dollars par jour, en semaine, et environ trente dollars par jour, la fin de semaine (où les journées étaient plus occupées, donc les ventes plus élevées, donc les pourboires plus gros). Par ailleurs, il y avait en permanence soit Mike, soit Carmen au restaurant. Mais ni l'un ni l'autre ne travaillait tous les jours. Ils alternaient. Or, les fausses factures, elles, apparaissaient quotidiennement, sans exception. Cela signifiait donc que l'un comme l'autre effectuait des fausses commandes. Les mêmes fausses commandes. Et que, par conséquent, ils agissaient de concert. Enfin, Jonathan réussit à établir que le début de ce petit jeu coïncidait avec l'arrivée du MEV – le «module d'enregistrement des ventes» – dont l'installation était devenue obligatoire dans tous les restaurants deux ans auparavant. D'un seul coup, les sommes qui pouvaient paraître dérisoires à première vue prenaient une tout autre ampleur avec la durée. Jonathan évaluait le pactole empoché par les patrons de L'Eggzotique autour de vingt mille dollars.

— Wow!!!

Tao était moins impressionné par le montant de l'escroquerie que par l'investigation elle-même. Il regarda le grand blondinet d'un autre œil. Désormais, il ne le voyait plus sortir d'un Dostoïevski tourmenté, mais plutôt d'un thriller hollywoodien dans lequel des petits génies piratent le site de la Maison-Blanche.

— Ben oui, ça fait vingt piastres par jour en semaine, soit cent piastres; deux fois trente piastres par jour en fin de semaine (car il y a deux serveurs), soit, soixante fois deux, cent vingt piastres; ce qui fait deux cent vingt piastres par semaine, donc plus de dix mille par an, donc plus de vingt mille pour deux ans.

— C'est énorme!

— Si toi, ça t'impressionne, essaie d'imaginer l'effet que ça fait à quelqu'un qui est victime du système… Et qui est payé moins de dix piastres de l'heure!

Quand il avait découvert l'ampleur de l'escroquerie, Jonathan avait essayé de contacter plusieurs journaux pour faire un scandale.

Mais personne n'avait été intéressé. Par contre, lorsqu'il en avait parlé à Mathieu le jeudi soir, celui-ci avait été plus qu'intéressé: il était devenu complètement hystérique.

Le fait de se faire voler l'avait indigné. Mais ça pouvait encore passer. Bizarrement, c'était le fait qu'Odile et Claire se fassent aussi voler qui l'avait vraiment révolté. Que des personnes qui se donnaient corps et âme pour *L'Eggzotique* se fassent spolier par *L'Eggzotique*, ça, ça l'avait rendu fou de haine.

— Mathieu s'est senti révolté que les autres serveuses se fassent voler? demanda Tao, sceptique.

Ça ne correspondait pas à l'image qu'il avait du personnage.

— Pourtant, elles, elles sont pas particulièrement tendres quand elles parlent de lui, ajouta-t-il.

— Odile, à part avec son fils, elle est tendre avec personne, expliqua Jonathan. Et Claire, avec elle, il y a toujours un truc qui va pas. Alors, ça m'étonne pas qu'elles aient bitché Mathieu. Mais, lui, il a l'air de bien les aimer. En tout cas, quand je lui ai dit qu'elles se faisaient voler aussi, il a vraiment eu un déclic.

Avec l'alcool et sa journée difficile, Mathieu était devenu haineux. Fielleux. Injurieux. Et c'est alors qu'il avait confié à Jonathan qu'il aimerait la voir crever la bouche ouverte. En parlant de Carmen.

— «Crever la bouche ouverte»? C'est l'expression qu'il a utilisée?

— Il a dit, mot pour mot: «J'ai qu'une seule envie, c'est la voir crever la bouche ouverte, cette vieille pute.»

— T'es sûr? Mot pour mot?

— Mot pour mot, j'en suis certain.

Et les yeux bleus de Jonathan se fixèrent comme des crampons dans ceux de Tao.

* * *

Cette fois encore, la chute avait été amortie par la neige. Eyrolles n'avait presque rien senti. Par contre, il ne savait vraiment pas comment sortir de ce faux pas. D'abord, il n'arrivait pas à comprendre s'il était sur la terre ferme ou sur la glace. D'un côté, il était bloqué par la falaise d'où il était tombé et qui s'élevait abruptement. De l'autre, il entendait un bruit de vagues et il sentait que l'eau était toute proche. Enfin, quelle que soit la direction dans laquelle il regardait, tout était pareillement blanc, pareillement couvert de glace ou de neige, la terre ferme comme la mer qui s'y brisait. La seule différence dans tout ça, c'était que, s'il était sur la glace, elle pouvait se détacher et il risquait de tomber dans l'eau gelée à tout moment.

Quand il essaya de tâter du bout des bottes le terrain autour de lui, il eut l'impression que son pied s'enfonçait sans fin et qu'il allait à nouveau tomber dans un trou, toujours plus bas. Il n'insista donc pas. Conclusion, il était complètement bloqué. Il ne pouvait pas bouger d'un pouce. Et s'il ne bougeait pas, il allait se congeler sur place, ce qui n'était pas beaucoup plus alléchant que le plongeon dans l'eau. En même temps, y avait-il une autre option?... Soudain, il sentit le sol vibrer et la glace craquer.

— Alors, on se balade?

Eyrolles reconnut immédiatement cette voix pleine d'assurance et ce mélange d'accent franco-québécois. La phrase était anodine, mais il y avait quelque chose d'indéfinissable dans le ton.

* * *

Jonathan avait eu un regard complètement fou et terrorisé. Tao essayait pour la deuxième fois d'appeler Eyrolles. Mais ça ne répondait toujours pas. Il devait être en train de faire quelque chose d'important.

* * *

Eyrolles reconnut la sonnerie de son téléphone.

Mathieu écrasa son pouce sur le bouton « raccrocher ».

— Chacun son tour de faire joujou avec le téléphone de l'autre, dit-il, amusé.

Eyrolles ne répondit pas. L'enjouement de Mathieu cachait quelque chose. Quelque chose de nerveux. Quelque chose de mauvais. Il leva la tête sans rien dire vers la forme indistincte qui le surplombait.

— Tu m'excuses : je le mets sur vibreur parce que ta sonnerie est vraiment pourrie.

Eyrolles devait essayer de deviner le plus vite possible ce que Mathieu savait. Et surtout ce que Mathieu voulait.

— Ah ! Voilà : on sera plus emmerdés.

Mathieu rangea le téléphone dans sa poche et s'approcha. Eyrolles était sur le point de balbutier quelque chose lorsque Mathieu changea brusquement de ton.

— Je pensais pas que les fouines aimaient l'eau froide.

Mathieu savait.

Par contre, Eyrolles ne savait toujours pas comment réagir. Il entendit un bruit de vague et crut sentir l'eau à quelques centimètres de ses pieds.

— T'es au courant que la marée monte ? lança Mathieu d'une voix légèrement éraillée.

— Je sais surtout que si tu te trouves deux fois à proximité d'un assassinat en moins de deux semaines, tu risques d'avoir l'air suspect.

— Qui parle d'assassinat? J'y peux rien si un gros con d'aveugle vient s'amuser au bord des falaises.

La voix légèrement voilée de Mathieu s'était brisée au milieu de sa phrase, laissant la colère s'infiltrer dans la brèche.

— T'y peux rien. Mais tu peux au moins l'aider à ne pas tomber. Et lui aussi, il peut t'aider à ne pas tomber.

— Qu'est-ce que tu cherches? Pourquoi tu fais des fiches sur moi? Et t'es qui d'abord?!!!…

Eyrolles sentit la glace craquer sous ses pieds. Il fut saisi d'un violent vertige.

La voix de Mathieu craquait, la glace craquait, et bientôt le monde entier d'Antoine Eyrolles ne fut plus qu'un gigantesque craquement.

— Putain!! Aide-moi à sortir au lieu de poser des questions!!!

∗ ∗ ∗

Ça devait être ça qu'on appelle « l'énergie du désespoir ». Eyrolles avait littéralement hurlé sur Mathieu. Comme on hurlerait sur un enfant qui est en train de faire la pire bêtise du monde. Les mots étaient sortis tout seuls, sans qu'il réfléchisse. Et beaucoup plus efficacement que s'il avait pu réfléchir. Grâce à cette spontanéité, sa terreur avait été hautement contagieuse.

Maintenant qu'il était sur la terre ferme du *Café du Quai* et qu'il se réchauffait les doigts contre sa tasse fumante, Eyrolles se rendait compte à quel point sa situation avait été critique. Mais, pour l'instant, il était toujours incapable de parler. Alors il se contentait d'écouter le grand gaillard à la voix encore cassée de la veille qui lui faisait face.

Mathieu avait travaillé le matin même. C'est lui qui avait supervisé la cuisine de l'auberge de 8 heures à 10 heures. Après, Geneviève avait pris le relais et il avait commencé le ménage avec d'autres bénévoles. Il avait ramassé des centaines de canettes de bière, rempli des poubelles, vidé des poubelles. Et c'est justement en vidant le recyclage qu'il avait vu son nom écrit sur une feuille déchirée. Puis il avait vu les mots « Isa, Mike, L'Eggzotique », le tout constellé de ratures et de points d'interrogation. Enfin, en fouillant un peu, il avait découvert une quantité d'informations qu'il ne s'était jamais attendu à voir à une telle date et à un tel endroit. Juste à côté, il y avait, comme par hasard, une facture froissée au nom d'Antoine Eyrolles et un emballage vide de chocolat au lait. Mathieu n'avait donc pas eu de mal à attribuer la paternité de toutes ces lignes au célèbre romancier venu travailler sur son œuvre à Tadoussac. Un célèbre romancier qui s'avérait donc être également un fin limier.

— Je vais être honnête avec toi…

Dès les premiers mots, Eyrolles avait commencé à mentir. C'était bon signe. Ça voulait dire qu'il s'était réchauffé, qu'il avait repris du poil de la bête et que ses vieux réflexes n'étaient pas trop rouillés. Antoine Eyrolles était encore en vie.

— On est plusieurs à enquêter sur ton cas.

— Enquêter sur mon cas ?

— Oui, sur ton cas et sur le dossier de Carmen Medeiros.

À l'évocation de Carmen, le visage de Mathieu se tendit.

— Je vois pas en quoi je peux vous intéresser.

— Tu te sous-estimes. La police et la presse, elles, semblent bien le voir.

— J'ai rien à voir avec son décès. Pour moi, *L'Eggzotique*, c'est fini depuis belle lurette.

— Eh bien, justement, on aimerait bien éclaircir les circonstances de ton départ.

— Toi, tu fais quoi là-dedans ?

— Moi, je suis indépendant. Je travaille tantôt pour les uns, tantôt pour les autres. Et moi aussi, je m'intéresse à ton cas. D'ailleurs, tout le monde sait que je suis ici, à Tadoussac, avec toi, et c'est pour ça que ça n'aurait pas été très malin d'essayer de me faire quoi que ce soit.

— La seule chose que j'ai faite, c'est sauver la vie d'un inconscient…

— Inconscient, inconscient…

— Un aveugle qui s'amuse à escalader les falaises…

— Je me promenais.

— Et à se jeter dans l'eau glacée!

— J'allais remonter.

— Le tout, par moins trente degrés…

— Moins trente-deux, corrigea Eyrolles. Moins quarante avec le facteur éolien.

— Moins quarante!

— En tout cas, je te remercie, mais il n'y a pas de mérite à aider quelqu'un en péril. C'est ce que n'importe qui aurait fait. Par contre, si t'avais agi autrement, tu te serais rendu coupable de non-assistance à personne en danger.

— Ça fait plaisir de sauver une vie! Merci pour la reconnaissance!

— De toute façon, c'est pas ma vie qui nous intéresse, c'est la mort de Carmen. Et ce que tu faisais au moment du crime.

— J'étais en route pour Tadoussac.

— Entre 14 heures 15 et 14 heures 30?

— Oui, à peu près…

— Non, il n'y a pas d'à-peu-près qui tienne. J'ai besoin de savoir précisément ce que tu faisais pendant chaque minute comprise entre 14 heures et 14 heures 30.

— À 14 heures 30, j'étais à mon rendez-vous de covoiturage, métro Jean-Talon. Avant, j'étais dans un café.

— Ah oui ? Quel café ?

— Je sais plus. Un café, dans Rosemont, je me souviens plus du nom.

— Ce serait pas le *Coco Gallo*, par hasard ? Tu sais, le café qui est juste à côté de *L'Eggzotique* ?

— C'est pas juste à côté... Mais... c'est pas très loin.

— Pas très loin. Et, surtout, avec une très belle vue !... Pourquoi tu regardais l'entrée de *L'Eggzotique* ? C'était juste pour le plaisir ou bien est-ce que t'avais une idée derrière la tête ?

Mathieu prit son temps. Il but une gorgée de café et s'éclaircit la voix avant de répondre.

— Je sais que ça va paraître foireux, mais... j'y peux rien. Voilà... J'ai eu des petits problèmes avec Carmen, avant son décès. Des histoires d'argent. Pas grand-chose. Il me manquait ma dernière paye. Elle disait que j'avais pas droit à cette paye parce que j'avais rompu mon contrat. Mais c'était des conneries : j'avais travaillé et j'avais droit à un salaire pour le travail que j'avais fait. Et donc, je... je...

Mathieu semblait caler. Eyrolles l'aida.

— Et donc t'es logiquement allé au *Coco Gallo* pour récupérer ta paye de *L'Eggzotique* ?

— Non, j'y suis allé en attendant d'aller à *L'Eggzotique*.

— Bon. Et qu'est-ce que t'as fait pendant tout ce temps au *Coco Gallo* ?

— Rien, j'ai attendu.

— T'as rien fait de spécial ?

— Non. J'ai passé quelques coups de fil… Quand on part, il y a toujours tout un tas de trucs chiants à régler…

— Et est-ce que t'as appris quelque chose de particulier dans un de ces coups de fil ?

— Non. C'était des formalités. Des trucs administratifs.

— Donc, il s'est absolument rien passé pendant que tu étais au téléphone ?

— Non. J'essayais juste de m'occuper avant d'aller à *l'Eggzo*.

— Mais alors pourquoi t'es pas allé directement à *L'Eggzotique* ?

— Je voulais pas arriver en plein rush, avec les clients et tout. Je voulais attendre que ce soit plus calme au cas où ça ferait encore un scandale.

— Est-ce que tu voulais épargner quelqu'un en particulier ?

Mathieu regarda Eyrolles dans les yeux. Celui-ci regardait fixement le bas de sa tasse. Il insista.

— Est-ce que tu guettais quelqu'un en particulier ?

— Eh ben… Personne en particulier. Je voulais éviter tout le monde. C'est assez désagréable de revenir dans un resto dont on vient de se faire virer. Surtout quand tu sais que les boss ont ligué tout le personnel contre toi.

— Tu t'es fait virer ? Je croyais que tu étais parti ?

— C'est pareil : si j'étais pas parti, ils m'auraient viré.

— Et t'avais plus personne de ton côté dans toute l'équipe ?

— Si justement. Il y avait Claire. C'est une bonne amie. Et c'est grâce à elle que j'étais rentré au resto. Je savais qu'elle se sentirait mal si j'arrivais et que je m'engueulais avec Carmen. Alors je voulais attendre qu'elle finisse son shift pour passer.

— Comment tu savais que ça allait mal se passer avec Carmen ? Comment tu pouvais savoir qu'elle n'allait pas te donner tout simplement ta paye ?

— Parce qu'elle donnait jamais tout simplement la paye. Je l'avais vue faire avec d'autres employés des milliards de fois. J'étais déjà venu la veille, et il y avait eu un problème. Je savais que le seul moyen d'avoir ma paye, c'était de revenir, de m'acharner, et de péter un scandale. C'était le seul moyen avec une salope pareille…

Il y eut un silence.

— Qu'est-ce que tu pensais d'elle ?

— Franchement ?

— Oui, franchement.

— C'était une sale hypocrite. Elle jouait à la patronne sympa, mais en fait, elle pensait qu'à sa gueule et elle foutait rien de la journée. Et si tu faisais la moindre erreur, elle faisait la gentille devant toi et par-derrière, elle te pourrissait.

Visiblement, Mathieu avait une autre conception de la franchise qu'Eyrolles.

— T'as pas l'air de la porter dans ton cœur !

— Non, vraiment pas. Elle m'a enculé pendant des mois, cette vieille pute. Et avec le sourire ! Alors…

Eyrolles ne tiqua pas.

— Bon. Et donc, lorsque Claire est sortie, t'es allé chercher ta paye ?

— Non, finalement j'ai lâché l'affaire.

— Comment ça ?

— Ben, finalement, j'y suis même pas allé. Je me sentais trop mal par rapport à Claire et aux autres…

— Quelle empathie !

— En plus, j'étais malade parce qu'on avait fait la fête la veille. Et de toute façon, j'étais vraiment trop à la bourre pour mon rendez-vous de covoiturage. Alors j'ai tracé, direct.

— T'es pas du tout passé à *L'Eggzotique* ?

— J'y ai pas mis les pieds.

— T'es en train de me dire que t'as attendu pendant une heure que le restaurant se vide, et quand ç'a été enfin le cas, t'es parti sans y passer ?

— De doute façon, ma paye, c'était quoi, cent piastres ?… Dans le fond, c'était plus pour le principe que je voulais la récupérer. La thune, je m'en foutais.

— Donc, t'as abandonné tes principes.

— Oui. J'ai longtemps hésité et finalement… je me suis dit fuck.

— C'est bizarre parce que, a priori, tu donnes pas trop l'impression d'être un gars qui hésite beaucoup. Au contraire, t'as l'air plutôt sûr de toi.

— Peut-être que je cache bien mon jeu.

Peut-être. Eyrolles n'arrivait pas à savoir ce qui ne marchait pas dans son histoire. Il y avait une apparence de vérité. Il y avait des éclairs de franchise. Mais il suffisait de s'y attarder un peu pour que l'apparence s'en aille et qu'on se retrouve devant un grand trou. Il ne comprenait pas pourquoi Mathieu avait caché ce qu'il avait vraiment fait au *Coco Gallo*. Et, par contre, il ne comprenait pas pourquoi il n'avait pas caché son injure préférée. Mais avant tout, Eyrolles ne comprenait pas pourquoi Mathieu ne l'avait pas laissé crever comme un con sur son rocher.

* * *

Après leur petite discussion, Mathieu annonça qu'il devait rentrer travailler à l'auberge. Comme il était venu en van jusqu'au quai, il proposa à Eyrolles de le raccompagner. Celui-ci avait été tellement traumatisé par le froid qu'il accepta de bon gré tout ce qui lui permettait de gagner quelques degrés. Il s'assit sur le siège passager en tassant avec ses pieds une collection de gobelets, d'emballages et de papiers divers. Mathieu devait juste faire un petit détour aux dunes avant de rentrer. Ça ne serait pas long. En plus, c'était un endroit à voir absolument. Enfin, « voir »…

Tous les ans, c'était une tradition. Les fêtards de l'auberge qui tenaient encore debout allaient admirer le premier lever de soleil de l'année aux dunes. Ils prenaient de gros manteaux, des chaises, un poêle pour faire le feu et des bouteilles. Ils emportaient même un gros fourneau portatif sur lequel Coco faisait chauffer la soupe à l'oignon. Et Mathieu devait récupérer le poêle, maintenant qu'il avait refroidi, ainsi que les diverses bébelles qui avaient été oubliées.

Ils arrivèrent aux dunes en moins de dix minutes. Évidemment, à cette époque de l'année, les dunes ne dévoilaient pas un grain de leur intimité sablonneuse et ressemblaient plus à des montagnes. Elles étaient parfaitement blanches et lisses et elles dévalaient de manière vertigineuse jusqu'à une grande plage immaculée, deux cents mètres plus bas. Eyrolles sortit dans la froidure pour aider Mathieu à charger le poêle massif dans le coffre ainsi qu'un sac-poubelle plein de bouteilles vides. Aussitôt fait, il se rua à l'abri du vent, à sa place dans la voiture. Mathieu, lui, fit un dernier tour. Puis, au lieu de revenir du côté conducteur, il ouvrit la porte d'Eyrolles, dans laquelle un vent féroce s'engouffra. Deux chaises venaient de tomber en contrebas, emportées par une bourrasque. Eyrolles les aurait volontiers abandonnées à leur triste sort de chaises volantes, mais Mathieu tenait à aller les chercher avant que la marée s'en occupe. Ce ne serait pas très long.

Pour rien au monde Eyrolles ne serait allé les chercher. D'abord, il crevait de froid. En plus, il ne se sentait pas en grande forme. Mais surtout, les lieux le mettaient un peu mal à l'aise. Cette immense descente, cette plage isolée... Il regrettait de ne pas avoir insisté pour se faire déposer directement à l'auberge et se blottit contre lui-même, tout seul dans le large siège de la voiture.

Il repensa à sa discussion avec Mathieu au *Café du Quai*. Il avait découvert quelque chose de nouveau chez lui. De touchant, même. Un côté petit enfant derrière les attitudes du mâle viril. Oui, quelque chose de naïf dans sa grosse voix, un manque de confiance sous la carapace désinvolte. Et surtout un certain altruisme qu'il n'avait pas soupçonné. Mais il n'avait pas que des qualités enfantines. Il avait aussi des défauts. En particulier, il mentait très mal.

Mathieu était parti depuis cinq bonnes minutes et Eyrolles n'arrivait toujours pas à se réchauffer. Il allait attraper la mort s'il restait là. Il observa autour de lui. Il trouva une espèce de tapis en fausse fourrure sur la banquette arrière et s'en couvrit immédiatement. Tout l'intérieur du véhicule était un vaste bordel qui résumait à lui seul les pérégrinations des six derniers mois de Mathieu: on y trouvait des tasses *Tim Hortons*, des emballages *McDonald's*, des sacs *Petro-Canada*... Eyrolles ouvrit la boîte à gants. C'était plus petit, mais tout aussi bordélique que l'habitacle. Il en extirpa des lunettes de soleil auxquelles il manquait une branche, un rouleau de papier toilette, un briquet, des papiers en vrac. Il voulut prendre le briquet dans l'espoir de se réchauffer. Mais ses mains gantées et tremblotantes le rendaient maladroit. Suite à un tressaillement intempestif, le papier toilette dégringola en entraînant, dans sa chute, tout le contenu de la boîte à gants. Eyrolles jura et remit un par un les différents éléments. Les lunettes. Le papier toilette. La lampe. Le livret. Les feuilles. L'une d'entre elles était au format lettre, pliée en deux. Il la déplia sans réfléchir, et jeta un œil, par curiosité.

Il se redressa aussitôt. En haut à gauche, imprimé de manière solennelle, il lut le nom de Mike Medeiros. Puis plus bas, la date, et l'objet. Il s'agissait d'une quittance pour un règlement à l'amiable entre Mike Medeiros et Mathieu Camaret. Le papier ne disait pas quel était l'objet du conflit. Il disait juste que le conflit était réglé. Et que Mathieu Camaret n'engagerait pas de poursuites judiciaires contre Mike ni contre *L'Eggzotique* sur «quelque litige ayant eu lieu, ayant lieu ou qui aura lieu». Enfin, Mathieu s'engageait également à ne jamais retourner à *L'Eggzotique* sauf en cas de force majeure.

La quittance était datée du vendredi 20 décembre. Eyrolles relut la feuille et la fourra au plus près de lui, sous la doudoune jaune, sous le polaire rouge, sous le pull noir, sous le mérinos gris, contre sa rose peau. Puis il referma la boîte à gants et attendit. Tout son corps grelottait sans qu'il puisse déterminer si c'était à cause de la peur ou du froid. Il essaya de regarder par la vitre. Mais ça faisait une semaine que, de toute façon, il ne voyait que du blanc partout où il regardait.

Il suivit des mains la plage avant de la voiture et tourna la clé, qui était toujours dans le démarreur. Le son de la ventilation émit ses ondes rassurantes. Hélas, l'air qu'elle envoyait était glacial. Il s'approcha du tableau de bord, et chercha à tâtons le réglage de la température. Il appuya sans faire exprès sur la fermeture centralisée et entendit cinq déclics simultanés l'informant qu'il venait de fermer toutes les portes. Il rappuya. Aucun bruit. Appuya encore. Toujours rien. Il passa à autre chose.

Il trouva un bouton circulaire et le tourna frénétiquement vers la droite. Mais ça ne changeait rien. Il était en train de mourir de froid. Vraiment! C'était peut-être un coup subtil de Mathieu... Il appuya sur d'autres boutons. Mais l'air restait froid et les portes, fermées. Oui, Mathieu avait peut-être changé d'avis, il regrettait de ne pas l'avoir tué près des falaises, alors il se rattrapait ici, il avait eu le temps de peser le pour et le contre, il avait réalisé le danger que représentait un détective éclairé et il avait décidé de… Eyrolles voulut soudain sortir. Il actionna brutalement sa poignée. Mais les portes étaient verrouillées… Allez!! Putain!… Il était pris au piège! Mathieu n'avait plus qu'à pousser la voiture et il irait s'exploser deux cents mètres plus bas, sur la plage. Pris de panique, Eyrolles fit une palpation corporelle complète de sa portière. Et il finit par trouver un loquet. Il tira et entendit cinq clics simultanés. Alors il ouvrit la porte comme s'il était sur le point d'étouffer et se jeta à l'extérieur. Mathieu était juste derrière lui tenant une arme dans chaque main. Eyrolles leva ses poings.

— Putain, c'est plus rapide à descendre qu'à remonter ces saloperies de dunes!… Surtout avec ces maudites chaises… Bah… Pourquoi t'as mis les antibrouillards?

Mathieu jeta les chaises dans le coffre, s'installa à sa place à l'avant et démarra.

— En voiture, Simone! Tu veux passer la nuit ici ou quoi?

Eyrolles hésitait encore entre la mort par explosion ou par congélation. Il choisit l'explosion. Au moins, c'était chaud.

* * *

Il voulait parler avec Tao, il voulait rappeler Isabelle Gaillard, alias Isa Bourgoin pour les intimes, il voulait savoir ce que venait faire Mike là-dedans, il voulait mettre en ordre ses idées sur son petit carnet, il voulait… Mais son impatience ne fit pas le poids contre les besoins de son corps. Et la première chose que fit Antoine Eyrolles en rentrant à l'auberge fut de prendre une douche bouillante.

Il resta longtemps sous l'eau. Infiniment. Il demeura sous le jet bienveillant encore après avoir repris l'usage de ses orteils, bien après avoir fripé le moindre centimètre carré de sa peau, longtemps après avoir tari les réserves mondiales d'eau potable. Puis il finit par sortir, fumant, bouilli, déliquescent. À ce moment précis, il n'était même plus capable de vouloir quoi que ce soit. Il se contentait d'être.

Il s'habilla et descendit le grand escalier. En bas, c'était le calme après la tempête. Il y avait certes plus de monde que le soir de son arrivée, mais la plupart des gens étaient au bar et le salon avait retrouvé son caractère douillet. Coco avait repris son poste, au solitaire, sur l'ordinateur. Mathieu, qui était au bar, aperçut Eyrolles de loin et s'approcha de lui à grands pas. Toujours pas complètement remis de ses traumatismes, Eyrolles était incapable de dire s'il venait lui mettre un coup de poignard dans le ventre ou lui offrir une bière. Mathieu lui tendit sa main droite, qui tenait un objet sombre de petite taille.

— Tiens, au fait, j'ai oublié de te le rendre. Et j'en ai marre de le sentir vibrer dans ma poche. Je pense que ta copine aimerait que tu la rappelles !

Eyrolles dit merci et récupéra son téléphone. Il regarda l'écran : Tao était l'auteur de six textos non lus et de dix-huit appels manqués. Il remonta dans sa chambre et lut en diagonale le long crescendo d'impatience contenu dans les textos. Pas de doute, c'était le moment de rappeler sa copine…

* * *

Le coup de téléphone fut à l'image de la douche. Un déluge, un débit incessant d'informations, de questions, de réponses… Mais cette fois-ci, la douche fonctionna dans les deux sens.

À eux deux, Eyrolles et Tao reconstituèrent les éléments manquants. Mathieu s'était fait escroquer, il s'en était rendu compte, et il avait rencontré Mike, certainement le matin du crime, pour convenir d'un règlement à l'amiable. D'ailleurs, Mike était coutumier du fait. En effet, il avait procédé exactement de la même manière auprès de Jade Tremblay, une ancienne serveuse. Dans son cas, l'escroquerie était légèrement différente. Mais sa résolution avait été la même : un règlement à l'amiable, une quittance entre les deux parties dans laquelle on s'engageait à garder le silence pour toujours et tchao bye. Il y avait donc un schéma qui se répétait et dans lequel il fallait définitivement éclaircir le rôle de Mike.

La question de Mathieu était plus controversée. Tao le voyait désormais comme un assassin vengeur. Eyrolles restait indécis.

— Il aurait pu me tuer quinze fois aujourd'hui et il ne l'a pas fait.

— Il a aucun intérêt à te tuer, toi. Au contraire, en te sauvant la vie, il passe pour un héros innocent. Mais Jonathan est sûr que c'est Mathieu qui a tué Carmen.

— Il te l'a dit?

— Non. Il me l'a pas dit… Mais il me l'a bien fait comprendre. Il en est encore traumatisé.

— C'est peut-être dans son intérêt à lui qu'on soupçonne Mathieu. Parce que, excuse-moi, mais quelqu'un qui veut faire un scandale la veille d'un crime…

— Justement, c'est pas très malin.

— Les assassins sont pas toujours très malins. Surtout quand il y a de l'émotion en jeu. Et Jonathan a l'air émotif. Il veut faire la une des journaux avec un scandale, il n'y arrive pas avec son scandale, il l'a faite avec un crime, c'était plus rapide.

— Jonathan est peut-être émotif, mais il est loin d'être stupide, assura Tao. Et je pense pas non plus que ce soit un meurtrier. Il a l'air lunatique au premier abord, mais, en fait, il est très versatile, tsé…

— Mouais…

lunatique (Qc): tête en l'air
versatile (Qc): polyvalent
lunatique (Fr): versatile

Quand il raccrocha, Eyrolles resta quelques secondes à fixer la fenêtre d'un air stupide. Puis il alluma son ordinateur et revint pour la millième fois sur son tableau récapitulatif des employés de *L'Eggzotique*. Il suivit la ligne «Jonathan» et découvrit qu'il y avait un point d'interrogation à la colonne «alibi». L'explication lui revint à la mémoire: le coloc de Jonathan avait déclaré qu'il l'avait entendu rentrer vers 13 heures 45, puis émerger vers 17 heures, après sa sieste. Eyrolles avait sanctionné la faiblesse de l'alibi par un sévère point d'interrogation. D'ailleurs, il y avait un second point d'interrogation à la même colonne. Il suivit la ligne vers la gauche. La cellule indiquait « Mike ».

* * *

Eyrolles descendit s'affaler dans le gros fauteuil, près du feu. Il avait raccroché depuis quinze bonnes minutes, mais il poursuivait la conversation de manière plus consensuelle avec son Tao virtuel. Ils s'aidaient mutuellement à se remémorer les données qui avaient permis d'élaborer les beaux tableaux Excel. Concernant Mike, par exemple… Il avait déclaré être passé au restaurant vers 13 heures 45. Puis il était parti vers 14 heures pour faire visiter un appartement qu'il essayait de louer dans le quartier. Mais le client n'était pas venu. Et il avait passé quarante minutes à l'attendre.

Antoine Eyrolles prit son fauteuil et s'approcha un peu plus près du foyer. Pour être plus près que ça, il aurait fallu être au milieu des flammes. Mais Eyrolles aurait voulu s'approcher encore. Il n'arrivait pas à rassasier son besoin de réchauffement. Geneviève arriva avec une grosse pile de *Journal de Montréal*. Il l'observa, intrigué.

— Tu fais la collection ?

Elle les déposa à côté du foyer.

— Non, c'est lui qui fait la collection, dit-elle en désignant le feu. Il les adore. Et eux, c'est ce qu'ils font de mieux.

Eyrolles feuilleta la pile. Il reconnut plusieurs numéros qu'il avait déjà lus pendant ses petits-déjeuners montréalais. L'une des couvertures titrait : « Affaire de *L'Eggzotique*, les aveux de l'assassin ». Il prit le journal et le feuilleta. C'était l'édition du 27 décembre.

Celui-là aussi, il l'avait lu à Montréal. Il s'en souvenait. Il tourna les pages et tomba sur la photo de Reggie. Il relut le portrait que Tao avait fait. Puis il continua l'article où apparaissaient les fameux aveux :

C'est moi qui a tué Carmen. Tout sa ces la faute à la drogue qui a brisé ma vie.

Les mots sonnaient bizarrement à ses oreilles. Avec le temps et la distance, ils avaient pris une tout autre résonance. Il poursuivit sa lecture. Il ne se souvenait plus du passage sur l'adolescence de Reggie au Nouveau-Brunswick. Ni de l'encart sur les organismes de lutte contre la drogue, d'ailleurs. Ni…

Il n'avait pas vu qu'il y avait la suite du message de Reggie ! Comment avait-il pu rater ça ? ! C'était le jour où il s'était disputé avec Tao. Il avait peut-être dû arrêter sa lecture pour une raison quelconque. Ou alors, il n'avait pas eu le temps de finir… Il ne savait plus. Les aveux de Reggie avaient été séparés en deux. La première partie, dont il se souvenait parfaitement, était en haut de l'article. Mais il y avait la suite, en bas à droite de la page, dans laquelle certains noms avaient été barrés pour préserver l'anonymat des personnes en question. Eyrolles découvrit ces lignes avec stupeur.

Je veux qu'on donne tou mon stock à mon frère sauf ma nouvelle drill qu'est pour XXX. Et mes économies ces pour une affaire contre la drogue. Pis j'aimerai ça que ce soi quelqu'un de ben fin qui s'occupe de Tiguidou, par exemple XXX si elle est dacor.

Tout en lisant, Eyrolles sentit ses poils se dresser sur sa peau. Il lui fallait les noms. Tout de suite. Il appela Tao. Tao n'en savait rien. Mais il promit de vérifier dès le lendemain au *Journal*. Quelqu'un devrait pouvoir trouver une photocopie de la lettre de Reggie là-bas. Eyrolles n'en revenait pas. Il raccrocha sèchement.

— Bon, ben salut. Au fait, je rentre demain à Montréal.

Jeudi 2 janvier

Eyrolles s'assit sur le siège arrière de la voiture. En l'absence de bus ou de train pour Montréal, il s'était rabattu sur un des nombreux covoiturages offerts à l'auberge. Tous ceux qui étaient venus faire la fête à Tadoussac semblaient devoir irrémédiablement redescendre vers le sud, comme un entrechat dans les airs finit toujours par retomber au sol.

Depuis quand faisait-on des entrechats après un assassinat, d'ailleurs? Lui, s'il avait été un assassin, il ne serait pas venu dans un endroit d'où ne part qu'une seule route. S'il avait été un assassin, il ne s'amuserait pas à ressortir ce qu'il a crié au moment du crime à tout bout de champ. S'il avait été un assassin, il n'aurait pas laissé quelqu'un d'aussi têtu qu'Eyrolles-la-vérole sur sa piste.

Ça lui paraissait désormais évident: Mathieu n'était pas l'assassin. La seule chose qu'Eyrolles voulait encore savoir concernant Mathieu, c'était le contenu de sa discussion téléphonique au *Coco Gallo*. Et il avait bien compris que ce n'était pas en le harcelant de questions qu'il en saurait plus. Il devait trouver un autre moyen de s'informer. Il prit son téléphone, composa le numéro d'Isabelle Gaillard et entendit pour la énième fois le message d'accueil de son répondeur.

Les jeunes, devant, lui demandèrent si ça le dérangeait qu'ils fument. Il pensa «oui», il dit «non». C'était un joint. Ils lui demandèrent s'il voulait fumer, il pensa «bof… là, à 9 heures du matin, non, ça ne me dit rien… Enfin, je sais pas trop… En même temps, pourquoi pas? Ce sera peut-être l'occasion d'avoir plein d'idées comme la dernière fois. Sauf que, cette fois-ci, tiens, pas con, je vais prendre mon carnet et mon stylo et je vais tout noter pour ne rien oublier. De toute façon, qu'est-ce que je peux faire pendant sept heures le cul dans une voiture ? Autant optimiser mon trajet. Autant le mettre à profit pour avancer dans l'enquête. Autant… » Les jeunes lui dirent « t'endors pas sur le joint quand même ». Il répondit « désolé » et leur tendit un mégot à moitié éteint. Puis il sortit son carnet, le posa sur ses genoux, déboucha son stylo et attendit qu'une révélation divine dicte à sa main la clé de l'énigme.

Lorsque Eyrolles avait parlé de covoiturage, la veille au comptoir du bar, la décapsuleuse s'était soudain attendrie. Il l'avait entendue protester « Oh non ! Pas déjà le retour ?… » d'une voix tristounette. Il avait résisté à la tentation de rentrer dans son jeu. C'était toujours au moment où elle devenait impossible qu'une relation merdico-sentimentale prenait toute son ampleur. Mais, à la vérité, oui, lui aussi, il était triste de partir de Tadoussac. L'endroit avait quelque chose d'unique. Et il y restait encore tant de flacons, contenant tant d'ivresses, qui n'y avaient pas été décapsulés !

Eyrolles se rendit compte qu'il ne lui restait plus que deux jours avant de rentrer en France. Une angoisse irrépressible l'envahit aussitôt et se mit à l'avaler de l'intérieur. Dans deux jours, c'en serait fini du Québec. C'en serait fini des vacances. D'ailleurs, pouvait-on vraiment appeler cela des vacances ? Il avait laissé les enquêtes de la cour d'assises pour consacrer tout son temps sur l'enquête de *L'Eggzotique*. Ah bravo ! Quel dépaysement ! Et surtout quel succès : à part des pistes qui ne menaient à rien, des indices ténus, des présomptions infondées, il n'avait rien découvert. Au fait, pourquoi s'était-il entiché de cette affaire ? Qu'est-ce que ça lui avait apporté ? Au lieu de se crever les yeux sur son téléphone, au lieu de remplir des tableaux Excel, est-ce qu'il n'aurait pas pu se reposer un peu et passer du temps avec des êtres humains, comme tout le monde ? Il n'avait quasiment pas vu son vieux JB. Il n'avait rencontré quasiment personne. Il n'avait pas écrit une ligne de son putain de roman. Mais qu'est-ce qu'il avait ? C'était quoi son problème ? Qu'est-ce qu'il fuyait ? Où est-ce qu'il allait ?!…

Ce ne fut pas exactement le genre de révélation divine à laquelle Eyrolles s'était attendu. Cette révélation-là – la révélation de ses tares viscérales –, il la connaissait bien : il y avait droit environ deux fois par an. Pourtant, à chaque fois, ça le prenait par surprise et ça lui paraissait nouveau. Il s'engouffra dans une introspection vertigineuse qui ne cessait jamais de le faire tomber plus bas. Il se rendit compte qu'il était vain, peureux, égoïste, volage, immature, orgueilleux. Il passa également de longues minutes à contempler son avarice. Il songea aux savants calculs auxquels il procédait dès qu'il était question de pourboire. Tout ça pour quelques misérables pièces de monnaie ! Comment pouvait-il être aussi mesquin ? Comme s'il n'avait pas assez d'argent pour donner des pourboires décents !…

Ensuite, il repensa à sa décapsuleuse. Et il sentit aussitôt une horde de ratons voraces lui grignoter le cœur. Peut-être que ça aurait bien marché entre eux, en fin de compte ! Pourquoi n'avait-il pas cherché à nouer quelque chose avec elle ? Pourquoi ?… Toujours pareil ! C'était à cause de son enquête qui était prioritaire et qui l'obligeait à rentrer à Montréal ! L'affaire de *L'Eggzotique*… Ses affaires étaient toujours prioritaires sur ses relations. Et voilà le résultat : il se retrouvait à quarante piges avec des affaires plein les bras, mais personne à qui donner la main.

Qu'est-ce qu'il pouvait bien leur trouver à toutes ses affaires ? Est-ce qu'elles lui permettaient réellement de « changer le monde, modestement, à son échelle », comme il le prétendait usuellement quand il parlait de sa vocation de procureur ? Il n'en était plus très sûr. Est-ce que son implication dans l'affaire de *L'Eggzotique* allait changer le monde ?… Déjà fallait-il qu'il la résolve ! Or, il ne lui restait plus que deux jours et une conviction en miettes. Il avait été tellement obnubilé par Mathieu qu'il en avait oublié tous les autres : les cuistots, les serveurs, les clients… Et s'il s'agissait de quelqu'un d'extérieur au restaurant, hein ?!… Maintenant que Mathieu lui semblait hors de soupçon, il se retrouvait complètement démuni. Que se passerait-il s'il ne trouvait pas l'assassin de Carmen Medeiros ? Il aurait négligé JB, Marie-Ève, la culture, le Québec, l'art romanesque, les décapsuleuses, les pourboires, les ivresses, la vie… pour rien ?!

Chaque pensée apportait un nouvel éclairage sur sa médiocrité qui éclairait à son tour une nouvelle facette de son infamie… La séance de torture dura jusqu'à ce qu'Eyrolles s'effondre K.-O. contre la vitre, le carnet vierge à ses pieds gelés. Quand il se réveilla, ils avaient déjà dépassé Trois-Rivières. Les deux jeunes, devant, buvaient de grands cafés qu'ils avaient cueillis au *Tim Hortons* sans qu'Eyrolles se réveille et ils venaient de s'allumer un nouveau joint. Eyrolles refit timidement surface. Ils lui demandèrent s'il voulait fumer. Il pensa « non, jamais, plus jamais je ne touche à ce putain de poison », il dit « non, merci, c'est gentil ». Il avait l'impression de sortir d'une machine à laver programmée sur « coton très sale ». Il était torché, laminé, rincé.

Nettoyé.

Il commença par envoyer un texto à JB dans lequel il annonçait qu'il rentrait, qu'il avait hâte de les revoir tous et qu'il voulait l'inviter avec Marie-Ève au restaurant de Malek, par exemple vendredi soir s'ils étaient libres. Puis il écrivit à Tao.

Je doute fort que l'affaire de L'Eggzotique aboutisse avant mon départ. Je doute fort d'y avoir apporté quoi que ce soit. Mais elle m'a permis de te rencontrer. Et c'est la meilleure chose que j'en retire. Sans aucun doute.

Eyrolles regarda par la vitre en se demandant comment il pouvait conclure. Dehors, c'était la grande ligne droite, la ligne d'arrivée vers Montréal, les épinettes en guise de haie d'honneur. Une vibration dans sa main le sortit d'une longue rêverie. Son téléphone s'illumina et son brouillon pour Tao s'effaça momentanément au profit d'un nouveau message de JB.

Cool, je m'occupe de la réservation. À ce soir! JB

À peine avait-il fini de lire le message que le téléphone se remit à vibrer. Cette fois-ci, c'était justement Tao, qui lui proposait de se joindre à lui pour rendre visite à Rémi Bergeron, l'ancien coloc de

Mathieu à Montréal. Eyrolles avait l'impression d'avoir assez donné et d'en savoir déjà suffisamment sur Mathieu. Mais il avait envie de revoir Tao. Il répondit qu'il l'accompagnerait avec plaisir.

Puis le brouillon qu'il était en train d'écrire à Tao juste avant réapparut.

Eyrolles le relut.

Et il l'effaça.

* * *

Il se fit déposer directement à la station de métro Mont-Royal. De là, on lui indiqua un magasin de jouets pour enfants et il acheta des cadeaux pour Gustave et Amélie. Même s'il n'y avait rien compris, il s'en était entièrement remis aux conseils de la vendeuse. Et elle avait si bien emballé les paquets qu'il ne parvenait même pas à deviner quels étaient ces objets étranges qu'il transportait et qu'il allait offrir. Tout ce qu'il savait, c'est qu'ils étaient gros, lourds et chers, en un mot, parfaits.

Il marcha jusqu'au bar où il avait rendez-vous avec Tao. Il faisait bon. Beaucoup plus doux qu'à Tadoussac. Eyrolles avait presque chaud. Surtout avec ces gros paquets à la main. Ça faisait longtemps qu'il n'avait pas eu cette sensation. Il passa devant une pharmacie. Un grand panneau indiquait qu'il faisait moins sept. Il étudia le phénomène avec le plus vif intérêt. Il fit appel à tous ses souvenirs thermiques des derniers jours. Et quand il fut assis au bar devant son chocolat chaud, ses conclusions provisoires étaient tirées. Il ne restait plus qu'à les retranscrire sous forme de loi universelle dans son petit carnet.

au-dessus de 0° : il fait chaud
entre 0° et -10° : il fait bon
entre -10° et -15° : il fait froid
entre -15° et -20° : il fait frette
entre -20° et -32° : on se fuckin gèle les couilles, tabarnak !
en dessous de -32° : plus jamais

Il tourna les pages du carnet au hasard et tomba sur diverses choses qu'il y avait consignées. Il relut des tirades enflammées sur Mathieu. Et barra tout d'un trait sans appel. Puis il tomba sur des notes qu'il avait prises sur Mike. Cette fois-ci, il se garda bien de barrer quoi que ce soit. Au contraire, il les relut attentivement.

Soudain, un gloussement bien connu retentit dans l'entrée du bar. Eyrolles leva un visage avenant vers la position approximative du gloussement puis corrigea le tir en apercevant Tao arriver à sa table. Le souvenir cuisant de leur dernière rencontre soldée en guerre fratricide s'invita dans son esprit en y provoquant une réaction complexe, comme une gourmandise enrobée de sucre et truffée de honte. Eyrolles lança quelques gentillesses acidulées en guise de bonjour. Il livra deux ou trois nouvelles d'ordre général, puis quelques réflexions relatives à l'affaire de *L'Eggzotique*. Mais sa journée d'autoflagellation automobile n'avait pas été particulièrement fructueuse. Et son rapport fut de courte durée.

Tao se garda bien de le formuler ainsi, mais lui, au contraire, avait poursuivi sa progression continue dans l'enquête. Depuis la dernière fois qu'ils s'étaient vus, il avait accompli peu ou prou tout ce qu'Eyrolles avait préconisé. Il avait repris toutes les pistes, il avait enquêté sur les anciens, il avait étudié les comptes… Et sa patience avait été récompensée : il avait mis à jour deux escroqueries distinctes et conséquentes ayant eu lieu à *L'Eggzotique*. L'une datait de l'ère Jade Tremblay-Félix Aliboux, et l'autre impliquait tous les serveurs actuels ainsi que Mathieu Camaret. Il pouvait faire un méchant papier avec ça ! Surtout après l'assassinat de Carmen, n'importe quel rédacteur en chef aurait sauté au plafond. Pourtant, Tao restait calme et suivait sereinement un but mystérieux. Eyrolles était impressionné.

— Et le gars qu'on doit rencontrer, qu'est-ce que tu comptes en tirer ?

— Rémi ? C'était le colocataire de Mathieu à Montréal. Ils ont fait leurs études ensemble en France.

— C'est un Français?

— Eh oui, un de plus!

— Tu serais pas en train d'essayer de stigmatiser une communauté pour un article racoleur, par hasard?

— C'est pas l'envie qui manque! Mais… non, rassure-toi: Jonathan, le busboy de *L'Eggzotique*, m'a parlé à plusieurs reprises d'une fête qui a eu lieu chez eux la veille du crime. C'était un gros party pour le départ de Mathieu, et j'ai l'impression qu'il y a des choses importantes qui se sont passées.

— Tu penses toujours que c'est Mathieu qui?…

— Pas toi?

— Franchement, répondit franchement Eyrolles, plus ça va, moins je vois qui aurait pu faire ça.

— Moi, plus ça va… et moins je vois qui aurait pu ne pas le faire.

— Ah?

— Regarde: Mathieu, Claire, Odile se sont fait crosser pendant des mois. Ce serait étonnant que ce soit pas aussi le cas des autres, à la cuisine et ailleurs. Et puis, tout le monde est d'accord pour dire que Carmen travaillait mal. Quand elle travaillait. Sans parler du fait qu'elle avait tout le temps des sautes d'humeur et que c'était ses employés qui en payaient les frais. Elle les traitait comme des amis intimes un jour et comme des sous-fifres le lendemain. Toutes ces personnes ont subi pendant des mois une boss fainéante, hypocrite, capricieuse et malhonnête!… Alors moi, à mon avis, ils sont tous plus suspects les uns que les autres.

— Oui, vu comme ça…

— Même Jade Tremblay, trois ans après avoir arrêté d'être serveuse là-bas, elle avait encore la haine à fleur de peau quand elle parlait de *L'Eggzotique*.

— Même Mike…, hasarda Eyrolles.

— Mike quoi?

— Ben… Même Mike, il a dû avoir envie…

— Arrête. Tu penses vraiment qu'il aurait pu tuer sa femme?

— Je sais pas. Je trouve juste bizarre qu'il soit pas plus curieux.

— Curieux de quoi?

— Curieux de savoir qui a vraiment tué sa femme.

— Il croit la version officielle, comme tout le monde.

— Justement, tout le monde ne la croit pas. Toi et moi, on n'y croit pas.

— Oui, mais toi et moi, on est des petits malins, gloussa le journaliste.

— Et Mike est loin d'être un idiot. Si nous, on est capable de savoir que la coupable officielle est innocente alors qu'on ne la connaît pas, comment est-ce que lui, il peut se contenter de cette hypothèse?

— Peut-être que c'est dans son intérêt?

— Voilà.

— Il a peut-être peur que ça entraîne des révélations sur les escroqueries?

— Par exemple…

Tao regarda l'heure sur son téléphone.

— Bon, espérons que Rémi ne va pas nous faire soupçonner d'autres personnes. Parce que sinon, on s'en sortira jamais!

— Espérons. Comment est-ce que t'as réussi à obtenir un rendez-vous, d'ailleurs? Toujours ton histoire de portraits croisés?

— Non. Là, je lui ai dit que Mathieu était soupçonné du meurtre de Carmen. Qu'on avait besoin de son témoignage.

— Et il était d'accord ?

— Non, pas au début. Mais quand je lui ai dit qu'on était de la police, il a changé d'avis.

— Quoi ?! Tu lui as dit ça ?…

— Oui, et alors ? s'étonna Tao d'un air candide. C'est presque vrai…

— C'est complètement faux et c'est surtout complètement illégal.

— Peut-être. Mais ç'a bien marché.

— J'espère qu'il va pas nous demander de preuve.

— T'inquiète, j'ai tout ce qu'il faut, dit Tao en sortant des papiers de son sac. D'ailleurs, j'ai oublié de te dire : t'es l'inspecteur Eyrolles. Je t'ai fait une fausse…

— Ah non, impossible ! s'écria Eyrolles en repoussant l'idée de la main.

— Pourquoi ?

— Tu plaisantes ? Je suis procureur, je peux me faire radier pour un truc comme ça !

— Mais non, pas ici. Au pire, je te couvrirai, je dirai que c'était un jeu…

— Non, je peux pas faire ça, c'est tout !

— Allez ! Je te jure que ça va bien se passer. Rémi va juste…

— Non, mais… en plus…

— Quoi ?

— J'ai déjà dit à Mathieu que j'étais un enquêteur indépendant.

— Ah ouais?

— Une sorte de détective, quoi.

— Et ce serait pas un peu illégal, ça?

— Non, je pense pas. D'ailleurs, c'est pas loin d'être vrai.

— Ouain… Bon, OK! Alors tu seras le détective Eyrolles. Pas besoin de papiers.

— Et toi, t'es quoi? Commissaire?

— Non, moi, je suis inspecteur. Inspecteur Bilodeau pour vous servir, dit-il en sortant sa fausse carte de police. J'ai trouvé ça sur Internet. J'ai juste changé le nom. On y croirait, hein?!

— T'es vraiment devenu pire que moi, toi!

Un éclair de fierté passa dans le visage de Tao.

— Presque aussi pire que toi!

✳ ✳ ✳

L'escalier n'avait pas été déneigé de tout l'hiver. Là où il y avait eu du passage, la neige avait été simplement aplatie et s'était transformée en glace. Eyrolles se tint à la rampe et monta précautionneusement jusqu'à l'étage du duplex où habitait Rémi. Tao avait grimpé plus rapidement qu'un écureuil et l'attendait en haut avec les deux énormes paquets cadeaux d'Eyrolles. Quand il franchit la dernière marche, celui-ci entendit la porte s'ouvrir et la voix de Rémi les accueillir mollement. Mais il ne pouvait rien voir. Rémi était resté à l'intérieur et, devant lui, bien que svelte, l'inspecteur Bilodeau l'empêchait de distinguer quoi que ce soit.

À l'intérieur, il faisait chaud. Ça sentait les chaussettes, le tabac et la bière, avec une touche subtile de spaghetti bolognaise. Ils traversèrent un long couloir puis arrivèrent dans un salon où une lueur blafarde hésitait à tomber du puits de lumière.

— Bon, alors vous pensez que Mat est un dangereux criminel ?

— Mathieu Camaret reste présumé innocent, tempéra Tao. Mais c'est un témoin important et un suspect éventuel. Et on aimerait en savoir un peu plus à son sujet.

— Qu'est-ce que vous voulez savoir ?

— Pour commencer, est-ce que tu peux nous expliquer rapidement comment t'as connu Mathieu ?

— On était à l'école primaire ensemble.

— Vous êtes de vieux amis, donc ?

— En fait, à cette époque, on n'était pas vraiment amis, au contraire. C'est arrivé un peu plus tard, à l'adolescence. Mais c'est vrai que ça commence à faire un bon bout de temps.

— T'as quel âge ?

— Vingt-cinq.

— Et depuis que tu connais Mathieu, est-ce que tu l'as déjà vu être violent ?

— Violent ? Non, pas vraiment.

— Tu l'as déjà vu se battre ?

— Non.

— Il a jamais été impliqué dans la moindre bagarre, à ta connaissance ?

— Jamais. Pourtant, il aurait eu l'occasion. Et il aurait pu se faire plaisir, avec son physique. Mais…

— Vraiment jamais?

— Non, c'est un gros gentil dans un corps de bûcheron. La violence physique, c'est pas son truc.

— Son truc, ce serait plutôt la violence verbale?

— Déjà plus, oui.

— Est-ce que tu l'as déjà entendu proférer des menaces à l'égard d'autres personnes?

— Oui.

— Et à propos de Carmen Medeiros?

— Mat, c'est une grande gueule. Il est tout le temps en train de dire qu'il va niquer ta race. Mais je l'ai jamais vu le faire.

— Est-ce que tu l'as entendu dire qu'il voulait niquer la race de Carmen?

— Non.

— Est-ce que tu l'as entendu dire autre chose sur Carmen?

— Je l'ai entendu dire à peu près toutes les injures du monde sur Carmen. Et, je pense qu'elle les méritait bien.

— Il t'a parlé de ses problèmes avec elle?

— Oui.

— Qu'est-ce qu'il t'a dit exactement?

— En gros, elle lui volait des pourboires, elle lui a pas donné sa dernière paye et elle l'a empêché d'obtenir son permis de travail.

— C'est tout?

— C'est déjà pas mal!

— Et lui, comment il a réagi?

— Il est allé la voir. Il lui a dit d'arrêter pour les pourboires. Après, elle lui a pourri sa demande de visa. Et quand il est allé chercher sa paye, elle a trouvé des excuses bidon pour éviter de la donner.

— Il a pas essayé de porter plainte ou quoi que ce soit ?

— Porter plainte quand tu travailles au black, c'est pas la première chose qui vient à l'idée.

— C'est quoi qui vient à l'idée, alors ?

La voix d'Eyrolles prit tout le monde par surprise. Comme à son habitude, il avait posé sa question en ne regardant nulle part. Mais s'il avait eu les yeux ouverts, il aurait été en train de fixer une manette de jeu vidéo qui traînait sur le tapis. Rémi regarda en direction de la manette avant de répondre.

— Dans ces cas-là, la seule chose qu'on peut faire, c'est lâcher l'affaire.

— Donc, il a lâché l'affaire ? reprit Tao.

— Oui.

— Mais il a quand même dû être blessé par ce qui lui arrivait. Il a pas eu envie de s'indigner, de faire quelque chose ?

— Bien sûr qu'il était blessé. Mais des crevards qui se font des thunes sur le dos des autres, on en voit tous les jours. Et s'il avait dû planter tous ceux qui l'ont enculé dans sa vie, il aurait commencé plus tôt.

— Tu veux dire qu'il a déjà été victime d'escroquerie auparavant ?

— Je veux dire qu'à partir du moment où tu rentres dans le monde du travail, tu te fais escroquer. Légalement ou pas. Cette histoire, Mat, ça l'a fait chier. Mais c'était pas non plus la fin du monde. Ça l'a pas empêché de continuer à vivre sa vie.

— Ça l'a pas empêché de faire la fête, la veille de son départ, par exemple ?

Rémi regarda l'inspecteur Bilodeau sans cacher son agacement.

— Par exemple.

— C'était une bonne fête ?

— Oui, c'était cool.

— C'était « cool » ? Tout le monde était de bonne humeur ? Y a pas eu de problème particulier ?

— Perso, j'étais soûl… Je me souviens plus de grand-chose.

— Oui, mais, même si tu t'es rendu compte de rien le soir même, t'as bien dû en entendre parler après.

— Bah… C'était peut-être pas la meilleure fête de l'année.

— Non ? Pourquoi ?

— Je sais pas. Le contexte a pas aidé. Ça faisait un mois ou deux qu'au niveau festif, c'était intense, et on commençait à fatiguer un peu.

— Il paraît qu'il y a eu des chicanes.

— Peut-être, c'est des choses qui arrivent, avec l'alcool et tout.

— Il y avait beaucoup d'alcool ?

— Suffisamment pour que je sois soûl.

— Et des drogues ?

— C'était une fête, pas un Scrabble, je vais pas vous faire un dessin…

— Donc, drogue, alcool…

— Ça va, c'était pas non plus l'orgie. C'était une fête normale. Point.

— Bon. Comment était l'ambiance ?

— Ça a commencé doucement. Au début, c'était un peu froid parce qu'il y avait juste Claire et son copain.

— Claire Gaillard de *L'Eggzotique*?

— Oui, elle est arrivée tôt. Mais elle boit pas d'alcool, et elle est pas du tout dans le même délire que nous. Alors, c'était un peu weird. Moi, j'ai commencé à picoler, justement, pour détendre l'atmosphère. Après, les autres sont arrivés et Claire est vite partie.

— Est-ce qu'elle est partie à cause d'un problème en particulier?

— Pas que je sache. Elle est partie parce que c'est pas une fêtarde. En plus, il me semble qu'elle travaillait le lendemain.

— Est-ce qu'il y avait d'autres personnes de *L'Eggzotique*?

— Oui, il y avait les petits jeunes: Doug et un grand blond, là, j'ai oublié son nom.

— Jonathan?

— Oui, c'est ça, Jonathan.

— Et l'autre serveuse, Odile?

— Non.

— Bon. C'est tout? Pas d'autres employés de *L'Eggzotique*?

— Si. Il y avait aussi Brahim, Kiko, Sandrou…

— Sandrou? demanda subitement Eyrolles, qui fixait toujours la manette les yeux fermés.

— Oui, Sandrou, c'est la fille des boss. Elle travaille en cuisine.

— Sandra Medeiros?

— Tout le monde l'appelle Sandrou.

— Sandrou! s'exclama Eyrolles avec un grand sourire.

— Il y a quelque chose de drôle ? demanda Rémi.

— Non, rien de drôle, rassura Eyrolles en contenant son élan de joie dans un petit rictus.

Il revoyait le nom « Sandrou » apparaître sur le téléphone de Mathieu lorsqu'il avait fait défiler les textos reçus. Un mystère qui persistait depuis plusieurs jours venait ainsi de se résoudre en lui procurant un doux soulagement. C'était comme une crampe qui se relâche enfin. Une crampe cérébrale.

— Est-ce que tu l'avais déjà vue, avant, Sandrou ? poursuivit Eyrolles.

— Oui, je la croisais de temps en temps. Elle était souvent là dans les fêtes. Et Mathieu a un peu fricoté avec elle, à une période.

— Fricoté ? C'est-à-dire ?

— Couché, si vous préférez.

— Donc, il a un peu couché avec elle, à une période ?

— Oui, ben… c'était une fréquentation.

— Est-ce qu'il la « fréquentait » encore ces derniers temps ?

— Je sais pas. Je connais pas tous les détails de sa vie sexuelle.

— T'as pas une petite idée ?

— Je pense que c'était fini. C'était pas trop son style…

— Non ?

— Non, vraiment pas, en fait.

— C'est quoi son style à Mathieu ?

— Son style ? Déjà, il est plutôt blondes, à la base. Et un peu plus âgées, en général. Un peu mieux foutues aussi.

— Elle est comment, Sandrou ?

— Elle est brune. C'est une gamine de quoi... dix-neuf, vingt ans ? Et, elle est un peu... un peu potelée, pour rester poli.

— Il aime pas les filles potelées, Mathieu ?

— Non.

— Qu'est-ce qu'il aime ?

— Bah... Un bon cul, des bons seins, des hanches fines, un beau visage... Comme tout le monde, quoi !

— Ils se sont beaucoup fréquentés tous les deux ?

— Oui et non. Les fréquentations, on sait jamais quand ça commence ni quand ça finit exactement. Sandrou, ça fait quelques mois qu'on la voit. Mais je peux pas dire si c'est juste du cul, ou juste de l'amitié, ou un peu des deux...

— Et est-ce qu'il avait d'autres fréquentations ?

— Si vous voulez des informations sur toutes les fréquentations de Mathieu, ça risque de durer longtemps, parce que ç'a défilé par ici !

— Ça tombe bien, on a tout notre temps, répliqua sèchement l'inspecteur Bilodeau.

Il y eut un petit silence pendant lequel Rémi soupira avec mépris.

— Est-ce qu'il y a une fille qui a compté plus qu'une autre ? demanda Eyrolles. Une histoire plus sérieuse ? Peut-être une histoire d'amour ?

— Y a eu une fille qui s'appelle Mélanie, une Française. Elle, elle était vraiment belle. Vraiment !... Mais on peut pas vraiment parler d'histoire d'amour. Il était juste vexé quand elle l'a largué.

— Ç'a duré longtemps ?

— Deux semaines, max.

— Et c'est elle qui l'a quitté ?

— Oui, mais elle l'a quitté parce qu'il la trompait, alors…

— Est-ce qu'il a été affecté ?

— Si c'est le cas, il l'a pas montré. Il m'a même dit qu'il se faisait chier avec elle.

— Est-ce que tu connais une fille qui s'appelle Isabelle Gaillard ?

— Oui, bien sûr. Isa, c'est une grande pote à nous. On était à la fac ensemble. Le trio infernal.

— Est-ce qu'il la « fréquentait » aussi ? demanda Eyrolles en ajoutant les guillemets avec ses doigts.

— Isa ? Ah non ! rigola Rémi.

— Quoi ? J'ai dit quelque chose de marrant ?

— Non, c'est juste… Si vous l'aviez vue, vous m'auriez pas demandé s'il la fréquentait.

— Elle est pas fréquentable ?

— J'irai pas jusque là, mais…

— C'est pas son style ?

— Non : il est pas très rugbyman, en effet. Et puis, de toute façon, il la connaît depuis le bac à sable.

— T'es sûr qu'il n'y a rien entre eux ? insista Eyrolles

— Pas de sexe, en tout cas. Ou alors s'il y en a eu, il devait vraiment être soûl comme un âne !

Rémi commençait à sérieusement irriter Eyrolles. Exactement comme l'avait fait Mathieu, au début. Ça devait être sa manière de paraître toujours si confiant. Eyrolles avait envie de lui rabattre le caquet. Mais l'objectif était au contraire de le faire parler. Il ferma donc sa bouche et ouvrit ses oreilles.

Tao avait réaiguillé Rémi sur la fête de départ, et plus précisément sur un incident qui impliquait Mathieu, Rémi et Sandrou. Selon Rémi, c'était à cause de Jonathan, qui avait jeté de l'huile sur le feu. Alors que Mathieu avait plus ou moins mis de côté les histoires de *L'Eggzotique*, Jonathan lui en avait parlé pendant une demi-heure. Il en avait remis une couche. Ça avait énervé Rémi que Mathieu passe sa dernière soirée à se prendre la tête avec ces histoires au lieu de festoyer. Alors il avait mis les pieds dans le plat. Il avait commencé à critiquer *L'Eggzotique* et à injurier Carmen sans réaliser que sa fille était là. Et quand il s'en était rendu compte... il avait continué de plus belle ! Il s'était mis à tout balancer... Il faut dire qu'il commençait à être pas mal bourré. Mathieu avait essayé de calmer les choses, mais c'était trop tard. Sandrou l'avait mal pris, elle n'avait rien dit, mais elle était devenue rouge de honte devant tout le monde. Après, il avait fallu que Mathieu lui parle pendant trois plombes. Et encore, elle était partie en pleurs. Elle avait même oublié son manteau.

— Elle est partie en plein hiver sans son manteau ? demanda l'inspecteur Bilodeau.

— Oui, je pense qu'elle était un peu perchée, parce que...

— Perchée ?

— Oui, elle avait dû prendre quelque chose, fit Rémi avec un geste suggestif. En tout cas, ce qui est sûr, c'est qu'elle a fait son petit cinéma pour qu'on s'occupe d'elle. Mais ç'a pas marché longtemps.

— Toi, tu l'aimes bien, Sandrou ?

— Honnêtement, avec Sandrou, soit t'accroches, soit t'accroches pas. Moi, je suis plutôt dans la deuxième catégorie. Elle est gentille. Elle nous a fait plusieurs fois à manger, et c'était du haut niveau. Vraiment ! Super bon ! Mais, comment dire ?... Le truc, c'est qu'elle est très réservée. Il faut vraiment qu'elle soit gelée pour la voir se lâcher un peu. Et puis, je sais pas... elle est jeune. Peut-être qu'elle était plus bavarde avec Mat, mais, moi, quand j'étais avec elle, on avait pas grand-chose à se dire.

— Est-ce que tu sais si Mathieu lui avait confié les problèmes qu'il avait eus avec sa mère ? demanda le détective Eyrolles.

— Non, je pense pas. En tout cas, elle avait l'air vraiment surprise quand j'en ai parlé.

— Qu'est-ce que t'as dit exactement ?

— Je me souviens plus très bien, parce que j'étais soûl. Mais j'ai dû lui dire que sa mère était une salope. En gros.

— Je vois.

— C'était peut-être pas très délicat, mais il fallait bien qu'elle l'apprenne un jour.

— OK.

— Bon.

— Bon.

Les deux inspecteurs se regardèrent simultanément, l'air de dire qu'ils avaient ce qu'ils recherchaient. Ils se levèrent pour partir. Au moment où il remettait sa doudoune jaune, Eyrolles repensa à Sandrou.

— Tu disais que Sandra avait oublié son manteau ?

— Oui, il est là.

Rémi montrait de la main un portemanteau sur lequel était superposés une dizaine de vêtements disparates.

— Elle t'a jamais contacté pour venir le chercher ?

— Non.

— On doit aller à *L'Eggzotique* demain. On pourrait peut-être le lui rapporter ?

— Avec plaisir, ça fera de la place.

Rémi décrocha un énorme manteau et le donna à Eyrolles.

— Eh ben, on dirait une couette !

— Oui, elle est du genre frileuse, railla Rémi, et un peu rugbyman, aussi.

Rémi referma rapidement la porte derrière eux et ils repartirent en sens inverse. Tao attendait déjà avec les cadeaux des enfants sur le trottoir en bas alors qu'Eyrolles s'accrochait toujours à la rampe de l'escalier et descendait à petits pas. Il se préparait à l'éventualité d'utiliser le manteau de Sandra comme un airbag en cas de chute.

Le fait d'être dehors lui rafraîchit les idées. Il ne restait plus que deux jours avant son départ. Il se sentait comme un personnage de film d'action qui est suspendu dans le vide et ne tient plus que d'une main au rebord d'une falaise. Oui, il était suspendu dans le vide. Mais, au moins, il avait quelque chose à quoi se tenir.

Quand il arriva enfin en bas de l'escalier, il se rendit compte qu'il agrippait le manteau de Sandra de toutes ses forces entre ses doigts.

* * *

JB accueillit Antoine comme un roi. Marie-Ève était à Sainte-Agathe avec les enfants jusqu'au lendemain et une petite soirée virile s'annonçait. JB avait essayé de faire son premier gravlax et Eyrolles était bien déterminé à passer enfin un peu de temps avec son vieil ami. Il était confortablement assis dans le canapé en train de se faire servir un verre de vin apéritif lorsque son téléphone vibra.

— Ah ! Encore lui ! se plaignit-il en sortant dramatiquement son téléphone. Bon, on va quand même pas se laisser emmerder par…

Il prit le téléphone en faisant bien comprendre à JB qu'il allait l'éteindre de ce pas. Mais il vit au passage qu'il avait un nouveau message de Tao et ne put s'empêcher de le lire.

— Bon, je lis juste ça… et après…

Au fait, les noms que tu cherchais sont
1 – Réal
2 – Sandra
Bons mots croisés!

— OK, fit Eyrolles d'une voix traînante, OK…

De quels noms parlait Tao?… Ah oui! Ça lui revint tout à coup: il s'agissait de la deuxième partie du message de Reggie. Dans l'article du *Journal de Montréal*! Il réfléchit un peu. Et il réussit à remplacer le texte manquant avec les nouveaux éléments:

C'était donc la « drill » à « Réal ». Et le « chat » à « Sandra »…

— Bon, dit-il à l'attention de JB, je réponds juste et après…

Il se mit à écrire son texto. JB leva son verre pour trinquer. Antoine trinqua, tenant son verre d'une main, son téléphone de l'autre.

On DOIT rencontrer Mike.
Et Sandra aussi, si possible.
Je m'en occupe. Je te tiens au courant.
Détective Eyrolles.

— J'ai juste un tout petit coup de téléphone à passer… ce sera pas long…

— Hé bé, vas-y, y a pas de problème. On est en vacances, on a tout le temps!

— Cool! Merci, ce sera vraiment pas long.

Eyrolles partit dans la chambre. Il sortit son ordinateur, ouvrit un tableau Excel et en préleva une cellule. Puis il composa le numéro de Sandra. Il tomba sur le répondeur.

— Bonjour, c'est un message pour Sandrou. J'appelle de la part de Mathieu, qui m'a donné quelque chose pour toi. Tu peux me rappeler si tu veux.

Il referma son ordinateur et rangea ses affaires tout en parlant de loin à JB.

— Et voilà, je ferme cette saloperie d'ordi et j'ai fini !

À cet instant, son téléphone sonna. C'était Sandrou-Sandra.

— C'est quoi que vous avez pour moi ?

— Ça peut pas se donner par téléphone, désolé.

— Mais vous pouvez au moins dire ce que c'est par téléphone ?

— Je préfère te le donner en main propre. Et puis, j'ai aussi des choses à dire.

— Des choses à dire ?

JB passa devant la porte avec le plateau de gravlax. Il mima sur le mode expressionniste allemand que « c'était vraiment super bon ! » Et il posa deux petits toasts saumonés sur le bureau d'Eyrolles. Eyrolles mima sur le même ton que « merci beaucoup, c'était très gentil ! » tout en continuant de parler avec Sandra. Il lui donna rendez-vous le lendemain après-midi. Puis il raccrocha. JB était déjà reparti.

— Ça y est, c'est fini ! cria-t-il à l'autre bout de l'appartement.

Il réfléchit une seconde puis ajouta en marmonnant « juste le temps d'écrire un petit dernier texto à l'inspecteur Bilodeau » :

rdv avec Sandrou
demain 16h
Tim Hortons Snowdon Decarie
Inspecteur Bilodeau bienvenue.

— Et voilà le travail ! beugla-t-il en envoyant le message.

Son téléphone sonna aussitôt. C'était Sandra qui ne pouvait plus venir à l'heure prévue. Elle s'était souvenue qu'elle devait absolument être dans l'ouest de l'île en fin d'après-midi, et avec le trafic… Elle proposait qu'ils se voient un peu plus tôt. Son père pourrait la conduire et attendre pendant leur rencontre à condition que ça ne dure pas trop longtemps. Eyrolles ne posa pas de problème. Au contraire, il était aux anges: deux Medeiros pour le prix d'un, ça ne se refusait pas! Il prévint qu'il serait lui aussi avec un ami. Puis il raccrocha en murmurant «C'est bon, j'arrive, j'arrive…» à l'attention de JB. Entre-temps, il avait reçu un texto de confirmation de Tao. Il lui répondit aussitôt.

correction: rdv avec Sandrou ET Mike.
changement d'heure: 14h30
même endroit
quitte ou double!

Tant qu'il y était, Antoine ne résista pas à la tentation de faire une ultime petite vérification. Il savait que Mike était passé au resto le jour du crime. Mais il ne savait plus d'où il tenait cette information. Il fourragea avidement dans le dossier de Tao contenant toute la paperasse sur *L'Eggzotique*. Il trouva ce qu'il cherchait en moins d'une minute dans les témoignages de Brahim Djabou et de Kiko Fernandez.

Cette fois-ci, il pouvait retourner à l'apéro. Il reclassa les papiers dans leur dossier, referma l'ordinateur, mit son téléphone en mode avion et le rangea dans sa poche. Puis il sortit de la chambre pour rejoindre son vieil ami dans le salon.

— Vraiment super bon ton gravlax, il faut que tu me donnes la recette…

Eyrolles entendit la réverbération de sa voix et se rendit compte qu'il parlait tout seul. Il n'y avait personne dans le salon. Il appela, n'obtint aucune réponse. Il alla voir dans la cuisine, sans succès, aux toilettes, sans succès non plus.

Il finit par retrouver JB, dans sa chambre, allongé sur son lit devant son ordinateur portable. Il téléphonait à Marie-Ève en barbotant sur Facebook. Eyrolles lui mima que «le gravlax était vraiment super bon, il faut que tu me donnes la recette!!» JB lui mima en retour que «merci, c'est gentil, ce sera pas long».

Eyrolles repartit au salon. Il mit de la musique et s'installa dans le canapé. Puis il attendit. Tout seul. À côté du manteau de Sandra.

Il resta un petit moment, comme ça, à attendre sans rien faire. Il avait activé la lecture aléatoire sur l'ensemble de la bibliothèque musicale de son téléphone et les morceaux s'enchaînaient sans la moindre logique. Un peu comme ses pensées. Tout à coup, la voix de Reggie sortit des enceintes. Eyrolles eut un mouvement de surprise mêlée de peur. Ça faisait bizarre d'entendre à nouveau l'enregistrement de l'entrevue. Surtout sur le système hi-fi de JB. Ça mettait en relief toutes les nuances du timbre et donnait à la voix de la défunte une profondeur très particulière. Il écouta d'une oreille neuve, mais sans chercher à analyser. Il reconnut le grincement de la chaise berçante, les hésitations, les soupirs, les répliques bien connues. Et, sans savoir pourquoi, il se mit à se remémorer de vieilles affaires juridiques. L'affaire Cluzet. L'affaire Manzini…

Tout au long de sa carrière, Eyrolles avait interrogé maintes fois des victimes de violences, des femmes ou des enfants battus, principalement. Dans bien des cas, la difficulté majeure n'était pas venue de l'accusé, mais des victimes. Lorsque celles-ci s'enfermaient dans le déni, il devenait impossible d'en tirer quoi que ce soit. Malgré leur souffrance, malgré leur peur et leur insécurité, ces femmes et ces enfants violentés défendaient bec et ongles leur bourreau. Et quand il s'agissait de trouver des excuses à l'accusé, les victimes retrouvaient un aplomb, une verve et une confiance insoupçonnés.

Dans les enceintes, il entendit : « … Ben là, avec la job, l'appartement… je leur dois tout… » Reggie, elle, retrouvait sa confiance quand elle parlait de Mike et Carmen Medeiros.

Vendredi 3 janvier

— Laissez votre corps se déposer complètement...

Eyrolles était allongé. Il essayait de se laisser aller, mais une insurrection fomentait dans son ventre.

— Soyez attentif à toutes les parties qui sont en contact avec le sol...

Ce prof de yoga avait vraiment une voix radiophonique. Et ses phrases avaient toujours la même mélodie.

— Laissez-vous aller à l'expérience de ce contact.

Une mélodie en deux parties. La première partie restait sur un léger suspens que sa voix soulignait en montant d'une quinte.

— Si des pensées s'invitent dans votre esprit...

Et la deuxième partie redescendait invariablement sur une note grave, une octave jusqu'à la cave.

— Laissez-les faire.

Mais cette voix était trop parfaite.

— Observez-les...

Trop maîtrisée pour qu'elle lui parle vraiment.

— Sans les juger.

Eyrolles aurait préféré en écouter une autre. Plus parlante.

— Laissez-les passer…

Il aurait préféré une voix plus féminine. Plus suave…

— Puis revenez à l'expérience de votre corps contre le sol.

Il essaya toutefois de se détendre. Et d'obéir.

— Puis installez ujjayi, la respiration complète du yogi…

Pendant un instant, son cerveau se vida.

— Essayez d'allonger votre inspiration…

Mais, la nature détestant le vide, il se remplit aussitôt.

— Et, surtout, votre expiration.

Il repensa par bribes désordonnées au rêve qu'il avait fait la nuit précédente. C'était une sorte de procès, dans lequel il assurait la défense de Reggie. L'audience se déroulait dans le bar de Tadoussac. Il y avait Dédé, dans son fauteuil roulant. Reggie était là, elle aussi. En fait, maintenant qu'il y repensait, Reggie se défendait toute seule. Elle parlait, abondamment, répondait aux questions de Tao, et Eyrolles l'écoutait sans pouvoir intervenir. Il savait néanmoins qu'il était responsable de sa défense. Il y avait un autre détail étrange qui le mettait un peu mal à l'aise : Eyrolles avait Tiguidou, le chat de Reggie, sur ses genoux. Sauf que ce n'était pas le chat, c'était Sandrou. Mais Sandrou avec un corps de chat. Enfin… c'était comme si Sandrou et Tiguidou n'étaient qu'une seule et même entité. Et Reggie clamait désormais que ses boss l'avaient sauvée. Puis elle montrait Sandrou-Tiguidou en disant que c'était une bonne personne, que c'était sa fifille et Sandrou-Tiguidou se mettait alors à ronronner. Reggie voulait que ce soit une personne fiable qui s'en occupe quand elle partirait. Une personne fiable… À ce moment, il y avait une vague de stupeur dans la salle d'audience, qui n'était plus du tout à Tadoussac, mais à Chambéry. Puis les jurés se tournaient vers lui et le président annonçait la décision : cette personne ne serait nulle autre que… Antoine Eyrolles ! À ce moment, il voulait s'enfuir. Mais une voix le retenait et l'en empêchait : c'était sa décapsuleuse qui lui rappelait d'un ton sec qu'il ne devait pas oublier le pourboire. Il fouillait alors ses poches et réalisait qu'il n'avait rien : pas de porte-feuille, pas de cartes, pas la moindre pièce. Il décidait de partir quand même, mais n'y parvenait pas. La voix de la décapsuleuse, tel un aimant, le clouait sur place en lui serinant l'implacable sentence : le pourboire, le pourboire, le pourboire... Ensuite, Reggie partait tranquillement se suicider et quelqu'un qu'il ne connaissait pas lui servait des œufs au bacon avec une crêpe pas cuite.

— Inspirez sur quatre...

La voix radiophonique ramena Eyrolles sur son tapis de yoga. Il se concentra sur sa respiration.

— Un...

Mais son esprit tirait comme un jeune chien sur sa laisse.

— Deux...

Des idées, des mots, des noms n'arrêtaient pas d'éclore, qu'il laissait disparaître et se faner.

— Trois...

Reggie...

— Quatre...

Le collier de Tiguidou...

— Et expirez sur six...

Faim.

— Un...

Mathieu...

— Deux...

Mike...

— Trois…

Mathieu et sa van…

— Quatre…

Mathieu et sa job…

— Cinq…

Mathieu et son téléphone.

— Six…

Isa Bourgoin.

— Inspirez à nouveau sur quatre…

Isabelle Gaillard !

— Un…

Eyrolles se leva en sursaut. Il essaya de mimer au prof qu'il était malade, qu'il avait la nausée, et qu'il devait partir.

— Deux…

Mais il fut légèrement trop expressif sur le mime de la nausée parce que le prof crut vraiment qu'il allait vomir. Et la voix radiophonique s'altéra comme si on s'était mis à mal capter la station.

— Trois…

Alors Eyrolles mima que « non, ça allait, enfin, non, ça n'allait pas, mais que, si, ça allait ». Question mime, il manquait un peu de vocabulaire.

— Quatre…

Le prof eut néanmoins l'air de comprendre. Il leva son pouce dans sa direction et reprit le contrôle de sa voix.

— Et expirez sur huit…

Eyrolles rangea son tapis de yoga le plus discrètement possible.

— Un...

Il traversa un banc de corps immobiles en tâchant de ne marcher sur aucun d'entre eux.

— Deux...

La radio s'était à nouveau syntonisée sur la bonne fréquence.

— Trois...

Il enfila la doudoune.

— Quatre...

Mit les bottes.

— Cinq...

Attrapa son sac à dos.

— Six...

Puis il mima « au revoir » et s'enfuit à toutes jambes.

* * *

Dans le café le plus proche, il commanda un double espresso et un muffin choco-érable qu'il commença à grignoter. Ce n'était pas très yogi. Mais c'était bon.

Ensuite, il s'assit dans un coin calme et il sortit son téléphone. Si le concierge universel ne se trompait pas, Isabelle Gaillard devait rentrer aujourd'hui de son chalet. Il composa le numéro. Même avec le décalage horaire, il y avait peu de chance qu'elle soit déjà partie. La sonnerie émit un long « tuut » suivi d'un silence. Mais ça ne coûtait rien d'essayer. « Tuut... »

Au troisième « tuut », Eyrolles entendit la voix du répondeur. Non, en fait, ça commençait pareil, mais ce n'était pas le répondeur. D'ailleurs, la voix était plus fatiguée que sur le message habituel qu'Eyrolles connaissait par cœur. Un peu éraillée, même. Elle répéta : « Allo, oui ?... »

Isabelle était à Chambéry où elle attendait la correspondance de son train pour Grenoble. Eyrolles habitait à cinq minutes à pied de là où elle se trouvait. Il pouvait distinguer derrière elle l'ambiance de la gare, les annonces SNCF dans les haut-parleurs, les bruits de freinage. Et rien qu'en entendant ces sons, il voyait la ville, le marché, les montagnes. Alors, tout en lui parlant, tout en écoutant avec une attention maximale ce qu'elle lui disait, une petite partie de lui flânait sur le quai de la gare et se laissait aller à la nostalgie.

Eyrolles avait sorti la carte de l'enquête criminelle. La carte joker. Il tartinait ses phrases de vocabulaire juridique pour impressionner Isabelle. Il l'informa que Mathieu faisait figure de témoin assisté dans l'homicide de Carmen Medeiros. Isabelle tombait du haut de son séjour festivo-alpin. Elle était sous le choc. Elle avait entendu parler du meurtre, bien sûr, par sa sœur. Mais elle avait eu très peu de contacts avec Mathieu depuis. Juste des messages pour la plupart rapides et impersonnels sur Facebook ou par mail collectif. Mais elle assurait que Mathieu n'avait rien fait. Elle en était sûre. Le détective Eyrolles lui demanda de quoi elle avait parlé avec Mathieu Camaret le vendredi 20 décembre entre 14 heures et 14 heures 20, heure locale, c'est-à-dire entre 20 heures et 20 heures 20, heure française. C'était très important qu'elle restitue toute la vérité avec exactitude et sans omissions. Mentir était passible de poursuite. Les enquêteurs allaient comparer sa version avec celle de Mathieu et, s'il le fallait, avec celle de la NSA. Eyrolles sentit qu'il était allé un peu trop loin dans le bluff. Mais la voix haletante de son interlocutrice l'informa que non. Au contraire.

Une demi-heure plus tard, Isabelle était dans le train. Et Eyrolles savait enfin de quoi ils avaient parlé. Évidemment ! Ils avaient parlé d'amour.

* * *

Le détective Eyrolles et l'inspecteur Bilodeau se retrouvèrent incognito au *Tim Hortons*, une heure avant leur rendez-vous avec Sandra et Mike Medeiros. Eyrolles était aux anges : il avait enfin un bon prétexte pour visiter le temple du déjeuner canadien, ce sanctuaire de la caféine devant lequel il était passé si souvent sans jamais oser entrer. Il en profita pour poursuivre son régime de yogi à l'aide de la formule numéro trois, le sandwich Timatin^MD (œuf, fromage, saucisse, le tout dans un muffin anglais), accompagné d'un à-côté de galettes de pommes de terre et d'une cargaison d'inoffensifs Timbits^MD en guise de dessert. Tao se contenta d'un grand café.

Le lieu était idéal pour la rencontre à venir. À ce moment de la journée, la salle principale était relativement calme. Mais surtout, il y avait une sorte d'arrière-salle qui était complètement déserte. De larges panneaux séparaient les tables et offraient une intimité bienvenue en cas d'affluence. Et toute la pièce était parfaitement neutre, froide, sans âme. Ici, personne ne serait tenté de venir leur demander si tout était à leur goût ou s'ils voulaient un réchaud de café. Personne ne s'intéresserait à eux. Et ils seraient à leur aise pour parler librement de tout ce qu'ils voudraient.

Dans l'immédiat, seul un beau soleil osait s'aventurer jusqu'à leur table. Et quand il avala sa première gorgée de café en sentant la lumière et la chaleur sur sa peau, Eyrolles se dit furtivement que c'était peut-être ça, le bonheur.

Tao remarqua le manteau de Sandra.

— Alors ?

— Alors quoi ? répondit Eyrolles d'un air innocent.

— Allez ! Essaie pas de me faire croire que tu l'as pas fouillé !

— Fouillé ? Qui ça ?…

Eyrolles semblait tomber des nues. Puis il regarda le manteau et ce fut un véritable choc. Quoi? Il avait eu cet objet en sa possession pendant plus de douze heures et il ne lui avait même pas fait les poches?! Comment avait-il pu ne pas y penser? Mais où était passé Eyrolles-la-vérole? Était-ce le début de la sénilité?…

— Non, je l'ai pas fouillé, mais… il est encore temps! s'écria-t-il en se jetant dessus.

Tao vint lui prêter secours. Deux yeux valides et dix doigts patients pouvaient être utiles à un Eyrolles qui avait perdu toute contenance et qui ressemblait à une hyène dépeçant une charogne.

Un examen soigneux et approfondi réalisé par du personnel compétent aurait peut-être révélé quelque chose d'intéressant. Mais le farfouillage hystérique des deux amateurs s'avéra stérile. Malgré leur bonne volonté, ils ne trouvèrent qu'un mouchoir sale, un paquet de gommes *haleine fraîche*, un tube contenant des médicaments non identifiés et une carte de métro pour le mois de décembre. Tout ce qu'ils pouvaient en tirer, c'était que Sandra était enrhumée et n'était pas rentrée chez elle en métro après le party. Ou alors, elle avait payé. Bref, ils n'en tiraient rien. Eyrolles repoussa le manteau d'un air déçu et prit son plateau-repas à la place. Heureusement, son coup de fil avec Isa avait été plus fructueux que la fouille.

«Fructueux», le mot était faible. «Décisif» était plus approprié. Quand il finit d'en faire part à Tao, celui-ci était bouche bée. L'exposé factuel et froid d'Eyrolles se prolongeait dans sa tête en un réseau tentaculaire de conséquences. «Mais ça veut dire que?…» Tao mordilla nerveusement sa tasse en carton en observant Eyrolles. Celui-ci déballait sa formule numéro trois avec une curiosité gourmande. Il ne semblait pas particulièrement angoissé. Au contraire, il se comportait un peu comme quelqu'un qui savoure chaque instant de sa journée en sachant qu'il va mourir le lendemain.

★ ★ ★

Un nuage passa devant le soleil et plongea temporairement la pièce dans l'ombre. Eyrolles émit un grognement sourd. Il était très déçu par son sandwich. Peut-être avait-il nourri trop d'attentes vis-à-vis du plus grand pourvoyeur de déjeuners du Canada ? En tout cas, ce n'était pas fameux. Le fromage orange était un mélange de gras et de sel dont la seule mission sur terre semblait être de coller aux dents. Les œufs brouillés étaient parfaitement insipides, résolument inutiles. Et le coup de la saucisse en forme de galette était aussi audacieux qu'indigeste. Nullement impressionné par sa popularité, Eyrolles plaça le *Tim Hortons* dans le bas de son *Comparatif officiel des restaurants à déjeuner de Montréal*, son futur best-seller.

Le débriefing des dernières découvertes avait réveillé l'excitation cérébrale de Tao. Mais la préparation de la rencontre à venir la stimulait de plus belle. Et ses pieds s'étaient mis à illustrer sous la table ce qui se passait entre ses deux oreilles. Tao piétinait frénétiquement. Et plus il stressait, plus Eyrolles semblait se détendre. Autant dire qu'il était relax. De toute façon, il n'y avait plus grand-chose à ajouter, il ne restait plus qu'à attendre la suite. La suite, elle, serait stressante. Oui, mais en attendant... Tao figea ses pieds et se redressa soudain : ils arrivaient.

Un café à la main, Mike avait l'air fatigué, mais encore vif. Par contre, il n'arborait ni le sourire ni la cordialité qu'Eyrolles lui avait vus lors de sa visite à *L'Eggzotique*. Il jeta tout d'abord un coup d'œil méfiant sur Eyrolles et Tao. Puis sa méfiance s'estompa et se transforma en légère lassitude. Depuis le meurtre de Carmen, il avait expressément défendu à tous les membres de sa famille d'accepter les entrevues et les sollicitations de la part d'étrangers. Mais Sandra avait tenu à venir absolument parce qu'Eyrolles avait dit le mot magique. Le mot « Mathieu ». Et Mike, malgré tous ses efforts, n'avait pas réussi à l'en dissuader.

Tao et Eyrolles ne firent pas semblant d'être ce qu'ils n'étaient pas. Il n'y eut ni fausse carte de police ni fausse déclaration d'identité. Ils ne mentirent pas. Mais ils ne dirent pas non plus toute la vérité. Eyrolles expliqua laconiquement qu'il avait rencontré Mathieu à

Tadoussac et que Tao était un ami. En guise de bienvenue, il proposa quelques Timbits^MD, que père et fille refusèrent poliment. Sandra reconnut son manteau. Elle le récupéra et, instinctivement, le passa sous son nez. Puis le mot «Mathieu» fut prononcé et elle congédia son père. Elle ne voulait pas qu'il soit là pendant qu'elle parlerait de choses personnelles. Elle promit de lui faire signe s'il y avait le moindre problème. Mike s'assit quelques tables plus loin et passa aussitôt un coup de téléphone. Des bribes de mots anglais giclaient parfois jusqu'aux oreilles d'Eyrolles.

— Est-ce qu'il va bien? demanda-t-elle d'un air faussement détaché.

— Oui, il va pas mal. C'est sympa, Tadoussac. T'y es déjà allée?

— Non.

— Non? Jamais? Tu devrais, c'est vraiment chouette. La plage, les dunes, les…

— Vous aviez quelque chose à me dire?

En fait, Eyrolles avait moins de choses à dire que de choses à entendre. Il commença à gloser de-ci de-là avec moult circonvolutions. Mais Sandra ne le laissa pas louvoyer longtemps. Elle le ramena en quelques mots abrupts sur le sujet.

Et Eyrolles n'eut plus d'autre choix que de plonger.

— Mathieu m'a parlé quand j'étais là-bas.

— Parlé de quoi? De moi?

— Oui. Enfin… Oui et non.

— Comment ça, «oui et non»? Soit il vous a parlé de moi, soit non.

— Tu connais Mathieu sûrement mieux que moi. Tu dois donc savoir que ce qu'il veut exprimer vraiment, il ne le dit pas. Et je pense qu'il a voulu m'exprimer beaucoup de choses. Parce qu'il y a beaucoup de choses qu'il ne m'a pas dites.

Sandra fronça les sourcils. Eyrolles continua.

— Tout ce que je sais, je l'ai appris par ses silences. Et justement, à ton sujet, il a fait de longs silences. Des silences éloquents. De très beaux silences.

Sandra regarda Eyrolles, puis Tao, puis encore Eyrolles, l'air de demander si c'était une blague. Mais l'un comme l'autre affichait un faciès des plus sérieux. Eyrolles avait les yeux entrouverts et les lèvres tendues. Ce n'était pas une blague.

— Tu sais, j'ai fini par bien comprendre ses silences. Mieux que s'il avait parlé. Et si tu veux, je peux te raconter son histoire. Son histoire avec toi. Parce que toi, t'as juste écouté ce qu'il disait. Et donc, t'as rien compris.

— OK, fit-elle, un peu vexée. Alors c'est quoi, son « histoire avec moi » ?

— C'est une histoire condamnée d'avance, lâcha Eyrolles. Sans espoir ! D'abord, t'es pas son genre. Pas du tout. En plus, il aime pas les gamines. À moins vraiment qu'elles soient blondes et top models. Mais, pas de chance, toi, t'es brune et plutôt ronde. Donc, non, désolé, ça colle pas. Et Mathieu s'en est pas caché. Devant ses amis, tu le connais, avec sa grande gueule, il disait toujours qu'il s'en foutait. Qu'avec toi, c'était juste « comme ça ». Une fréquentation. Pas plus. D'ailleurs, il avait d'autres copines. D'autres fréquentations. Et parmi elles, en revanche, il y en avait une qui était blonde, élancée, vraiment belle. Une Française, t'en as entendu parler ?

— Peut-être. Je sais pas.

— Mais si, tu dois la connaître : elle s'appelle Mélanie. Quand on voit ses photos, sur Facebook, on croirait une actrice.

Le visage de Sandra se crispa momentanément. Mais elle restait immobile et elle écoutait Eyrolles sans rien laisser transparaître.

— En tout cas, Mélanie, elle, c'était vraiment son genre. D'elle, il disait pas qu'il s'en foutait. Au contraire, il en tirait même une petite fierté. Car ses amis le regardaient avec jalousie. Et ça aussi, ça fait partie du plaisir! Pourtant, va comprendre ce qui s'est passé, il l'a trompée, elle aussi! Et tu sais avec qui? Avec toi!... Incompréhensible, hein? Il avait la fille parfaite à ses pieds et il l'a laissée filer! Avec elle – la blonde, pulpeuse, qui attire toutes les convoitises –, ç'a duré à peine quinze jours. Alors qu'avec toi – la gamine, brune, rondouillette –, ça dure trois mois! C'est fou quand même!...

Tout en continuant de téléphoner, Mike fit quelques pas et jeta un coup d'œil à la table. Il ne pouvait pas voir sa fille, qui était de dos, mais il aperçut le visage enjoué d'Eyrolles et il retourna à sa place. On l'entendit hausser la voix et dire «three thousand». Il devait parler d'argent. À moins que... Qui sait? Peut-être parlait-il d'amour lui aussi, ou de paix? Peut-être était-il en train de dire que trois mille colombes blanches laveraient le ciel des pays en feu?

Eyrolles se gratta la crinière comme pour se remettre les idées en place et il reprit la parole, sans que personne cherche à l'interrompre.

— Ah, sacré Mathieu!... Il fait pas toujours ce qui paraît le plus logique, hein? D'ailleurs, au travail, c'est pareil! Parce qu'il a beaucoup de qualités, mais, soyons honnêtes, c'est un très mauvais serveur! Franchement, hein? Il est exécrable. Je l'ai vu à l'œuvre: il sait même pas tenir trois assiettes avec deux bras. Et de toute façon, il déteste ça. Il aime bien le contact humain avec les clients. Ça, oui. Mais tout le reste, il s'en passerait bien. Alors, va comprendre pourquoi il a travaillé aussi longtemps comme serveur! Il aurait très bien pu être coach sportif, comme Rémi, puisqu'il a la même formation. Mais non. Serveur... Finalement, c'est comme toi: t'aurais pu être chef dans n'importe quel restaurant gastronomique de Montréal, au lieu de travailler à *L'Eggzotique*. La différence, c'est que dans ton cas, l'explication est simple: toi, tu restais parce qu'il y avait Mathieu. Au moins, c'est clair. Tu préfères t'emmerder à faire des œufs au bacon toute la journée près de lui plutôt que de faire de la belle bonne bouffe loin de lui. Et c'est parfaitement légitime. Tandis que lui... Pourquoi est-ce qu'il continuait à faire un travail qu'il aimait pas près d'une fille qu'il aimait pas? C'est incompréhensible! Hein?!...

Eyrolles semblait se poser la question à lui-même. Et il semblait également ignorer ce que lui-même s'apprêtait à répondre.

— Eh bien, tu vois, c'est à ce genre de questions qu'il m'a répondu. Avec ses silences.

Sandra attendait. Son visage était calme. Mais c'était un calme où deux forces s'opposent et s'annulent, comme un bras de fer immobile entre deux adversaires parfaitement égaux. On sentait que derrière l'équilibre apparent s'opérait un violent combat intérieur.

— Quand Mathieu a découvert que ta mère lui volait une partie de ses pourboires, il a rien dit. Pourtant, vous étiez souvent ensemble à cette époque, c'était pas les occasions qui manquaient. Mais non, il te l'a pas dit. Et non seulement il te l'a pas dit, mais il a tout fait pour te le cacher. Pourquoi? Est-ce qu'il aurait eu peur de te blesser? Il aurait eu peur de blesser une personne dont il se foutait?

Eyrolles laissa le mot en suspens. Sandra était pétrifiée. La scène entière semblait être en arrêt sur image. Puis il prit une lente respiration et continua.

— Il t'a pas dit non plus qu'il avait demandé à Carmen d'arrêter de le voler. Et qu'en retour, elle, elle avait refusé de signer le papier dont il avait besoin pour son visa. Tu sais, le visa qui lui permettait de rester au Québec pour faire un travail qu'il aimait pas avec une fille qu'il aimait pas. Ce visa, sans lequel il ne pouvait plus être avec toi. Et tu sais à quel point il voulait ce visa.

— C'est pas pour moi qu'il voulait son visa: c'était pour voyager!

Eyrolles fit une pause prolongée avant de reprendre doucement.

— Tout ce que je te dis, c'est ce que j'ai entendu. C'est ce que j'ai entendu dans ses silences. Alors, il a peut-être exagéré un peu certains de ses silences, mais moi, j'exagère pas. Je te répète, ce que j'ai entendu, ni plus ni moins. Et d'après ce que j'ai entendu, il voulait en effet voyager. Mais avec toi.

— C'est les silences de Mathieu qui vous ont dit tout ça?

— Peut-être pas « tout ça ». Mais j'ai d'autres sources, aussi fiables que ses silences.

— Je lui ai proposé mille fois qu'on parte en voyage. C'est lui qui voulait pas.

— Oui, enfin, Mathieu, entre ce qu'il dit vouloir et ce qu'il veut vraiment… Tu sais à quel point il était différent quand il était en public et quand il était avec toi ? Comment la grande gueule se transformait en gentil petit garçon ? Eh bien, son amie d'enfance, Isabelle, elle aussi, elle le sait bien. Et elle sait bien que dans sa tête à Mathieu, c'est pareil : il y a la grande gueule et le petit garçon. Et que les deux réunis, ça fait un gros brouillard. Un gros brouillard qui l'empêche de savoir ce qu'il veut. Et qui l'empêche encore plus de le dire.

— S'il est pas capable de savoir qu'il veut partir avec moi, c'est qu'il veut pas vraiment.

— Non, le voyage avec toi, il le voulait. Il l'a dit à Isabelle. Mais il préférait attendre d'avoir son visa pour t'en parler. Comme le visa de travail n'a pas marché, à cause de ta mère, il est sorti du territoire, et il est entré à nouveau avec un visa de touriste. C'est à ce moment-là qu'il avait prévu de te l'annoncer. Mais ça s'est pas passé comme prévu. Parce que ce soir-là, c'était le jeudi, la veille du crime, et il y avait…

— Le party.

— Eh oui ! La fameuse soirée où Rémi était soûl et qu'il t'a fait les révélations sur les escroqueries de Carmen. Et tout à coup, c'était plus du tout le moment de te parler de visa. Il faut le comprendre : tu devais être secouée, après une nouvelle comme ça ! Tu devais même être complètement déboussolée pour partir d'une soirée en plein hiver en oubliant de prendre ton manteau !

Sandra se remémorait l'événement sans rien dire.

— Quand il t'a vue partir comme ça, Mathieu, lui, il aurait voulu te rejoindre. Te parler, te calmer, te servir de manteau et de réconfortant…

Mais tu sais ce que c'est: c'était sa soirée de départ, il pouvait quand même pas abandonner sa dernière fête à Montréal pour rejoindre devant tout le monde une fille dont il se foutait officiellement?

— Il est trop con.

— C'est une manière de voir. En tout cas, il l'a pas fait, et il s'en est voulu. Mais il avait encore l'idée de te parler. Il savait que tu travaillais le lendemain. Il avait prévu de venir te voir avant de partir. Pour te proposer quelque chose, à propos du voyage. Mais il avait pas prévu ce qui allait se passer avec ton père ce jour-là.

— Avec mon père?

— Oui, ils se sont rencontrés le vendredi matin.

— Mathieu a rencontré mon père?

— Oui, bien sûr. Tu savais pas? Ils se sont vus pour parler du problème avec Carmen. Et du scandale que Mathieu avait menacé de faire. D'ailleurs, Mathieu devait pas être très frais ce matin-là, parce qu'il s'est laissé gentiment manœuvrer. Il a pas réalisé qu'en signant son accord à l'amiable avec ton père... il ne pouvait plus passer te voir au restaurant avant de partir.

Eyrolles sortit la quittance, qu'il posa sur la table devant Sandra en pointant de l'index une ligne en particulier.

— Il a signé qu'il ne reviendrait jamais à *L'Eggzotique*. C'est triste, parce que c'est précisément là que tu te trouvais. Alors, il a été obligé d'aller t'attendre un peu plus loin, au *Coco Gallo*. Il s'est installé à la table qui fait le coin. De là, on peut voir l'entrée de *L'Eggzotique*. Et il t'a guettée, il t'a espérée, mais t'es pas sortie. Pas assez tôt, en tout cas. Parce qu'en attendant que tu sortes, il a appelé son amie Isabelle, en France. Et Isa, elle, elle lui a donné des conseils. Des conseils d'amie... Ah, c'est beau l'amitié! Il est bien entouré le Mathieu, hein?! Entre Isa et Rémi, il manque pas de conseils amicaux! Tu sais qu'à six mille kilomètres de distance, Isa a réussi à flairer que le danger ne venait pas de Mélanie, la pin-up blonde, mais de Sandrou, la rondelette brune?

Sans que Mathieu le lui dise clairement, elle a compris que c'était toi sa plus grande ennemie ! Les filles ont des antennes, je te le dis ! Enfin, peut-être pas toi... En tout cas... À ton avis, qu'est-ce qu'elle a donné comme bon conseil, Isa ?

Sandra serra les lèvres en signe d'ignorance.

— Premièrement, elle lui a conseillé de respecter ce qu'il avait signé le matin même et donc de ne surtout pas aller à *L'Eggzotique* pour te voir. Deuxièmement, elle lui a conseillé de ne pas attendre que tu sortes et d'aller plutôt à son rendez-vous de covoiturage pour lequel il était déjà en retard. Et, troisièmement, elle lui a conseillé de ne pas s'attacher à toi. De continuer à vivre comme il en avait l'habitude. D'être «libre». De continuer à avoir des rencontres éphémères. Superflues. Et, en fin de compte, de ne rien accorder à qui que ce soit de plus qu'à elle. Ça sert à ça, les amis : à donner des conseils sages et désintéressés !

Eyrolles se tourna vers Tao comme s'il cherchait son approbation. Puis il continua.

— Et Mathieu a écouté Isa. Enfin, écouté à moitié... Il n'est pas allé à *L'Eggzotique*. Mais il a continué à t'attendre, en réfléchissant. Je sais pas à quoi il pensait exactement. Mais ça devait bouillonner dans sa tête. Il a peut-être commencé à réaliser ce qu'il était sur le point de perdre. Il a peut-être commencé à avoir des regrets... Il a continué à t'attendre, malgré son retard à son rendez-vous. Il voulait à tout prix te voir et te parler une dernière fois. Mais tu ne sortais toujours pas. Et lui, il devait absolument partir. De sa table du coin, il te guettait toujours. Du moins, il essayait. Parce qu'avec les larmes, c'était pas facile de bien voir. La serveuse m'a dit qu'elle avait jamais vu quelqu'un pleurer autant. Elle a dû passer une éponge pour enlever toute l'eau qu'il avait laissée sur la table. On pouvait même plus lire le prix sur l'addition tellement elle était imbibée. Elle m'a dit qu'elle lui avait parlé, et qu'il n'entendait rien non plus, à cause des larmes qui lui coulaient partout, sur les yeux, sur les oreilles, à l'intérieur de la tête...

Eyrolles perçut un bruit de déglutition. Mais il n'arriva pas à savoir si c'était dans son histoire ou dans la réalité. Au loin, Mike parlait au téléphone, en portugais désormais.

— À 14 heures 25, t'étais toujours pas sortie et Mathieu a décidé de partir. C'est à peu près au même moment que ta mère s'est fait poignarder.

Cette fois-ci, Eyrolles savait d'où venait le bruit. Sandra pleurait sans bouger, doucement, de l'autre côté de la table.

— Il a finalement décidé d'écouter Isa. Il est parti à Tadoussac, en route pour la fête et la liberté. Et dès le premier soir, il s'est soûlé la gueule et il a déclaré qu'il était en peine d'amour. Ce sont les mots qu'il a utilisés. Et on a du mal à les imaginer dans sa bouche. Surtout en parlant de toi. Mais c'est pourtant ce qu'il a dit. Geneviève, à l'Auberge, pourra te le confirmer. «Peine d'amour...» Avec lui, on est plus habitués aux gros mots. Ou aux silences. Quand j'ai parlé avec lui, par exemple, il n'était plus du tout question d'amour. Encore moins de toi. Il a jamais prononcé ton nom. Jamais! Il a même pris un tel soin à ne pas parler de toi que c'est précisément ce qui m'a alerté. Au début, je comprenais pas ce qu'il cherchait à cacher aussi intensément. Est-ce qu'il savait quelque chose sur le meurtre de Carmen? Est-ce qu'il avait des soupçons? Moi, je comprenais toujours pas quelle personne il voulait protéger à ce point. Parce que, pour avoir besoin d'être autant protégée, il faut vraiment courir un danger immense. Or, quel danger peut-on courir auprès de quelqu'un comme moi qui mène une enquête criminelle?...

Eyrolles s'arrêta et s'aperçut qu'il ne pleuvait plus au-dessus de la table en face de lui.

— C'est marrant, parce que c'est le mot de Reggie qui nous a menés jusqu'à toi. Comme quoi, finalement, ce sont les personnes qui t'aimaient le plus, celles qui voulaient le plus te protéger qui t'ont le plus exposée.

— Quel mot?

— Tu savais pas que Reggie avait demandé à ce que tu t'occupes de son chat dans sa lettre d'adieu ?

— Non.

— Elle a demandé à ce que ce soit « quelqu'un de fin » qui s'occupe de Tiguidou, et elle a ajouté « Sandra, par exemple ». Quand on sait ce que Tiguidou représentait pour elle, on mesure la confiance qu'elle te faisait. Elle t'aimait beaucoup, hein ?

— Reggie, elle aimait tout le monde. Son seul but dans la vie, c'était que les autres soient heureux. On voit ce que ç'a donné.

— Elle aimait peut-être tout le monde, mais toi un peu plus que les autres. Elle avait même caché un mot à ton intention sur le chat. Devine où ?

— Je sais pas… dans son collier ?

— Exactement ! Dans le collier de Tiguidou. Elle a écrit un mot très émouvant pour toi, il faudrait que tu le lises. Dedans, elle essaie de te rassurer, elle insiste sur le fait que t'es une « bonne personne ». Et elle laisse donc entendre que tu pourrais être portée à croire le contraire. Mais pour quelle raison serais-tu portée à croire que t'es une mauvaise personne, hein ?…

Derrière, Mike s'était rapproché. On l'entendit distinctement dire : « OK. I'll call you later. »

— C'est par amour qu'elle a fait ça, Reggie, reprit Eyrolles. Mais l'amour, ça rend maladroit. Mathieu, lui aussi, il été maladroit avec tous ses silences. S'il avait plus parlé, on en aurait moins su.

— Bon, c'est quoi tous ces sous-entendus à la fin ?

— Allons, pourquoi tu t'énerves ?

— Parce que vous commencez à m'emmerder avec vos questions !

— J'en suis désolé, je…

— Si vous avez quelque chose à dire, dites-le. Mais, putain, arrêtez de tourner autour du pot !

— C'est étonnant comme le langage déteint quand deux personnes s'aiment !… Mais, si je peux me permettre, t'as pas choisi les expressions les plus distinguées de Mathieu.

— Bon. Pourquoi vous dites pas ce que vous avez à dire à la fin, merde ?!!

— Parce que je préférerais que tu nous le dises toi-même.

* * *

Mike avait senti que quelque chose n'allait pas et il s'avança jusqu'à la table.

— Ça va, mon cœur ? Qu'est-ce qui se passe ?

— Ça va, ça va… T'inquiète pas.

Mais Mike vit les yeux brillants de sa fille et il s'alarma.

— T'es sûre ? dit-il en se penchant vers elle. Tu veux qu'on parte ?

— Ça va, je te dis. Tu peux continuer à…

Mike aperçut la quittance de Mathieu sur la table.

— C'est quoi ça ? dit-il en la saisissant.

— Vous pouvez la prendre, proposa gentiment Eyrolles, c'est une photocopie.

— Mais d'où vous sortez ça ?!

— C'est Mathieu qui la laissait traîner. Je me suis dit qu'il faudrait pas que ça tombe entre des mains mal intentionnées, alors je l'ai mise de côté.

— Qui vous êtes, tous les deux ?! demanda Mike en les foudroyant du regard.

— Comme je vous l'ai dit, je suis en vacances au Québec. Et je donne un petit coup de main à mon ami, dit-il en désignant Tao. Il travaille au *Journal de Montréal*: c'est lui qui couvre l'affaire de *L'Egg-zotique*, rajouta-t-il fièrement.

— Qu'est-ce que c'est que ce traquenard ?! Vous pensez que…

— C'est bon, papa. Ça sert à rien. Ils sont au courant de tout.

— Au courant de quoi ?… Tu n'ouvres pas la bouche, Sandra, tu ne dis rien !

— Je te dis que c'est trop tard. Ça devait arriver. Et tant mieux. Maintenant, c'est fini. Alors, s'il te plaît…

— Messieurs, je vais vous demander de nous laisser. Ma fille est malade. Elle a parfois des crises de délire et…

— Je suis pas malade ! Et je sais très bien ce que je dis !

— On a plusieurs cas d'autisme dans la famille, à différents degrés, et vraiment, je…

— Papa, je veux parler ! Si t'es pas capable d'endurer ça, retourne dans ton coin avec ton téléphone…

— Sandra, je t'interdis de dire quoi que ce soit…

— Mais lâche-moi, je fais ce que je veux !

— Tu ne réponds pas à leurs questions tant qu'on n'a pas un avocat avec nous.

— Va-t'en, je te dis !

— J'appelle tout de suite Louis, viens avec moi !

— Lâche-moi, merde !! cria-t-elle.

Mike regarda autour de lui pour voir s'ils avaient attiré l'attention. Puis il répéta une dernière fois « elle est malade… » et il sortit son téléphone en restant à sa place. Sandra se tourna vers Eyrolles et Tao. Elle commença à parler sans prêter attention à son père, qui téléphonait juste à côté d'elle.

— Ç'a été la pire semaine de toute ma vie. Et le vendredi, ç'a été la pire journée de toute la semaine. J'avais pas fermé l'œil de la nuit. J'avais passé mon temps à repenser à ce que Rémi m'avait dit sur ma mère à la soirée. À repenser à la tête de Jonathan, qui était devenu tout blanc et qui disait rien. Et surtout à repenser à la réaction de Mathieu qui avait fait semblant que tout allait bien, ce qui était pire encore. Ça confirmait toutes les horreurs de Rémi… Et pourtant, j'arrivais toujours pas à le croire. Ça voulait pas rentrer dans ma tête. Je sais pas comment expliquer. D'un côté, tout me prouvait que c'était vrai. Mais d'un autre, c'était impossible. Quand on a passé sa vie à penser quelque chose, c'est vraiment dur de s'avouer du jour au lendemain qu'en fait, on a passé sa vie à se tromper.

— OK. Sandra, maintenant, on y va, ordonna Mike. On reparlera de tout ça plus tard.

— Non, vas-y, toi. Moi, je reste. Je veux parler. Tout de suite.

— Sandra, s'il te plaît, meu coração… ne m'oblige pas à…

— Cala a boca !

Mike se retourna en composant furieusement un numéro de téléphone. Sandra reprit son récit de la même voix intransigeante.

— C'est moi qui ai ouvert la cuisine, le vendredi. Je suis arrivée à 5 heures 30. Odile était déjà là. Mais j'étais dans un état second, j'avais vraiment pas envie de parler. Je lui ai juste dit que c'était à cause du party de la veille. Elle a pas cherché plus loin. Et j'ai pu rester dans ma bulle. Dans ma merde. Puis ç'a été de pire en pire. L'horreur. Vraiment. Le restaurant était plein. Le toaster a explosé juste avant le rush du matin et on a été obligés d'utiliser le petit grille-pain de Reggie qui fait du deux tranches à la minute. C'était la panique. Il manquait tout le temps quelque chose et les serveuses arrêtaient pas de faire des réclamations. Mais c'était encore pire à l'intérieur, dans ma tête. J'étais complètement perdue. Je regardais ma mère. Avec ses grands sourires aux clients. Ses grands sourires qui se transforment en grimace aussitôt que le client s'en va. Dès que je l'ai vue, j'ai commencé à avoir des doutes. J'ai commencé à me dire que tout ce qu'on m'avait dit était peut-être vrai. Heureusement, on était occupés. Ça m'empêchait de trop réfléchir. Et personne n'avait le temps de se poser des questions sur mon attitude. Mais dès que j'avais une seconde de répit, je pensais à ça. Je voulais savoir. Je voulais le voir de mes propres yeux. Rémi avait expliqué comment elle faisait. Alors je l'ai surveillée. Dès qu'elle s'approchait de l'ordi, je regardais par le passe-plat. Et ça pouvait bien cramer sur la plaque, je m'en foutais. Complètement. Je l'ai checkée toute la journée. Je l'ai pas lâchée une seconde. Mais c'est seulement quand ça s'est calmé, vers une heure, que je l'ai vue faire.

— Sandra, arrête!!

Mike la suppliait, le téléphone à la main.

— Louis est en chemin. Il était hors de la ville, mais il s'en vient.

— Je la revois parfaitement…

— Il s'en vient, ce sera pas long, reprit Mike, s'il te plaît, je t'en supplie, Sandra…

Sandra continua comme s'il n'était pas là.

— Elle a fait exactement ce que Rémi m'avait dit. Toutes les serveuses étaient occupées en salle. Je l'ai vue s'approcher de l'ordi avec son air stressé. Elle a commencé à rentrer des commandes en regardant sans arrêt à droite à gauche, comme un pigeon. Puis je l'ai vue imprimer des factures et fermer les commandes. À ce moment, Odile est revenue, elle avait, elle aussi, quelque chose à faire sur l'ordi. Carmen lui a fait son grand sourire et lui a dit quelque chose que j'ai pas entendu. Elle tenait les factures dans sa main gauche. Elle arrêtait pas de les lisser, nerveusement, entre ses doigts. Puis elle a fait semblant d'avoir un truc super important à faire. Elle est passée derrière et elle a déchiré les factures. En deux, puis en quatre, puis en mille morceaux, exactement comme Rémi m'avait dit. Ensuite, elle les a jetées à la poubelle et elle est partie au bureau. Alors je suis sortie de la cuisine, je suis allée droit sur la poubelle et j'ai récupéré les factures. Les mille morceaux. J'en ai pas laissé un seul. Et je suis partie à la salle de bain avec tous les petits bouts de papier mélangés dans ma poche. J'ai fermé la porte derrière moi. Et là, j'ai pris tout mon temps. J'ai ouvert la table à langer, et j'ai posé tous mes petits morceaux dessus, comme un puzzle. Ç'a pris un peu de temps, mais j'ai pas eu trop de mal à reconstituer les factures : elle les avait toutes déchirées ensemble, avec des marques claires. Les morceaux s'emboîtaient bien et j'ai rapidement fini le puzzle. Alors j'ai pu lire ce qui était écrit dessus. Je m'en souviens parfaitement. Quatre cafés au lait au code de Claire pour 18,36 $ et quatre cafés au lait au code d'Odile pour 18,36 $. Et je savais qu'y avait jamais eu de cafés au lait. Et je savais que Rémi avait raison. Je savais que Carmen avait rentré une fausse commande au code des serveuses. Je savais que ma mère était une voleuse et une menteuse.

— Bon, merci, intervint Mike. Merci, messieurs. Maintenant, vous avez eu ce que vous vouliez. Si vous le permettez, ma fille et moi, nous sommes très fatigués, et vous comprendrez que...

Sandra fronça les sourcils et congédia son père en portugais. Il tâcha de se défendre, mais elle balaya ses arguments d'un « shhh ! » autoritaire. Mike continua à respirer bruyamment et à maugréer en hochant la tête. Mais il faisait déjà partie du bruit de fond.

— Quand je suis sortie de la salle de bain, j'avais prévu d'aller la voir tout de suite. Mais elle était pas là. Elle avait dû sortir pour fumer, ou aller chez le coiffeur, ou se pogner le cul je sais pas où, comme d'habitude. Je pouvais pas m'amuser à aller la chercher dans tout le quartier, alors je suis retournée à la cuisine. J'avais des milliers d'assiettes en retard. Aujourd'hui, je suis sûre que si j'avais réussi à la voir directement en sortant de la salle de bain, tout se serait passé différemment. Il y avait du monde partout, et...

— Sandra, allez, dit Mike, fais ça pour moi, sois gentille.

Elle l'ignora.

— En tout cas… Ça sert à rien d'imaginer ce qui aurait pu se passer avec des « si » puisque ça s'est pas passé comme ça. Je l'ai pas vue et j'ai dû laisser tout ça bouillir à l'intérieur de moi. Je repensais au party de Noël de la job, le mardi d'avant, où elle avait sorti son beau discours à toute l'équipe. Elle avait dit qu'on était plus qu'une équipe. On était une famille. Et que dans une famille, la confiance était la chose la plus importante. Qu'elle nous aimait tous et qu'elle était fière de nous. Des conneries comme ça… J'ai repensé à ce qu'elle avait dit sur Mathieu pour justifier son départ. Qu'il offrait soi-disant des boissons aux clients. Qu'il en prenait lui-même sans payer. Que ce qui la gênait, elle, c'était pas le problème de l'argent, mais, encore une fois, le problème de la confiance. J'ai repensé à tous les grands discours qu'elle m'avait servis depuis vingt ans. À toutes ses leçons de morale où elle se présentait toujours comme un être exemplaire. Et toujours ses grands mots : la confiance, la franchise, l'honnêteté. J'ai repensé à tout ça. Et à ce moment précis, j'ai pensé qu'elle était la personne la plus haïssable de l'univers. J'ai senti quelque chose dans mon ventre, qui m'oppressait. J'avais rien mangé de la journée. Mais j'ai couru à nouveau à la salle de bain et j'ai vomi. C'était comme si on m'avait mis un coup de poing dans le ventre. Et c'était comme si c'était elle que je vomissais.

Un couple de clients venait d'arriver dans la salle, ils s'installèrent au fond, au bord de la baie vitrée. Mike les observa nerveusement tandis que Sandra continuait comme si de rien n'était.

— Carmen a fini par revenir. Mais c'était trop tard. J'avais plus envie de lui parler. Je voulais seulement ne plus jamais la voir, ne plus jamais y penser. D'ailleurs, j'arrivais plus à penser. J'étais au-delà de la fatigue, au-delà de la tristesse. Y a pas de mot. La seule chose que j'étais encore capable de faire, c'était travailler. Mon corps travaillait tout seul. Et moi, je le regardais faire.

Le téléphone de Mike sonna. Sandra le regarda brièvement. Il la supplia des yeux. Mais elle détourna le regard. Il répondit à son appareil en s'éloignant légèrement, laissant la voie libre au récit de sa fille.

— Au bout d'une éternité, les derniers clients ont fini par partir. On a fait le ménage et, à leur tour, tous les employés sont rentrés chez eux, un par un. Cette journée de merde allait enfin se terminer. Et même si j'avais toujours ma boule dans le ventre, je pensais plus qu'à partir. J'avais éteint les plaques, arrêté la fan, fermé le gaz, j'avais enlevé mon tablier et remis mes vêtements. Je suis juste repassée prendre mon téléphone, que j'avais oublié à mon poste, à côté du passe-plat. Et c'est là qu'elle est arrivée. Elle. Elle voulait que je recompte ses factures, parce que sa caisse balançait pas. Elle a pris son air de victime en se plaignant sans fin des serveuses qui avaient dû se tromper, comme d'habitude. Alors, c'est sorti tout seul. Je lui ai dit que, peut-être, ça balançait pas à cause des cafés au lait qu'elle avait rentrés. Je lui ai dit calmement. J'étais trop épuisée pour m'énerver. Je voulais partir. Elle, elle a fait semblant de pas comprendre. J'ai dû lui redire, plusieurs fois, en la regardant dans les yeux. Et quand elle a enfin compris de quoi je parlais, elle est montée sur ses grands chevaux. Elle s'est mise à nier. Jamais elle aurait fait ça ! Elle se demandait qui avait pu me mettre cette idée dans la tête... Puis elle s'est mise à parler de Mathieu. À dire qu'il était malhonnête et qu'il me manipulait. Mais je l'écoutais plus. Je pensais juste à une chose. Une seule chose. C'était que je l'avais vue rentrer ces fausses commandes, sous mes yeux, et qu'elle, maintenant, elle était en train de me mentir. En pleine face. Et que tout ce qu'elle me disait n'était que du mensonge. Depuis toujours. Qu'elle n'était, elle-même, qu'un énorme mensonge. Je disais toujours rien, et elle, elle répétait en boucle les mêmes conneries. Toujours ses grands mots... Confiance, famille, jamais, toujours, Mathieu, confiance... À ce moment-là, je l'ai haïe du plus profond de mon être. J'ai senti la boule, dans mon ventre, qui grossissait, qui grossissait. J'ai à nouveau eu envie de vomir. Et elle, elle continuait de nier, d'accuser les autres, de se gonfler de mensonges. Alors, ç'a été plus fort que moi. J'ai pris le couteau orange, qui était juste là, à ma droite, et je l'ai enfoncé dans son ventre. Jusqu'au bout. De toutes mes forces. Et j'ai remué. Je crois que j'ai crié. Ou alors c'est elle. Je sais plus. Je crois que j'ai eu comme un trou noir. Mais ensuite, ç'a été le silence. Elle avait enfin arrêté de se plaindre. Elle avait enfin arrêté de mentir. Elle était par terre, elle disait plus rien. Plus un bruit... Après,

Reggie est arrivée. Moi, j'avais pas bougé, je regardais l'autre, par terre, se vider de son sang. Et se vider de ses mensonges. Et je pensais plus rien. Plus rien du tout. La boule, dans mon ventre, s'est mise à se dégonfler. Et pour la première fois de la journée, je me suis sentie bien.

Mike avait fini son appel et écoutait Sandra sans rien dire. Il y eut un long silence. Un long silence de mort dans lequel personne n'osa s'engouffrer.

— C'est Reggie qui s'est occupée de tout. Moi, je me suis laissé faire. J'avais pas peur. Je me foutais de tout. Mais Reggie, elle, elle avait peur. Elle avait peur pour moi. C'est elle qui a mis le couteau au lave-vaisselle. C'est elle qui a nettoyé mes traces. Et c'est elle qui a décidé de prendre la caisse pour faire croire à un vol. Puis elle m'a dit de partir. De rentrer chez nous. Et de rien dire. Alors, c'est ce que j'ai fait.

★ ★ ★

Le silence retomba à nouveau. Mais, cette fois-ci, Mike intervint rapidement.

— Écoutez… Je vais pas faire de commentaire sur ce que ma fille vient de raconter. Mais je tiens à dire que tout ça, ça reste une histoire de famille. Il y a eu des événements regrettables qui ont eu lieu. Mais toutes les familles ont leur part de drames. Et celui-ci doit rester dans la nôtre.

— Oui, enfin… Ce que nous a raconté Sandra, c'est quand même plus que regrettable, non? demanda Eyrolles.

— Sandra, elle vous a raconté ce qu'elle voulait. Comme je vous l'ai dit tout à l'heure, il y a des problèmes psychiatriques dans la famille et…

— N'importe quoi! soupira Sandra.

— En tout cas, je peux vous jurer que, quoi qu'elle dise, Sandra est la meilleure personne que je connaisse au monde. Et je dis pas ça parce que c'est ma fille. Demandez à n'importe qui au restaurant, à n'importe qui dans la famille, tout le monde vous le dira. Et c'est vrai. Elle est généreuse, elle est honnête, elle est responsable, elle est attentionnée… Elle pense toujours aux autres avant elle. Elle a toujours pris soin de son petit frère, parce qu'on était trop occupés pour le faire, avec sa mère. Et je peux vous dire que s'occuper d'un enfant autiste, c'est de la job !… Et c'est pas fini : Sandra, elle a toujours…

— Attendez, attendez…, coupa Eyrolles. Je veux bien croire que Sandra est pleine de qualités, j'en suis même convaincu. Mais ça n'excuse pas un meurtre.

— C'est pas un meurtre ! répliqua Mike. C'est un accident. Et surtout, je le répète, c'est une histoire de famille. On n'a fait de tort à personne en dehors de la famille. Mon épouse est décédée, ma fille se reproche des choses… C'est tout. Maintenant, on va régler ça entre nous et…

— Euh… Il me semble que vous oubliez quelque chose, là.

— Quoi ?

— Eh bien, euh… Reggie, par exemple.

— Reggie ?…

— Oui, Reggie, ajouta doucement Eyrolles. Il faudrait pas oublier qu'elle s'est dénoncée à la place de Sandra. Et qu'ensuite…

— Ensuite, elle s'est suicidée à ma place, continua Sandra.

— Mais non… arrête, maintenant ! dit Mike avec irritation.

— J'aurais jamais dû l'écouter, j'aurais dû avouer tout de suite…

Elle regarda son père.

— J'aurais jamais dû t'écouter, toi non plus. Si je m'étais dénoncée, elle vivrait toujours.

— Arrête, je te dis! Calme-toi.

— Si tu n'avais pas tué Carmen, Reggie vivrait aussi, remarqua Eyrolles.

— Non, Carmen, elle a eu ce qu'elle méritait.

— Tu peux pas dire ça, Sandra! explosa Mike.

Il se retourna subitement pour voir si les clients, au fond de la salle, l'avaient entendu. Puis il poursuivit en parlant tout doucement, en chuchotant presque, mais avec la même fureur qui se dégageait de tout son corps.

— Écoute, ta mère a fait des erreurs, j'ai fait des erreurs, mais tout ça, on l'a fait pour vous, pour Mario, pour Nino et pour toi.

— Pour moi? Mais moi, je lui ai jamais demandé de voler, de mentir. Je vois pas ce que je viens faire là-dedans.

— Elle t'aimait. Ça, tu peux pas le nier, Sandra. Elle t'a toujours aimée très fort. Et elle t'admirait beaucoup.

— Je m'en fous de son admiration. Elle m'a menti en me regardant dans les yeux.

— Elle a menti, parce qu'elle t'aimait. Parce qu'elle voulait pas te mêler à tout ça. Elle voulait te protéger.

— Arrête: elle m'a menti toute ma vie. Tu penses vraiment que ça m'a protégée?

— Écoute, elle a fait des erreurs, mais tout le monde fait des erreurs. Et nous, on a fait des erreurs par amour pour vous. Mais on a toujours été honnêtes, on a toujours été…

— Si je peux me permettre d'intervenir, se permit d'intervenir Tao, j'ai rien à redire sur la question de l'amour. Par contre, en ce qui concerne l'honnêteté, euh…

Il sortit une belle note grave du fond de ses entrailles et un gros dossier de son sac à dos. Puis il posa le dossier sur la table devant lui et le tapota avec un soupir de satisfaction.

— Euh… Non, en ce qui concerne l'honnêteté, je suis désolé de vous contredire.

— Qu'est-ce que c'est encore ? geignit Mike, incrédule.

— Bon, je vais pas rentrer dans les détails, à moins que vous insistiez. Mais, pour résumer, j'ai ici les preuves que…

Tao tira une feuille de son dossier, qu'il se mit à lire à voix haute.

— « Mike et Carmen Medeiros, les patrons de *L'Eggzotique*, ont volé leurs employés depuis l'ouverture de leur restaurant. »

— On n'a jamais volé personne !

Tao continua imperturbablement sa lecture.

— « Pendant les premières années, ils ont prélevé illégalement une partie de l'argent destiné aux employés directement dans le pot commun où étaient centralisés les pourboires. Mais ils se sont fait prendre sur le fait il y a bientôt trois ans. À la suite de cet incident, les serveurs ont démissionné en bloc, à l'exception d'une seule personne, toujours en poste actuellement. Le conflit s'est résolu à l'amiable. Les employés floués ont reçu un dédommagement en échange de quoi, ils ont signé des quittances les engageant à ne pas porter plainte. »

Tao tendit des quittances dans les airs comme un bonimenteur qui vante sa camelote. Puis il les posa sur la table, entre Sandra et Mike.

— « Après quoi, le système du pot commun a été abandonné au profit d'une caisse individualisée pour chaque serveur. À partir de ce moment, les clients du restaurant ont payé les additions et les pourboires directement aux serveurs. Avec ce système – qui est le système actuel –, les serveurs reçoivent eux-mêmes le paiement de leurs clients et, à la fin de la journée, ils reversent au patron le montant de leurs ventes. Ce qu'il leur reste en plus correspond à leurs pourboires. Mais alors, Mike et Carmen n'ont plus eu accès directement à cet argent. Et ils ont dû s'adapter. Ils ont donc mis au point un *nouveau système, simple et efficace* : ils rentrent des fausses commandes au code de leurs serveurs. Ces fausses commandes gonflent artificiellement le montant des ventes des serveurs et donc le montant d'argent que les serveurs doivent rendre au restaurant à la fin de leur service. »

— Et pourquoi on aurait fait ça ? demanda Mike, sceptique.

— Pour gagner plus d'argent, tout simplement !

Tao s'arrêta de lire sa feuille.

— Pour simplifier, ajouta-t-il, c'est comme si les serveurs devaient vous payer eux-mêmes les fausses commandes que vous avez rentrées à leurs codes. Et vous, vous récupérez de l'argent en un clic, sans même avoir à fournir quoi que ce soit. Je sais pas si je suis clair…

— Très clair, approuva Eyrolles chaleureusement.

— Et d'où ça sort, ça ? Vous avez des preuves ?! s'écria Mike.

— Ne vous inquiétez pas, j'y viens, rétorqua le journaliste en reprenant sa feuille. « Depuis deux ans et demi, Mike et Carmen Medeiros effectuent quotidiennement des fausses factures qui leur sont payées par leurs employés et qui représentent à ce jour un montant supérieur à vingt mille dollars. Et encore, ce calcul prend en compte un seul restaurant, alors qu'ils en possèdent cinq, sans parler des franchises. Néanmoins, même si l'on peut nourrir des soupçons légitimes, il est pour l'instant trop tôt pour affirmer qu'ils ont appliqué le même système partout. »

— Qui est-ce qui vous a raconté ça ?

— Ne vous inquiétez pas, mes sources sont fiables.

— C'est Mathieu qui a dit tout ça, hein ?

— C'est Mathieu Camaret qui a soupçonné en premier l'escroquerie. Mais c'est Jonathan Rivest-Lalonde qui a réussi à en démonter tout le mécanisme. Et c'est également grâce à Jonathan que je dispose des rapports de ventes dans lesquels les fausses commandes apparaissent de manière grossière, systématique et incontestable.

Tao tendit de nouvelles feuilles qu'il passa à Mike et Sandra.

— Voici les preuves, Mike. Vous pouvez vérifier vous-même, les fausses commandes sont surlignées au fluo.

— Je sais pas comment vous vous êtes procuré ça, mais ces données m'appartiennent. Vous êtes dans l'illégalité la plus complète.

— On est deux, alors, répondit tranquillement Tao.

— Papa, demanda Sandra avec douceur, alors toi aussi, tu?… Tu m'avais dit que…

— Sandra, il faut pas que tu croies ce qu'il dit, ordonna Mike.

— Donc, tu étais au courant? Donc, t'as fait des fausses commandes, toi aussi?

— C'est pas des «fausses commandes»! Et ce qu'on a fait avec Carmen, c'est pas illégal, s'énerva Mike.

— Et ça, c'est quoi? demanda Sandra en montrant les rapports de ventes constellés de fluo.

— Bon… C'est peut-être maladroit, mais c'est pas illégal. Il faut quand même comprendre que quand on gère un restaurant, on doit faire face à des problèmes. Sans arrêt! Il y a des problèmes de vols – oui, énormément de vols – de la part des employés. Et puis il y a des erreurs, parfois de la cuisine, mais le plus souvent de la part des serveurs. Alors voilà: tout ça, il faut bien le récupérer quelque part. Et c'est ce qu'on faisait.

— Et c'est parfaitement illégal, ponctua Tao.

— Alors toi aussi, murmura Sandra, l'air rêveur.

— Attendez, soupira Mike, dans certains restaurants, les employés doivent payer pour leurs erreurs. Nous, on n'a jamais fait payer une cenne à qui que ce soit. Jamais! Pourquoi? Parce qu'on voulait pas mettre la pression sur les serveurs. On voulait qu'ils se sentent bien. Et même quand il y avait des erreurs, on est toujours restés relax avec eux. Peut-être trop relax. Je reconnais qu'on aurait dû en parler, on aurait dû les prévenir. Et on n'a rien dit pour blesser personne. Voilà: on n'a pas été assez stricts. Mais il fallait bien qu'on les récupère quelque part, ces pertes. Tous les restos font ça!

— Tous les restaurateurs malhonnêtes font ça, corrigea Tao.

— Je peux pas vous laisser dire qu'on est malhonnêtes!

— Si seulement il avait été dans la cuisine avec elle, laissa échapper Sandra en regardant Tao.

Tao la regarda à son tour. Mike fit de même. Et, pendant une seconde, tout le monde se tut.

— C'est marrant, j'ai découvert que j'étais radin! lança Eyrolles, comme un cheveu sur la soupe.

Mike se tourna vers lui d'un air exaspéré. Eyrolles poursuivit son idée d'un ton badin.

— Oui. Avant de venir au Québec, j'étais persuadé que j'étais généreux. Mais depuis que je suis ici, je me pose des questions… Dès qu'il faut payer un pourboire, je fais des calculs sans fin, je cherche la petite bête, j'essaie de trouver des défauts dans le service pour pouvoir donner moins… Bref, pas de doute: je suis radin! Et, pour être bien franc avec vous, je vous assure que si j'avais la possibilité que personne le sache, la plupart du temps, je donnerais rien. Pourtant, je vous jure que je suis un bon gars. D'ailleurs, c'est ça qui fait vraiment peur!… Ben oui! Ça veut dire que si moi je suis radin sur les pourboires alors que je suis gentil, plutôt honnête, et même plutôt généreux, qu'est-ce que ça doit être avec les gens qui sont malveillants, égoïstes ou malhonnêtes? Hein?!…

Mike le regarda en plissant le front.

— Bon, qu'est-ce que vous voulez, tous les deux ? Vous nous faites venir, vous faites pleurer ma fille, vous me calomniez… Maintenant, dites-moi ce que vous voulez ? Des excuses ? De l'argent ?

Mike regarda Eyrolles droit dans les yeux.

— Vas-y, shoote un prix ! Combien tu veux ? lança-t-il.

— Ah non, moi, je disais que j'étais radin, comme ça. Après, je…

— Bon. Vous avez calculé combien ?… Vingt mille ?

Mike sortit son chéquier.

— Je sais pas d'où vous sortez ce chiffre. Je veux bien admettre qu'il y a eu dix mille dollars d'erreurs, mais pas plus. Je vous donne cinq mille à chacun, après, on n'en parle plus.

— Non, franchement, non, répondit poliment Eyrolles.

— Comment, non ? Je peux pas vous donner vingt mille ! Là, c'est de l'extorsion. Dix mille dollars, c'est le maximum.

— Écoutez, c'est gentil, mais, sans vouloir vous vexer, on s'en fout de vos dix mille dollars.

— Tu t'en fous ?… Alors, qu'est-ce que tu veux ? Dis-le-moi, je te le donne !!!

∗ ∗ ∗

On entendit le couple de clients, au fond de la salle, s'en aller. Puis le silence régna. Brusquement, tout le corps d'Eyrolles pivota vers Mike. Une toute petite voix en sortit, presque chuchotée. Une voix douce et tendre, comme s'il parlait à quelqu'un qui dort.

— En fait, moi, personnellement, ce que j'aimerais... oui, ce que j'aimerais vraiment, c'est réussir à comprendre pourquoi Reggie est morte.

— Reggie ?

— Oui.

— Reggie, elle s'est suicidée. Qu'est-ce que je peux dire de plus ? Elle était toxicomane, elle était instable, elle était suicidaire... Voilà, c'est tout.

— Non, justement, c'est pas tout. Elle était peut-être instable, mais quand même pas au point de penser qu'elle avait commis le crime d'un autre.

— Reggie aimait profondément Sandra. Et elle était généreuse...

— Oui, elle, elle était généreuse, confirma Sandra. Trop généreuse. Toute sa vie, elle a souffert d'être trop gentille. Jusqu'à la fin.

— Personne n'est assez généreux, ni assez instable, ni assez suicidaire pour se dénoncer à la place de quelqu'un qui a commis un crime. Personne peut faire un tel sacrifice sans qu'on l'ait poussé un peu. Et ce que j'aimerais savoir, c'est ce qui l'a poussée.

— Reggie est morte à cause de moi, dit Sandra. Pour me protéger.

— Non, je ne le crois pas, dit faiblement Eyrolles.

— C'est que vous connaissez pas Reggie alors, dit Mike.

— Non, c'est vrai. Je ne la connais pas. Mais par contre, je commence à vous connaître, vous, Mike Medeiros.

Eyrolles avait brusquement haussé la voix. Et tout le monde le regarda avec une curiosité mêlée d'inquiétude. Il remonta ses lunettes sur son front et planta un regard exorbité droit dans celui de Mike. Ses yeux étaient très clairs, comme délavés. Ils émettaient une sorte de flamme froide et ils bougeaient, de manière convulsive, d'un côté ou de l'autre, sans prévenir.

— Mike, je ne veux pas d'argent et je ne veux pas de mal à Sandra. Ni à vous. Ce que je veux, c'est la vérité. Alors, si vous me dites la vérité à propos de Reggie, si vous arrivez à me convaincre, je vous jure qu'on s'en va immédiatement, sans rien dire à personne.

Mike Medeiros poussa une courte expiration en regardant en l'air. Puis il replongea ses yeux dans ceux d'Eyrolles.

— La vérité, je vous l'ai dite. Reggie, elle s'est suicidée pour protéger Sandra. Mais si on connaît pas Reggie, on peut pas comprendre. C'est tout, affirma Mike sans quitter Eyrolles des yeux.

Ils restèrent un long moment les yeux dans les yeux, sans rien dire. Puis Mike finit par détourner le regard.

— Bon, dit Eyrolles.

Puis il réajusta ses lunettes sur son nez et se mit à fixer son nombril. Comme un enfant qui boude.

— Bon? Et il se passe quoi maintenant? demanda Mike.

Eyrolles resta mutique et obstiné tandis que Tao semblait ne pas trop savoir comment enchaîner.

— C'était une manière de faire monter les enchères, c'est ça?

Mike regardait alternativement Eyrolles et Tao d'un air menaçant.

— Vous voulez combien, maintenant? Vous savez que c'est de l'extorsion, ce que vous faites? Vous savez que vous risquez gros? Moi, j'ai rien à me reprocher. J'ai juste essayé de protéger ma famille, d'aider ma fille, qui a eu un moment de folie. Mais vous...

— Si vous êtes pas capable de me dire la vérité, alors c'est moi qui vais vous la dire.

Eyrolles s'était mis à parler sans bouger. Avec sa posture boudeuse, il était difficile de voir sa bouche remuer. Et le son de sa voix paraissait venir de la table elle-même.

— Reggie s'est dénoncée, parce que vous, Mike, lui avez demandé de le faire. Elle a accepté de le faire, parce qu'elle aimait beaucoup Sandra, certes, mais surtout parce qu'elle vous était redevable d'un grand service. Je pense, par exemple, à ce que vous avez fait pour elle quand elle a tabassé son voisin, vous vous souvenez? Lorsque, grâce à vous, elle a évité de justesse la prison. Cette fois-ci, c'était à son tour de vous éviter la prison, à vous ou à votre famille.

— Vous avez beaucoup d'imagination, vous devriez écrire un roman!

Eyrolles parut sincèrement flatté et il opina même de la tête avec un vague sourire.

— Merci, merci! J'y songe… Mais, en l'occurrence, ajouta-t-il en se rembrunissant aussitôt, ce que je dis n'a vraiment rien de fictif: c'est la triste réalité.

— Jamais j'aurais fait ça. D'ailleurs, jamais Reggie aurait pu accepter ça de force. Si elle l'a fait, c'est qu'elle le voulait vraiment. Et elle l'a décidé toute seule.

— Reggie a accepté de se dénoncer parce que vous l'en avez convaincue. Vous êtes un négociateur impitoyable. Ça fait partie de votre travail, c'est l'une de vos plus grandes forces et c'est grâce à ça que vous avez bâti votre empire. À côté de vous, Reggie, elle, elle était toute petite. Et elle était très influençable, surtout par quelqu'un de votre stature. D'ailleurs, on a retrouvé vos empreintes chez elle.

— Mes empreintes? Et alors? J'étais son propriétaire, c'est normal qu'il y ait mes empreintes. Ça doit être quand je suis allé chercher le loyer.

— Vous avez été obligé de monter chez elle alors qu'elle descendait travailler tous les jours?

— Je suis monté parce que j'avais quelque chose à déposer chez elle et j'en ai profité pour prendre le loyer.

— Et vous êtes monté chercher le loyer le jour du réveillon de Noël? C'est pas le premier du mois, chez vous, les loyers?

— Oui, mais c'était à cause des vacances...

Mike regardait de part et d'autre, comme pour chercher du renfort.

— Je suis monté lui apporter un cadeau de Noël et... j'en ai profité pour prendre le loyer...

— Arrête, papa, tu me fais pitié.

— Tu peux pas croire une chose pareille, Sandra. Ils sont en train de te manipuler!

— Mes parents sont des voleurs, des menteurs, des assassins... Et moi aussi. Et Mario vaut pas mieux! Toute la famille est pourrie jusqu'à la moelle!!

— Sandra, me dis pas que tu crois un seul mot de ce qu'il dit!

— Je ne crois plus un mot de ce que, toi, tu dis!

— Mon cœur, je te jure sur tout ce que tu veux que c'est faux! Sur grand-maman! Sur Nino! Je te donne ma parole...

— Je veux plus entendre parler de la famille. Et toi, je veux plus jamais t'entendre.

Mike resta sonné. Il avait le visage rouge et les yeux ardents. Soudain, il se retourna vers Eyrolles et Tao en criant.

— Vous voyez ce que vous avez fait? Vous êtes contents? Vous avez pas honte de profiter de la faiblesse des gens? Vous croyez que ma famille n'a pas suffisamment souffert?

Eyrolles prit un ton conciliant.

— Ah, la famille! Ç'a l'air d'être important pour vous, Mike.

Mike ne répondit pas. Il se contenta de respirer bruyamment.

— Préserver la famille, travailler pour transmettre à la famille, continua Eyrolles. Vous en parlez souvent.

Mike avait les traits tirés, une nervosité à fleur de peau. Et tout à coup, une tendresse communicative s'alluma dans son regard, comme une braise dans un feu que l'on croyait éteint.

— La famille, c'est la seule chose qui compte pour moi. Le reste – l'argent, la réussite –, je m'en fous. Ce que j'ai de plus cher, de plus important pour moi, ce sont mes enfants.

— Et c'est pour ça que t'as volé tes employés? demanda Sandra sur le même ton dépourvu d'animosité.

— Tout ce que j'ai fait, c'était toujours pour vous, dit-il en se tournant vers Sandra. Tu penses que ça m'amuse de travailler soixante-dix heures par semaine? de travailler les fins de semaine, les jours fériés, le jour de Noël? Non. Si on avait été seuls, ça fait longtemps qu'on aurait vendu tous les restos et qu'on serait partis en voyage, avec ta mère. Et si on a décidé de continuer à travailler fort et à faire tous ces sacrifices, c'est pas pour l'argent, c'est pour que vous ayez la meilleure éducation possible, que vous manquiez de rien. C'est pour vous. Mario, Nino, et toi. Parce que vous êtes tout pour moi.

Un silence respectueux résonna dans la grande salle.

— Bullshit! l'interrompit Sandra.

— Si, c'est vrai! Vous avez toujours été la chose la plus importante à nos yeux!

— Vous avez jamais été foutus d'élever Nino! Et c'était pas à cause du travail: elle, elle passait plus de temps chez le coiffeur qu'au restaurant; et toi, la seule chose qui t'intéresse, c'est gagner. Gagner des nouveaux marchés, gagner des nouveaux clients, des nouvelles franchises, et surtout gagner plus d'argent. Gagner, gagner, gagner! On dirait ton fils devant sa console. Mais là, c'est fini: Game over! GAME OVER!

— Non, Sandra, non, non… Tu peux pas dire ça…

Mike regardait sa fille d'un air désespéré. Il ferma momentanément les yeux en s'essuyant les tempes. Cette fois-ci, la braise semblait définitivement réduite en cendres.

— Écoutez… Eyrolles s'éclaircit la voix. J'ai une idée. On pourrait essayer quelque chose… Par exemple… Tiens ! Imaginons que vous vous dénoncez pour le meurtre de Carmen…

— Qui ça ? Moi ? demanda Mike, interloqué.

— Oui, vous.

— Qu'est-ce que vous voulez dire ?

— Pour l'instant, je vous demande juste d'imaginer, ça vous engage à rien !… Bon. Donc, imaginons que vous vous dénoncez. Vous avez de bons avocats, ils obtiendront sans doute des vices de forme, des circonstances atténuantes. Bref, vous aurez une peine clémente, vous vous en sortirez correctement. Mais surtout – le plus important ! –, votre famille sera préservée : vos enfants seront libres !

— Je veux pas être préservée, intervint Sandra. Et surtout, je veux pas qu'il soit préservé, lui. Je veux qu'il paye !… Je veux qu'on paye tous pour tout ce qu'on a fait.

— Tu vas payer, Sandra, lui répondit Tao. T'inquiète pas pour ça. Tu vas repenser à ce que t'as fait toute ta vie, tu vas t'accabler de reproches, de questions sans fin… Même sans aller en prison, tu vas payer. Par contre, si tu te dénonces, tu vas payer toute seule ; Mike, lui, va s'en sortir indemne, comme d'habitude.

— Il s'en sortira pas. Je vais parler, je vais écrire, je vais faire ce qu'il faut pour que tout le monde sache ce qu'il est vraiment. Je veux le détruire.

— Si c'est ce que tu cherches, c'est lui qui va te détruire. Il aura pas de mal, surtout après ce que t'as fait, à te faire passer pour une folle, hystérique, paranoïaque. Personne croira ce que tu dis. Et tu vas payer toute seule pour un crime que t'as commis en grande partie à cause de lui.

— Alors, qu'est-ce qui se passera s'il se dénonce ? demanda-t-elle.

Mike s'emporta.

— Mais vous êtes complètement fous. Je peux pas m'accuser d'un crime que j'ai pas commis ! D'abord, il n'y a aucune preuve, et puis…

— Si, il y a des preuves, dit tranquillement Eyrolles.

— Ah oui ? Et lesquelles ? demanda Mike, le regard plein de haine.

— Vous êtes passé au restaurant le jour du crime. Un peu avant la fermeture, vous êtes passé voir les résultats des ventes. Vous avez croisé votre femme, vous l'avez embrassée, il y a donc des empreintes de vous sur elle. Et vous êtes même allé prendre une tranche de pain avec du fromage dans la cuisine. Par conséquent, vous avez aussi laissé des empreintes sur les lieux du crime. Enfin, personne ne vous a vu pendant la demi-heure suivante, donc vous n'avez aucun alibi.

— Et alors ?! Ça suffit pas pour faire de moi un assassin ! Personne croira votre histoire. D'abord, c'est pas moi, c'est elle qui a tué, dit-il en pointant Sandra du doigt. Je peux rien changer à ça.

— Si, répliqua Eyrolles, justement. C'est l'occasion ou jamais de montrer votre sens du sacrifice et votre amour de la famille. D'ailleurs, c'est pas vous qui avez tenu le couteau, mais vous avez quand même votre part de responsabilité dans le meurtre de Carmen. Sans parler de celui de Reggie.

— Reggie, quoi ?

— Reggie est morte par votre faute. C'est vous qui l'avez poussée au suicide. C'est peut-être même vous qui l'avez incitée à reprendre de la drogue. Qui sait si ce n'est pas vous qui avez coupé l'héroïne avec du fentanyl ?

— C'est du délire ! s'insurgea Mike. Ce que vous êtes en train de faire, là, c'est de la diffamation ! Vous avez aucune preuve, vous…

— En tout cas, reprit Tao, si vous aviez pas fait toutes vos escroqueries auparavant, Sandra aurait jamais…

— C'est pas des escroqueries! Je vous l'ai dit, c'était juste pour éponger les pertes. J'ai quand même le droit…

— Vous avez tout à fait le droit de ne pas vous dénoncer et de laisser votre fille croupir en prison.

— Je laisserai jamais ma fille croupir en prison! Je prendrai les meilleurs avocats, je ferai tout ce que je peux, et je suis certain qu'elle s'en sortira bien.

— Je veux pas de tes avocats! Je veux pas que tu passes en plus pour le sauveur, alors que c'est toi qui nous as tous mis dans la merde.

— Quoi qu'il en soit, dit Tao, peut-être que votre fille s'en sortira bien, et je le lui souhaite. Mais si vous ne vous dénoncez pas, moi, je publie dès demain un article sur votre brillant système pour éponger les pertes du restaurant avec les pourboires des serveurs. « Affaire de *L'Eggzotique* : le mari de la victime escroquait ses employés. »

Mike semblait figé. Tao tapota sur son dossier.

— J'ai déjà le titre et un premier jet de l'article, que je vous ai lu tout à l'heure. J'ai tous les documents, tous les témoignages qu'il me faut : Jade Tremblay, Félix Aliboux, Mathieu Camaret, Jonathan Rivest-Lalonde…

Après une grande inspiration, Mike effaça cette perspective du revers de la main.

— Si vous voulez aller en cour, on ira en cour. J'ai d'excellents avocats. J'ai pas peur de vous ni des documents que vous m'avez volés illégalement. On verra bien si…

— C'est possible que vous gagniez le procès, concéda Tao. Mais en attendant, vous aurez perdu toute votre clientèle. Vous savez que les clients n'aiment pas beaucoup ce genre d'histoires.

— Et si vous perdez vos clients, vous perdez vos restaurants, renchérit Eyrolles. Or, votre business, c'est aussi un peu votre famille, non?

— Et qu'est-ce qui me prouve que vous publierez pas votre article si je me dénonce ?

— On vous le promet.

— On peut vous signer une quittance, glissa Eyrolles. Vous avez l'air de bien aimer ça.

— Vous me faites du chantage ! Ce que vous me demandez, c'est impossible... On peut demander ça à personne !

— Vous avez le droit de refuser, Mike. Mais alors, même avec les meilleurs avocats du monde, Sandra va passer les plus belles années de sa vie en prison, elle va faire des révélations qui vont faire imploser ce qu'il vous reste de famille, vos restaurants vont se vider et fermer les uns après les autres, votre réputation va dégringoler et votre carrière va s'effondrer.

— Même si je le veux, je pourrai jamais faire un faux témoignage. Je serai jamais capable de mentir devant un tribunal...

— Vous vous sous-estimez, Mike, l'encouragea Eyrolles. Je suis sûr qu'avec un peu d'efforts vous y arriverez même très bien !

— D'abord, pourquoi j'aurais voulu la mort de ma femme ?

— Cherchez un peu : on a toujours une bonne raison de vouloir la mort de quelqu'un.

— Je pourrai jamais convaincre un jury avec une histoire fausse.

— Vous n'avez qu'à raconter une histoire vraie. Il vous suffit de remplacer le prénom de Sandra par le vôtre : vous étiez au restaurant à la fermeture, vous vous êtes chicané avec votre femme, vous étiez épuisé, vous avez perdu les pédales, vous avez pris le couteau orange et... Avec de bons avocats, vous pouvez même plaider la folie passagère et les circonstances atténuantes.

— Mais pourquoi vous me demandez ça ? Qu'est-ce que ça change pour vous ?...

Eyrolles et Tao se regardèrent avec un sourire coupable.

— On est un peu fleur bleue, avoua Tao.

— On aime les happy ends, rajouta Eyrolles. Et puis, Sandra… c'est une « bonne personne ».

En entendant la citation de Reggie, Sandra s'effondra.

— Je sais plus quoi dire, lâcha Mike, désemparé.

— Qu'est-ce que t'en penses, Sandra ? demanda Tao.

Elle sortit son visage de ses mains. Sa physionomie inflexible s'était diluée dans les larmes, d'où émergeaient ses longs cils mouillés. Tout en elle parut soudain doux et enfantin.

— Après tout ce qu'il a fait, articula-t-elle, la prison, pour lui, c'est le minimum.

Mike avait les yeux brillants. Il les retourna vers ceux de sa fille et prit un ton mélodramatique.

— Tu sais quoi ? Ce qui me fait le plus mal, c'est que tu croies vraiment que je suis un crosseur.

Sandra sécha ses larmes du revers de la main.

— Moi, ce qui me fait le plus mal, c'est que tu croies vraiment que t'en es pas un.

Le père et la fille restèrent un long moment ainsi, les yeux dans les yeux. Puis Mike détourna le regard avec un soupir excédé.

— On peut vous laisser encore un peu de temps pour réfléchir à ça, Mike, dit Tao. Le *Journal* est mis sous presse vers minuit. Il vous reste encore quelques heures pour vous décider.

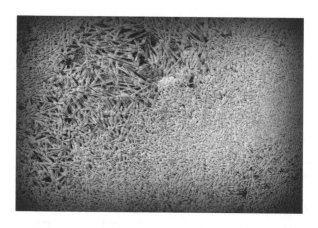

Samedi 4 janvier

Eyrolles regardait la neige tomber.

Autrement dit, il voyait un voile sombre secoué de temps à autre par de vagues soubresauts. Mais il savait que c'était le soir et qu'il neigeait. Alors, le voile sombre se transformait dans sa tête en crépuscule somptueux et les soubresauts, en escadrons de flocons dodus. Jusqu'au dernier moment, il espéra que les petits escadrons proliféreraient, prendraient d'assaut son gros avion et le contraindraient à rester quelques semaines de plus à Montréal. Mais en vain : ce n'était pas quelques billes de coton qui allaient dévier la trajectoire d'un mastodonte d'acier. L'avion se mit à rouler, imperturbable. Par son hublot, Eyrolles regardait toujours la neige tomber. Et les lumières de l'aérogare s'éloigner inexorablement.

Sa dernière journée était passée en un clin d'œil. Il avait essayé de rattraper en quelques heures tout ce qu'il avait raté en deux semaines. Ça avait commencé sur un tapis moelleux, tout près de sa douce Shawakarma. Il avait consacré la moitié de sa dernière séance de yoga à réfléchir à la meilleure manière de lui faire ses adieux. Mais au moment fatidique, elle avait été assaillie par une faune quinquagénaire fourmillant de questions médico-numérologiques. Après avoir imaginé les scénarios les plus déchirants et les positions les plus acrobatiques, il avait donc fini par partir sans rien dire, sans un au revoir, sans même intercepter les coups d'œil désabusés que sa belle lui adressait. Et il était rentré, l'âme en peine, en érodant la rue Villeray de son pas traînant.

Mais il s'était rapidement consolé en arrivant chez Marie-Ève et JB, où l'attendaient un brunch gargantuesque et des enfants surexcités. Marie-Ève avait concocté des patates grillées dans la graisse de bacon, JB avait fait cramer des crêpes et brouillé des œufs miroir, et les enfants s'étaient occupés du chocolat fondu, qu'ils avaient fait consciencieusement fondre dans leur estomac. Il y avait des saladiers de fruits, des cascades de sirop d'érable et même une dizaine de Timbits^MD – gracieuseté d'Antoine Eyrolles – un peu secs, mais encore comestibles. Le brunch familial se propulsa immédiatement à la deuxième place du *Comparatif officiel des meilleurs repas du monde et d'ailleurs*, juste après le souper au restaurant de Malek, la veille, où un Antoine Eyrolles euphorique avait sauté de délice en délice.

Le reste de la journée fut dévolu à la préparation de valises, à la digestion et au jeu. Depuis leurs retrouvailles du vendredi, Antoine et les enfants étaient devenus les meilleurs amis de la terre. Les gros paquets cadeaux d'Antoine avaient contribué pour beaucoup à ce rapprochement historique. Depuis, Gustave et Amélie étaient constamment fourrés sur son dos, sur ses épaules ou sur ses genoux, s'amusant à ébouriffer sa crinière ou à jouer avec ses lunettes, ce qui provoquait l'hilarité cinglante de leur mère.

— T'es vraiment écœurant! s'exclama Gustave.

— Mais toi aussi, mon cher! répondit aimablement Antoine.

écœurant (Qc): très bon, qui suscite la sympathie
écœurant (Fr): très mauvais, qui soulève le cœur

Les enfants avaient absolument tenu à accompagner Antoine à l'aéroport et ils avaient même essayé de le retenir quand il avait franchi le sas après l'enregistrement. «Laissez-moi partir, bande de petits morveux!» étaient les derniers mots auxquels ils avaient eu droit alors qu'ils fondaient en larmes dans le grand hall réverbérant. Il fallait admettre que ces sales monstres étaient craquants. Et Antoine avait été surpris de sentir une drôle de petite boule au fond de sa gorge en s'éloignant du portillon.

Les sons du moteur grimpèrent soudainement d'une octave. Eyrolles ressentit une puissante poussée dans son dos, et quelques secondes plus tard, il fut dans les airs, au-dessus d'une mer de lumignons. Le moment était bientôt venu.

Il avait réussi à attendre toute la journée. Il n'avait rien cherché à savoir. Avec une sorte de superstition puérile, il avait même évité d'en effleurer la pensée pour la laisser intacte. Comme une pierre précieuse que l'on regarde avec parcimonie de peur de l'user. Il attendit encore un peu, le temps que l'effet de la bière cumulé à celui de l'altitude s'atténue et que son voisin soit complètement endormi. Puis il sortit le journal de son sac – la pierre de son écrin – et il le posa sur sa tablette, devant lui.

C'était la deuxième édition. La une était principalement consacrée au hockey. Mais en haut de la page, une large bande encadrait le titre du quotidien et attirait l'attention vers un sujet autrement plus captivant. « ULTIME REBONDISSEMENT DANS L'AFFAIRE DE L'EGGZOTIQUE : *la vérité enfin révélée, l'assassin enfin appréhendé!* Le récit complet, pages 4 et 5. »

Eyrolles resta quelques secondes en contemplation devant la une, puis il tourna tranquillement les pages sans se laisser distraire par les informations secondaires des pages intermédiaires. Quand il arriva enfin à la double page fatidique, sa main tremblait un peu.

Le véritable assassin se démasque

Dans un coup de théâtre digne d'un roman policier, Mike Medeiros a avoué avoir poignardé à mort sa femme Carmen le vendredi 20 décembre dernier au restaurant L'Eggzotique. C'est ce qu'il a déclaré hier soir à la police de Montréal, où il s'est rendu de lui-même. Ses aveux disculpent ainsi Reggie Gagnon, qui s'était accusée du même meurtre dans des circonstances troubles avant de se donner la mort le 24 décembre dernier.

Coupable improbable pour crime hors-norme

Mike Medeiros, entrepreneur accompli dont le chiffre d'affaires annuel avoisine les cinq millions de dollars, est le propriétaire de plusieurs *restaurants à Montréal. Mais c'est aussi un homme proche de ses équipes qui continue d'intervenir tous les jours sur le terrain. Selon Me Louis Schwartzmann, son avocat, «Mike est un perfectionniste hyperactif. Ça fait plusieurs semaines qu'il souffre de surmenage. Mais là, avec la fin de l'année, la pression professionnelle et les responsabilités familiales, il était vraiment à bout. À sa place, une personne normale aurait fait un* burn-out *depuis longtemps. Lui, il est très résistant. Alors, forcément, quand il craque…», il craque!*

Amour, argent et caféine

C'est un mélange explosif d'ingrédients apparemment anodins qui semble être à l'origine du drame. Mike Medeiros aurait eu un désaccord avec son épouse au sujet d'un détail comptable. On parle également d'une possible crise de jalousie à l'égard d'un client ayant fait des avances à la victime. Mais l'élément déclencheur, qui a transformé un simple conflit en véritable tragédie, ne serait autre que… le café! En effet, le patron de L'Eggzotique était connu pour en faire une consommation abusive. Il buvait jusqu'à douze espressos par jour pour compenser le manque de sommeil, et ce, malgré une médicamentation contre l'hypertension. Selon son avocat, Mike Medeiros aurait ainsi été victime d'un véritable «coup de folie» au cours duquel il a tué sa femme et dont il ne garde aucun souvenir.

Une tragédie familiale

«J'ai d'abord voulu me taire pour protéger ma famille. Mais quand j'ai vu les conséquences dramatiques de mon silence, je n'ai plus supporté de vivre dans le mensonge et j'ai décidé de tout avouer», a expliqué, en pleurs, le coupable à l'officier de service lors de sa déposition spontanée. Après l'avoir longuement entendu, les enquêteurs sont toujours en train de vérifier les derniers éléments. Jusqu'à présent, toutes les preuves concordent parfaitement et les points d'ombre de l'affaire s'éclaircissent enfin. Néanmoins, l'amnésie du meurtrier jette un voile irrémédiable sur certains détails du crime. Comme toutes les histoires de famille, celle-ci gardera donc sa part de mystère.

Dommages collatéraux

En plus du meurtre de sa femme, Mike Medeiros est accusé d'homicide involontaire à l'encontre de Réjeanne Gagnon. Celle-ci apparaît en effet comme une victime collatérale de la tragédie. De nature fragile – avec notamment des antécédents psychiatriques et judiciaires –, Réjeanne avait été très affectée par les événements de ces dernières semaines. Elle s'est suicidée quelques jours après le meurtre de Carmen Medeiros dans un état de grande instabilité mentale.

L'empire en sursis

Au total, Mike Medeiros encourt de cinq à vingt ans de prison ferme. Il a annoncé qu'il souhaitait conserver quoi qu'il arrive un rôle consultatif dans la gestion de ses affaires, mais que la direction opérationnelle revenait à son fils Mario. Celui-ci a affirmé être « résolu à faire honneur à [sa] famille en poursuivant le travail exemplaire de [ses] parents ». Sa sœur Sandra aurait quant à elle décidé de vendre toutes ses parts de l'entreprise familiale. Le montant perçu serait reversé à des œuvres caritatives parmi lesquelles le Grip – un organisme de prévention de la toxicomanie – et Au bas de l'échelle – une association d'information et d'aide pour les employés précaires.

À venir dans Le Journal de Montréal...

Bientôt, une chronique hebdomadaire présentera les résultats d'une vaste enquête sur le milieu de la restauration à Montréal. Arnaques, illégalités, escroqueries, argent sale, travail au noir, insalubrité... Faites-nous part de vos expériences et de vos coups de gueule à info@lejournaldemontreal.com

Eyrolles était parcouru de sensations étranges et parfois contradictoires. Pour tenter de les dissiper, il continua de lire la double page jusqu'à la dernière goutte d'encre, sans omettre l'encart sur les méfaits de la caféine (*Fort de café*), la biographie succincte de Mike (*Itinéraire d'un homme pressé*), et même la publicité sur la voiture *classieuse et économique, payable en trente-six mensualités sans frais**. Puis il remonta sa loupe tout en haut de la page et il découvrit le visage de

Tao qui regardait tout ça de haut, tout guilleret dans son médaillon. Eyrolles repensa au dernier texto que le journaliste lui avait envoyé et qui se terminait par un inévitable smiley.

¦-D

Il ferma les yeux. Le texto et la photo se mélangèrent comme deux gouttes d'eau. Pendant quelques instants, il laissa ses pensées s'écouler avec elles tandis que les gloussements hilares de Tao semblaient résonner dans les airs. Mais bientôt, le souvenir de sa voix fut recouvert par les bruits du moteur. Eyrolles rouvrit les yeux et ferma le journal. Ce qui était sûr, c'était que, désormais, son voyage était bel et bien fini.

Et que son roman n'était pas commencé.

Il regarda à travers le hublot. Il ne voyait absolument rien. Il fronça les sourcils et imagina les forêts profondes, perforées de lacs et saupoudrées de neige, les routes rectilignes, les… Puis il se rappela qu'ils avaient déjà quitté le continent. Il regarda à nouveau. Et il aperçut alors l'océan, les flots impétueux sur lesquels voguait un petit bateau solitaire et, encore plus solitaire, une bouée ballottante, égarée dans l'immensité.

Il s'était promis de terminer le premier jet avant de rentrer en France. Ça lui laissait six heures.

Il sortit son carnet et l'ouvrit à une nouvelle page. Elle était aussi blanche que le hublot était noir. Il s'approcha un peu, la regarda plus attentivement. Et soudain, il vit de la neige. Beaucoup de neige. Des forêts enneigées. Et des lacs. Et des collines et des routes.

Et tout le reste.

FIN

conçu au printemps
écrit à l'été
corrigé à l'automne

Montréal, 2014

Remerciements

Je tiens à remercier toutes les personnes qui m'ont aidé d'une manière ou d'une autre pour ce roman :

Fanny Arnaud, Bernadette Corvisier, Solène Derbal, Georges Khayat, Pierre Latulippe, Guillaume Lavenant, André Marois, Yves Rouvière, Joan Sénéchal, Christiane Théberge, Marie-Paule Villeneuve, et les autres…

Ainsi que Marie-Noëlle Gagnon et les Éditions Québec Amérique.